Les héritiers du fleuve

Tome 3

1918~1929

DU MÊME AUTEUR CHEZ LE MÊME ÉDITEUR:

Les héritiers du fleuve, tome 3: *1918–1929*, 2014
Les héritiers du fleuve, tome 2: *1898–1914*, 2013
Les héritiers du fleuve, tome 1: *1887–1893*, 2013
Mémoires d'un quartier, tome 1: *Laura*, 2008
Mémoires d'un quartier, tome 2: *Antoine*, 2008
Mémoires d'un quartier, tome 3: *Évangéline*, 2009
Mémoires d'un quartier, tome 4: *Bernadette*, 2009
Mémoires d'un quartier, tome 5: *Adrien*, 2010
Mémoires d'un quartier, tome 6: *Francine*, 2010
Mémoires d'un quartier, tome 7: *Marcel*, 2010
Mémoires d'un quartier, tome 8: *Laura, la suite*, 2011
Mémoires d'un quartier, tome 9: *Antoine, la suite*, 2011
Mémoires d'un quartier, tome 10: *Évangéline, la suite*, 2011
Mémoires d'un quartier, tome 11: *Bernadette, la suite*, 2012
Mémoires d'un quartier, tome 12: *Adrien, la suite*, 2012
La dernière saison, tome 1: *Jeanne*, 2006
La dernière saison, tome 2: *Thomas*, 2007
La dernière saison, tome 3: *Les enfants de Jeanne*, 2012
Les sœurs Deblois, tome 1: *Charlotte*, 2003
Les sœurs Deblois, tome 2: *Émilie*, 2004
Les sœurs Deblois, tome 3: *Anne*, 2005
Les sœurs Deblois, tome 4: *Le demi-frère*, 2005
Les années du silence, tome 1: *La Tourmente*, 1995
Les années du silence, tome 2: *La Délivrance*, 1995
Les années du silence, tome 3: *La Sérénité*, 1998
Les années du silence, tome 4: *La Destinée*, 2000
Les années du silence, tome 5: *Les Bourrasques*, 2001
Les années du silence, tome 6: *L'Oasis*, 2002
Les demoiselles du quartier, nouvelles, 2003
De l'autre côté du mur, récit-témoignage, 2001
Au-delà des mots, roman autobiographique, 1999
Boomerang, roman en collaboration avec Loui Sansfaçon, 1998
« Queen Size », 1997
L'infiltrateur, roman basé sur des faits vécus, 1996
La fille de Joseph, roman, 1994, 2006 (réédition du *Tournesol*, 1984)
Entre l'eau douce et la mer, 1994

Visitez le site Web de l'auteur:
www.louisetremblaydessiambre.com

LOUISE TREMBLAY-D'ESSIAMBRE

Les héritiers du fleuve

Tome 3

1918-1929

Guy Saint-Jean Éditeur
3440, boul. Industriel
Laval (Québec) Canada H7L 4R9
450 663-1777
info@saint-jeanediteur.com
www.saint-jeanediteur.com

....

Catalogage avant publication de Bibliothèque et Archives nationales du Québec et Bibliothèque et Archives Canada

Tremblay-D'Essiambre, Louise, 1953-
Les héritiers du fleuve
Sommaire : t. 3. 1918-1929.
ISBN 978-2-89455-741-9 (vol. 3)
I. Tremblay-D'Essiambre, Louise, 1953- . 1918-1939. II. Titre. III. Titre : 1918-1939.
PS8589.R476H47 2013 C843'.54 C2013-940991-2
PS9589.R476H47 2013

....

Nous reconnaissons l'aide financière du gouvernement du Canada par l'entremise du Fonds du livre du Canada (FLC) ainsi que celle de la SODEC pour nos activités d'édition. Nous remercions le Conseil des Arts du Canada de l'aide accordée à notre programme de publication.

Canada | Patrimoine canadien Canadian Heritage | SODEC Québec | Conseil des Arts du Canada Canada Council for the Arts

Gouvernement du Québec — Programme de crédit d'impôt pour l'édition de livres — Gestion SODEC

Conception graphique : Christiane Séguin
Révision : Marie Desjardins
Édition et correction d'épreuves : Marie-Ève Laroche
Page couverture : Toile de Daniel Brunet, *Les vieilles goélettes*, coll. privée, www.danielbrunet.com

Dépôt légal — Bibliothèque et Archives nationales du Québec, Bibliothèque et Archives Canada, 2014
ISBN : 978-2-89455-741-9
ISBN ePub : 978-2-89455-742-6
ISBN PDF : 978-2-89455-743-3

Distribution et diffusion
Amérique : Prologue
France : Dilisco S.A./Distribution du Nouveau Monde (pour la littérature)
Belgique : La Caravelle S.A.
Suisse : Transat S.A.

Imprimé et relié au Canada
1re impression, avril 2014

Guy Saint-Jean Éditeur est membre de
l'Association nationale des éditeurs de livres (ANEL).

À Claude, Marie-Ève et Jean...
Merci pour tout. Merci surtout pour votre infinie patience et votre présence amicale...
Bonne chance à toi, MÈV.

« La connaissance des mots conduit
à la connaissance des choses. »

PLATON

« Il n'est rien de plus précieux que le temps,
puisque c'est le prix de l'éternité. »

LOUIS BOURDALOUE

NOTE DE L'AUTEUR

Comme le temps file ! Le mien m'a déjà conduit à la soixantaine. Pourtant, il me semble que c'est tout juste hier que je trépignais devant la vie qui tardait à commencer pour de bon et voilà que ce matin, alors que j'y pense, je constate que le plus long du chemin est derrière moi. Pfft, parti sur un claquement de doigts ! Cette observation s'applique aussi à Alexandrine, Victoire, Matthieu et tous les autres. Les cheveux blonds et bruns sont devenus gris et blancs, les rides se sont creusées au coin des paupières et aux commissures des lèvres tandis que les générations suivantes leur poussent dans le dos pour occuper la place. Toute la place ! Par contre, à cette époque, on avait un grand respect pour la sagesse des vieux et personne n'aurait songé à les éloigner, à les séparer du quotidien sauf en cas d'absolue nécessité. Aujourd'hui, c'est autre chose. Des habitudes différentes sont nées avec la modernité et les générations ne s'entremêlent plus aussi élégamment qu'autrefois. Il faut cependant admettre que les gens vivent plus longtemps, en meilleure santé, et qu'ainsi, ils gardent leur autonomie jusqu'à un âge plus avancé. On remet alors du blond et du châtain dans la chevelure, on camoufle les rides de mille et une façons et on se donne l'illusion d'une éternelle jeunesse. Est-ce mieux ? Je ne saurais le dire. Quoi qu'il en soit, l'important, je crois, c'est de ne pas regretter ce qu'il y a derrière, et malgré l'âge qui avance inexorablement, il faut continuer de regarder devant avec gourmandise. Quand on y croit, la vie sait se montrer généreuse à sa façon !

Il en va de même pour mes personnages.

D'Alexandrine et Clovis à Léopold et Justine, de Victoire et Lionel à Béatrice et Julien, de Matthieu et Prudence à Marius et Jean-Baptiste, de James et Lysbeth à Johnny Boy, au fil des saisons, la vie continue sur les berges du fleuve.

Il y a des rires, Prudence y voit. Il y a des inquiétudes, Léopold les a suscitées. Il y a de grands bonheurs, le petit Julien les a engendrés quand Victoire a appris qu'elle était enceinte.

Il y a surtout le quotidien qui se poursuit, emmêlé aux traditions et aux inventions du monde moderne. Le téléphone et ses opératrices, les moteurs diesel, les automobiles de plus en plus nombreuses… Il y a même des avions qui défient les lois de la gravité ! Petit à petit, la vie des villes se dissocie de celle des campagnes. Alexandrine, la première, a vu sa famille se disperser, s'éloigner de la Pointe au profit de Québec, tandis que James continue de s'ennuyer de Montréal. Les cafés, les cinémas, l'effervescence des rues… Ruth et Donovan, Thimothy, Lewis, Edmund. Ils étaient sa famille et ils lui manquent. Si ce n'était de Lysbeth qui a toujours autant besoin de grand air, James retournerait auprès de ses amis sans la moindre hésitation. Marius, par contre, a repris la ferme familiale avec un indéniable plaisir et il entend bien moderniser les équipements de son père, d'autant plus que l'électricité est aux portes du village. Quant à Mamie, elle observe la société à travers la vie de trois générations de Bouchard, espérant connaître la quatrième. Si elle n'entend plus très bien, elle reste vive et active. Assise bien droite devant moi, elle observe tout ce que je fais, sans comprendre ce que j'écris puisqu'elle ne sait pas lire. Par contre, elle a fini par apprendre à compter et elle anticipe le fait que dans un an, elle aura cent ans ! S'y rendra-t-elle ? Elle le souhaite tellement !

Je suis vraiment emballée par la perspective d'explorer cette époque pas si lointaine, après tout. C'est l'époque de la jeunesse de mes propres parents et, à entendre mon père en parler, une certaine émotion dans la voix et un pétillement joyeux dans le regard, ce furent assurément de très belles années, malgré la crise et la guerre !

Cependant, avant de plonger en 1918, tout comme je l'ai fait dans le tome 2, j'aimerais que vous restiez avec moi pour qu'ensemble, on aille faire un tour chez les Bouchard avant de nous pencher sur la guerre qui fait rage en Europe. Au fil de quelques pages, on va reprendre en 1914, peu après que Léopold ait annoncé qu'il partait pour l'armée, laissant sa mère anéantie.

Êtes-vous bien installés ? Oui ? Alors, allons-y !

PROLOGUE

Sur la Côte-du-Sud, chez Marie, dans le village de l'Anse-aux-Morilles, en septembre 1914

Le travail avait été plutôt facile, l'accouchement très rapide, et la nouvelle mère s'était endormie aussitôt après la délivrance, avant même d'avoir vu son fils. «Tant mieux», avait alors souligné le médecin avec une profonde lassitude dans la voix. Puis il s'était lancé dans une longue explication dont Gilberte n'avait retenu que quelques mots comme autant de glaives plantés dans son cœur. Puis le vieux docteur Ferron était parti en disant qu'il parlerait tout de suite au père pour que lui, à son tour, prévienne Marie.

— Je vais passer par le magasin général pour lui dire que le mieux serait de placer le bébé le plus rapidement possible. L'attachement serait une source de tristesse inutile, puisque cet enfant-là ne comprendra jamais rien de toute façon. Avec une grosse famille comme celle de Marie, ça serait juste un paquet de troubles que de le garder à la maison.

Le bruit de la porte se refermant sur le médecin avait claqué aux oreilles de Gilberte comme celui de l'abandon, de la lâcheté. Au même moment, une première larme avait roulé sur sa joue.

Plusieurs minutes plus tard, le bébé, un petit garçon aux cheveux châtains, dormait paisiblement dans les bras de sa tante Gilberte qui pleurait encore à chaudes larmes. Des sanglots silencieux, parce qu'elle ne voulait pas alerter toute la maisonnée.

Pourquoi lui et pourquoi maintenant ?

Gilberte referma les bras sur le nouveau-né dans un geste possessif empreint d'une infinie tendresse. Bien que le médecin ait dit que l'âge de la mère y était pour quelque chose, elle en doutait grandement. Prudence, à quarante ans passés, avait bien donné naissance à deux enfants en parfaite santé, non ? Alors pourquoi Marie, à tout juste trente-quatre ans, serait-elle l'unique responsable de ce malheur ?

Gilberte était à ressasser tout ce que le médecin lui avait dit quand Romuald entra dans la chambre sur la pointe des pieds. De toute évidence, il était bouleversé. Ses yeux rougis en faisaient foi. Pourtant, sa première inquiétude fut de prendre des nouvelles de Marie.

— Comment va-t-elle ? demanda-t-il à mi-voix en désignant le lit d'un petit geste de la tête.

— Après la délivrance, elle allait bien. Elle s'est endormie tout de suite après, sans avoir vu le bébé et, comme tu vois, elle dort encore.

— Et... et lui ?

Du menton, Romuald désignait les couvertures au creux des bras de Gilberte.

— Il dort aussi.

— Il… il va bien ? Il est comment ?

— Bien sûr qu'il va bien ! Qu'est-ce que tu crois ? Ce n'est pas…

Gilberte se mordit la lèvre. Elle avait failli répondre que ce n'était pas un monstre malgré l'image fort négative que le médecin avait fait de ce minuscule bébé.

— Ce n'est qu'un tout petit bébé, tu sais, reprit-elle dans un souffle.

Gilberte tendit le nouveau-né à son beau-frère.

— Tu veux le prendre ?

— Non !

Comme un cri d'épouvante, vite remplacé par un ton d'excuse.

— Non, je crois préférable de ne pas m'attacher. C'est le docteur qui l'a dit.

À ces mots, Gilberte comprit que le médecin avait tenu exactement le même discours à son beau-frère. Par réflexe, ses bras se refermèrent encore plus étroitement sur le corps du bébé dans un geste de protection.

— Ouais… C'est en effet ce qu'il a dit, renchérit Gilberte, les lèvres pincées sur un évident désaccord.

Puis, sur un ton invitant, elle ajouta :

— Viens le voir, au moins. Il est mignon, tu sais.

Tout hésitant, Romuald fit quelques pas vers Gilberte et il se pencha sur ce nouveau fils qu'il n'aurait pas le droit d'aimer. Le médecin n'avait pas doré la pilule en lui parlant de ce bébé.

— Dommage pour vous, mais idiot il est né et idiot il restera !

Alors, Romuald ne savait pas trop à quoi s'attendre.

Au pire, peut-être ! Au lieu de quoi, il découvrit un poupon en apparence tout à fait normal, à l'exception de ses yeux en amandes, comme ceux d'un Chinois, et de son visage légèrement aplati, ce qui ne l'enlaidissait pas, bien au contraire.

Durant un long moment, Romuald fixa le bébé, le cœur rempli d'amour en réserve, avant de se retourner brusquement quand il sentit ce même cœur se serrer. Le médecin avait raison : il était facile de s'attacher à un poupon. Alors il garderait ses distances.

Comme réponse logique à ses pensées, Romuald recula d'un pas en se répétant que le mieux serait que Marie ne voie jamais son fils.

— Qu'est-ce que t'as décidé de faire ?

La question de Gilberte, même lancée dans un souffle, le fit sursauter.

— J'en ai pas la moindre idée. Toi, Gilberte, si c'était toi la mère, qu'est-ce que tu ferais ? Ou qu'est-ce que tu voudrais que je fasse ?

Prise au dépourvu, Gilberte leva les yeux sans répondre. Puis elle se repencha sur le nouveau-né qui dormait toujours à poings fermés. Chose certaine, maintenant qu'elle l'avait vu, qu'elle l'avait tenu tout contre elle, Gilberte se sentait incapable de l'abandonner. Et elle n'était que la tante. De là à imaginer ce que Marie pourrait ressentir…

Gilberte poussa un long soupir rempli de sanglots. Dans sa vie, il y avait eu un jour où elle avait pleuré sa mère morte en couches. Aujourd'hui, elle pleurait un neveu qu'elle ne pourrait pas bercer, qu'elle ne pourrait pas aimer tout comme elle l'avait vécu avec sa jeune sœur Béatrice, parce que sa mère, avant de mourir, avait confié sa petite sœur à son amie Victoire.

À cette pensée, Gilberte tressaillit.

— Lionel, murmura-t-elle en fixant son beau-frère intensément avec, dans le regard, une lueur porteuse d'espoir. Il y a Lionel pour nous aider.

Le nom de Béatrice avait fait apparaître celui de son frère aîné. Aux yeux de Gilberte, Béatrice et Lionel seraient toujours intimement liés, et ce, depuis son unique visite à Pointe-à-la-Truite.

Lionel et Béatrice…

Et maintenant Lionel, Béatrice et Victoire parce que, depuis plusieurs années, Lionel vivait sous le même toit que leur jeune sœur, puisqu'il avait épousé Victoire.

— Oui, il y a Lionel pour nous aider, affirma Gilberte avec plus d'assurance.

— Lionel ?

— Pourquoi pas ? Après tout, il est docteur.

— Ouais… C'est vrai, j'ai un beau-frère docteur ! Je l'avais oublié.

Romuald se souvenait à peine de Lionel qui, plus âgé que lui, avait quitté le village alors qu'il n'était qu'un gamin. Et comme les Bouchard n'en parlaient jamais…

Romuald baissa un regard sceptique vers sa belle-sœur.

— Tu penses vraiment que ton frère Lionel pourrait faire quelque chose ?

Gilberte poussa un second soupir tout en haussant les épaules.

— Ça, j'en ai pas la moindre idée, mon pauvre Romuald. Par contre, il est docteur et un deuxième avis pourra sûrement pas nuire.

— Tant qu'à ça... Mais je pense que le docteur Ferron a raison, par exemple, quand il dit que c'est mieux de pas s'attacher.

— Peut-être...

Cette courte discussion avait redonné une certaine assurance à Romuald. Il redressa les épaules, posa un regard sur Marie qui dormait couchée en chien de fusil, puis il revint à Gilberte. Avant que Marie se réveille, il fallait prendre des décisions et c'est lui qui les prendrait. Qui d'autre pourrait le faire ? Après tout, ce bébé, tout idiot qu'il était, c'était tout de même son fils.

— Toi, Gilberte, tu vas partir pour la ferme de ton père. Avec le p'tit.

La voix de Romuald était ferme. Gilberte le ressentit comme une invitation à se ressaisir, ce qu'elle fit en se redressant sur sa chaise.

— Tu pars tout de suite, avant que Marie se réveille, insista Romuald. J'ai pas de crainte, chus certain que Prudence va ben t'accueillir.

— C'est sûr. Prudence, c'est la bonté faite femme. Mais Marie, elle ?

Gilberte glissa un regard inquiet vers Marie.

— T'es ben certain que...

— Laisse faire Marie, je m'en occupe, coupa Romuald. C'est le devoir d'un mari de voir à sa femme.

C'est ben certain que Marie va avoir de la peine, ça je le sais. Comme j'en ai moi-même. Mais on va traverser cette épreuve-là ensemble en priant le Bon Dieu d'avoir pitié de nous autres.

Gilberte ne pouvait qu'approuver une telle attitude. Elle hocha tristement la tête tandis que Romuald poursuivait.

— Pis ça va être mon devoir de père de te trouver un bateau pour vous amener à la Pointe, toi pis le bébé. Pour que tu puisses aller voir Lionel, comme tu l'as proposé. C'est plein de bon sens, de penser comme ça. Un dans l'autre, ça va probablement être la seule affaire que j'vas faire dans toute ma vie pour ce p'tit garçon-là... Pour Germain, tiens ! On va toujours ben y donner un nom, pis c'est celui-là qu'on avait choisi si c'était pour être un garçon. Débile ou pas, ça y prend un nom, hein Gilberte ?

C'est ainsi qu'après un séjour de deux petites journées à la ferme de son père où Mamie avait passé la majeure partie de son temps à bercer le poupon, Gilberte s'embarqua à bord de la goélette de Clovis pour se rendre à Pointe-à-la-Truite. Baptisé la veille au matin dans la sacristie par le curé Bédard, le petit Germain dormait paisiblement dans ses bras tandis que le bateau tanguait mollement sur un fleuve tranquille. Une brise toute en douceur gonflait la voile, dont Gilberte entendait les cordages buter contre le mât. Pour une matinée d'automne, le soleil était particulièrement hardi et Gilberte en sentait la chaleur sur son bras.

Clovis était plutôt taciturne. Un petit bonjour à l'arrivée de Gilberte, quelques mots pour voir à son installation dans la cabine et ce fut tout. Depuis l'appareillage, Clovis se contentait de fixer les flots que la coque du bateau fendait en se rapprochant peu à peu de la rive nord.

Comme elle vivait depuis longtemps chez Marie et que son beau-frère travaillait au magasin général, cette fois-ci Gilberte n'avait plus l'impression de se diriger vers une terre inconnue. Au gré des bateaux accostant au quai de l'Anse-aux-Morilles, les nouvelles voyageaient aisément d'une rive à l'autre et se rendaient régulièrement autour de leur table quand la famille se retrouvait pour le souper. Rares étaient les journées où Romuald n'avait pas quelque potin à leur répéter. C'est pourquoi Gilberte ne fit aucun effort pour engager la conversation, puisque la semaine dernière elle avait appris que Léopold, le plus jeune fils de Clovis, était parti pour l'armée. Ça devait être un choc terrible pour cet homme aux cheveux gris qui voyait en son fils cadet le prochain capitaine de sa goélette. Gilberte aurait bien aimé trouver des mots de réconfort, mais qu'aurait-elle pu dire que Clovis ne savait déjà ? Puis, elle avait bien assez de ses propres soucis pour ne pas avoir envie de faire la conversation. Depuis que Romuald lui avait confié le petit Germain, Gilberte considérait qu'elle en était l'unique responsable.

Jusqu'au moment où elle le confierait à Lionel.

À cette pensée, un spasme tordit l'estomac de Gilberte et, au même instant, son cœur s'emballa. La perspective de revoir Lionel lui donnait le vertige.

Son frère, tout médecin qu'il était, saurait-il vraiment ce qu'il fallait faire ? Connaîtrait-il de bonnes personnes à qui confier ce petit garçon un peu différent ?

À moins que le tableau sombre esquissé par le docteur Ferron ne soit que le reflet d'une mentalité obsolète et qu'aujourd'hui, il existait des solutions qui permettraient de garder le bébé.

Peut-être bien. Après tout, le docteur Ferron était un vieil homme fatigué, probablement dépassé.

Depuis la naissance du bébé, depuis l'instant où le médecin avait quitté la chambre de Marie, Gilberte s'accrochait désespérément à ce faible espoir qu'elle entretenait comme on souffle sur l'étincelle ténue qui pourrait allumer le feu. Il devait bien y avoir une solution quelque part, non ? À ses yeux, seul Lionel pouvait apporter une réponse à cette interrogation. C'est uniquement pour cette raison que Gilberte avait piétiné son orgueil et ses rancunes et qu'elle avait décidé de se déplacer entre les deux rives afin de consulter son frère.

La traversée se fit dans un parfait silence que seul le vent du large s'emmêlant aux voilures soutenait discrètement.

Puis le quai de la Pointe apparut. D'abord un trait sur l'écume des vagues, il se précisa, se mit à grossir jusqu'au moment où la coque vint buter contre les montants de bois.

— Le jour, Lionel est soit au bureau dans la maison

du docteur Gignac, soit en visite chez des patients, expliqua Clovis tout en manœuvrant pour accoster. Mais Victoire, elle, est toujours chez elle. C'est sûr qu'elle va t'accueillir comme il faut pour attendre ton frère.

Sans avoir eu besoin d'en parler, Clovis avait tout deviné. La nouvelle qu'un enfant anormal était né dans la famille de Romuald, le fils de Baptiste le marchand général de l'Anse, avait rapidement fait le tour des deux villages. Quand, au lendemain de la naissance, Romuald avait demandé s'il pouvait conduire Gilberte et le bébé sur l'autre rive, par matin calme de préférence, Clovis en avait déduit tout le reste. Pourquoi Gilberte reviendrait-elle à la Pointe si ce n'était pour rencontrer son frère médecin ? La rumeur d'un bébé infirme s'était alors confirmée et Victoire s'était mise à attendre cette belle-sœur qu'elle ne connaissait pas. C'est elle-même qui l'avait dit à Clovis, tout à l'heure, quand elle l'avait vu passer pour se rendre à sa goélette.

— Tu diras à Gilberte de venir attendre Lionel ici !

Ce que Clovis venait de faire.

Dès que le tangage du bateau diminua, Gilberte se leva. D'un bras, elle soutenait le bébé. Sur l'autre, elle fit glisser l'anse du panier qui contenait l'essentiel pour elle-même et tout ce dont un bébé pouvait avoir besoin durant quelques jours. Juste quelques jours. Au-delà de cette limite, Gilberte ne voyait rien, ne concevait rien, n'apercevait pas la moindre lueur.

— Merci Clovis. Vous êtes ben d'adon de m'avoir emmenée. Par contre, je sais pas trop quand est-ce que j'vas retourner à l'Anse... Ça va dépendre de Lionel, je crois ben. De ce qu'il va avoir à me dire. Quand je saurai ce qui me pend au bout du nez, je vous ferai signe.

D'un haussement d'épaules, Clovis signifia qu'il comprenait.

— Pas de trouble. Si j'ai à traverser à ce moment-là, ça va me faire plaisir de t'emmener. Sinon, je trouverai ben quelqu'un pour le faire à ma place. En attendant, bon courage, lança Clovis en posant brièvement les yeux sur le bébé avant de revenir à Gilberte.

Celle-ci lui trouva l'air fatigué, amer. Alors, elle soutint silencieusement son regard durant un instant avant de répondre d'une voix douce:

— Je vous rends la pareille, Clovis. Je vous souhaite ben du courage. Chacun à notre manière, on passe un moment difficile, non? Astheure, vous allez m'excuser, mais je voudrais ben être arrivée chez Lionel pis Victoire avant que le p'tit se mette à brailler pour avoir sa bouteille. Ça me tente pas trop d'être le point de mire de tout un chacun!

Gilberte traversa le village de la Pointe les yeux au sol, se promettant de revenir au cimetière pour se recueillir sur la tombe de sa mère, Emma, avant de retourner sur la Côte-du-Sud. Puis, il y avait aussi ses grands-parents maternels à qui elle s'était promis de rendre visite.

Après un large tournant, tout au bout de la rue principale, à quelques pas de l'église, du presbytère et de l'auberge de la mère Catherine, la petite maison jaune s'offrit brusquement à son regard. La bâtisse semblait blottie dans un écrin de verdure tacheté d'or et de pourpre en ce matin de septembre et Gilberte trouva l'image fort jolie. Tout à côté, contre la cime d'un grand sapin, la cheminée de la forge crachait un panache de fumée grise.

Gilberte ralentit le pas, le cœur battant la chamade. Maintenant que le but de sa traversée était là, juste devant elle, la jeune femme ne savait plus vraiment si elle avait bien fait de se fier à son intuition. Il y avait de cela de nombreuses années, elle avait tendu la main à son frère Lionel, lui disant que s'il avait envie de la revoir, il n'aurait qu'à traverser jusqu'à l'Anse.

Lionel n'était jamais venu. Il n'avait jamais écrit. Pas le moindre mot, ne serait-ce que pour lui annoncer son mariage ou la naissance de son fils Julien. Gilberte s'était alors juré de ne jamais rien entreprendre pour le revoir. Après tout, elle n'y était pour rien dans ce gâchis. C'est lui qui avait quitté la maison paternelle, pas elle.

Pourtant, ce matin, c'était bien elle qui se tenait devant sa demeure.

Gilberte s'arrêta, indécise, mal à l'aise.

Qu'avait-elle imaginé ? Que son frère allait l'accueillir à bras ouverts, faisant fi du passé ? Qu'il allait, d'un coup de baguette magique, transformer l'avenir du petit Germain en le guérissant miraculeusement ? Allons donc ! Leurs destinées s'étaient séparées depuis trop longtemps maintenant pour que Lionel soit heureux de la revoir. Après tout, Gilberte était le reflet d'une époque que, de toute évidence, Lionel Bouchard avait voulu définitivement rayer de sa vie.

D'autant plus qu'aujourd'hui, sa sœur Gilberte n'apportait que des problèmes.

Bien que réelle, tout comme l'envie de rebrousser chemin, d'ailleurs, l'hésitation de Gilberte fut de courte durée, cavalièrement interrompue par un vagissement venu des couvertures. Le petit Germain commençait à avoir faim et, comme elle l'avait dit à Clovis, Gilberte n'avait nullement l'intention de se donner en spectacle aux habitants de la Pointe. Prenant son courage à deux mains, elle se dirigea vers la maison jaune, celle de Lionel et Victoire. C'est Clovis qui le lui avait appris avant qu'elle descende de la goélette.

— Tu peux pas te tromper ! C'est la maison jaune sur ta gauche au bout de la rue principale, en bas de la côte qui mène chez nous.

Elle y était donc !

Toujours aussi mal à l'aise, Gilberte s'engagea sur une petite allée bien entretenue qui menait aux quelques marches montant vers la maison. Victoire devait la surveiller, car à peine Gilberte eut-elle posé un pied sur la galerie que la porte s'ouvrait sur une femme plantureuse, au sourire avenant.

— Gilberte, n'est-ce pas ?

Tout juste un signe de tête de la part de Gilberte pour acquiescer et Victoire s'effaçait pour la laisser entrer.

— Venez, entrez chez nous ! Vous êtes la bienvenue. Vous pouvez même vous dire que vous êtes ici chez vous. Après tout, vous êtes ma belle-sœur, non ?

Et avant même que Gilberte puisse articuler quelques mots pour la remercier, Victoire tendait les bras.

— Allez, donnez-moi ça, ce bébé-là ! Même nouveau-né, ça finit par peser sur les bras, un tout-petit !

En moins de temps qu'il n'en faut pour le dire, Gilberte se retrouva à la cuisine, une tasse de thé à la main et une assiette débordant de biscuits encore tièdes devant elle.

— Allez, servez-vous ! Même si le dîner s'en vient dans pas trop longtemps, l'air du large, ça creuse l'appétit !

La cuisine embaumait le rôti, le pain et la vanille. Incapable de résister à tant de gentillesse, Gilberte trempa ses lèvres dans la tasse, tendit la main vers l'assiette de biscuits et, après une première bouchée, poussa un soupir de soulagement.

Finalement, tout se passait bien jusqu'à maintenant. De là à croire que Lionel aussi serait content de la voir, il n'y avait qu'un pas à franchir, ce que Gilberte fit sans la moindre hésitation. Au bout du compte, il semblait bien que son intuition ait été la bonne.

— Heureuse d'être arrivée, lança-t-elle enfin. Et merci pour l'accueil. J'avoue que je savais pas trop à quoi m'attendre.

Victoire esquissa une moue de compréhension.

— C'est normal... On ne se connaît pas, même si on a pas mal de choses en commun.

— C'est vrai.

Durant un moment, les deux femmes se

dévisagèrent en silence. Puis Victoire proposa, une pointe de jovialité dans la voix et le regard:

— Alors, si on commençait par le commencement? Moi, c'est Victoire. Pour faire une histoire courte, disons que j'ai été mariée à Albert Lajoie durant un bon bout de temps. Mais ça, vous devez le savoir, puisque c'est nous autres qui avons élevé Béatrice, votre petite sœur. Une fois devenue veuve, malgré notre différence d'âge, je me suis remariée avec votre frère Lionel. On a un fils, Julien, qui, à l'heure où on se parle, doit traîner du côté de la forge à regarder tout ce que fait James. Peut-être que vous le connaissez, James O'Connor, l'Irlandais comme on l'appelle par ici? C'est lui qui a racheté la forge de mon pauvre Albert... Si mon Julien n'y dort pas, c'est bien parce que je ne le veux pas! C'est mon défunt mari, Albert, qui aurait été heureux de voir ça... Mais je suis là à parler, à parler... C'est bien moi, ça! À votre tour, Gilberte!

Si Gilberte avait mieux connu Victoire, elle aurait vite compris que cette femme-là était tendue comme les cordes d'un violon. Victoire n'avait jamais eu la langue dans sa poche, certes, et au fil des années, elle avait appris à servir son baratin aux clients avec aplomb, mais elle savait garder une certaine réserve quand elle rencontrait des étrangers. Et pour l'instant, Gilberte était encore une étrangère pour elle.

Puisant à même les souvenirs de ses quelques années d'école alors que les cours de bienséance de mademoiselle Goulet avaient une grande importance, Gilberte se leva de sa chaise au moment où elle entamait ses présentations.

— Moi, fit-elle en se retenant de faire une courbette, c'est Gilberte, comme vous le savez déjà. Chez nous, je suis la première des filles pis, depuis quelques années, je demeure chez ma sœur Marie pour y donner un coup de main. Avec ses neuf enfants, c'est pas de trop ! Si je suis ici, c'est à cause de lui, précisa Gilberte en pointant le bébé que Victoire tenait toujours contre elle. Il est né au début de la semaine pis le docteur de par chez nous a dit que ça serait mieux de le placer, vu qu'il est pas normal... C'est un mongol, comme le docteur a dit à Romuald, mon beau-frère, pis ces bébés-là, il faut les placer. C'est pour ça que je suis ici. Pour voir Lionel pis savoir ce que lui en pense. Après toute, il est docteur, il doit ben avoir une idée de ce qu'on peut faire, hein ?

— C'est certain que Lionel est mieux placé que moi pour vous répondre.

Tout en parlant, Victoire s'était penchée sur le petit Germain.

— Difficile de croire que ce bébé-là n'est pas normal, murmura-t-elle. Il est si mignon.

— Ouais, c'est aussi mon opinion.

— Alors on va attendre de voir ce que Lionel en pense... En attendant, si on le couchait sur mon lit ?

— J'aimerais mieux le réveiller pour le faire boire. Tout à l'heure, il a poussé un p'tit cri. Ça, ça veut dire qu'il doit avoir faim. C'est drôle, mais ce bébé-là pleure pas comme les autres que j'ai connus. Si on le brasse pas un peu pour le réveiller, il peut prendre des heures avant de se décider à pleurer pour de bon pour avoir sa bouteille.

Ce fut ainsi que les deux femmes apprirent à se connaître, s'occupant ensemble du bébé et partageant ensuite le repas du midi avec le petit Julien, qui repartit vers la forge aussitôt sa dernière bouchée avalée.

— Quand je vous disais ! lança Victoire en riant, prenant Gilberte à témoin. C'est une vraie rage, son affaire ! Comme une démangeaison qui ne veut pas se calmer. J'ai hâte que l'école commence, en septembre prochain. Ça devrait lui changer les idées.

Puis, après avoir siroté une tasse de thé, les deux femmes firent la vaisselle en discutant de la petite compagnie de Victoire.

— Ça m'occupe ! Toute seule ici durant de longues années, sans enfants, à attendre que mon Albert revienne de la forge, je n'aurais pas été capable de le tolérer. C'est comme ça que je me suis mise à cuisiner. D'abord pour nous autres, puis pour certains voisins à cause d'Albert qui n'arrêtait pas de dire à ses clients comment est-ce que j'étais une bonne cuisinière. C'est alors que la mère Catherine, la sœur de mon défunt mari, m'a demandé de lui faire des desserts pour son auberge. Un peu plus tard, j'ai cuisiné pour les auberges de la région et pour le Manoir à Pointe-au-Pic. Finalement, au jour d'aujourd'hui, ça fait bien du monde à contenter !

— J'sais pas si je serais capable de cuisiner autant, soupira Gilberte, tout en enviant la belle cuisine où elle se trouvait. J'aime ça, cuisiner, c'est sûr, mais au point de passer mes grandes journées devant le fourneau ? J'sais pas !

Puis, d'un mot à l'autre, d'une confidence à l'autre, Victoire prononça le nom de Béatrice et le cœur de Gilberte tressaillit en l'entendant.

— Elle sera là demain. Avec ses deux garçons.

— Des garçons ? C'est drôle, mais cette nouvelle-là s'est pas rendue jusqu'à moi.

Victoire haussa les épaules comme pour montrer qu'elle ignorait le pourquoi de la chose.

— Oui, répéta-t-elle, Béatrice a deux garçons. Des jumeaux.

— Comme maman, murmura Gilberte, le regard vague et le cœur en émoi.

Puis, à l'intention de Victoire, sans cependant oser lever les yeux vers elle, elle précisa :

— Notre mère a eu des jumeaux à deux reprises. Clotilde et Matilde, en premier. Pis Antonin et Célestin, plus tard.

— Alors là, c'est à mon tour de dire que je ne le savais pas. Tu vois, Lionel me parle bien peu de sa famille.

Curieusement, le tutoiement s'était imposé à Victoire avec un naturel désarmant.

— Et nous, on ne parle jamais de Lionel, souffla Gilberte.

À ce moment, devant ces constatations navrantes, le regard des deux femmes se croisa. Victoire avait beau avoir l'âge qu'aurait eu sa mère, Gilberte ne ressentait pas le fossé des générations entre elles. « Comme avec Prudence », pensa-t-elle spontanément avec une tendresse un peu déroutante. N'empêche que ce constat fut suffisant pour que Victoire lui semble encore plus chaleureuse.

Durant ce long après-midi d'apprivoisement, voire de confidences, il n'y eut qu'au moment où Lionel revint que Gilberte sentit un malaise s'abattre sur la cuisine. Victoire était aux fourneaux et Julien jouait sur le plancher avec une toupie multicolore.

Un embarras palpable enveloppa la pièce dès que Lionel parut dans l'embrasure de la porte, interrompant les conversations. Empêtré dans des émotions qui lui étaient toujours aussi difficiles à exprimer, le médecin s'en remit alors aux gestes du quotidien pour dissiper le malaise. Comme il avait vu James le faire tant et tant de fois, Lionel agrippa son fils sous les bras, le souleva de terre et le fit tournoyer durant un moment. Ravi, rouge de plaisir, le bambin poussa de petits cris de joie jusqu'à ce que son père le pose sur le plancher.

— Encore, papa, encore !

— Plus tard, fiston ! Tu n'as pas remarqué ? On a de la visite.

C'est alors que Lionel se redressa et, du regard, il chercha celui de sa sœur qui le dévorait des yeux.

Ils restèrent ainsi un long moment silencieux, comme si toutes ces années d'absence imposaient ce moment d'ajustement.

Gilberte fut la première à faire un pas en direction

de Lionel, la main tendue. Une main que Lionel ignora tant l'envie de tenir Gilberte tout contre lui était grande. Malgré l'éducation reçue et le peu de démonstration affectueuse ayant ponctué son enfance, le médecin avait appris la spontanéité aux côtés de Victoire. Il prit sa sœur tout contre lui et celle-ci s'abandonna à son étreinte fraternelle. Gilberte recevait si peu d'affection…

Le frère et la sœur restèrent enlacés durant un long moment, puis Gilberte se dégagea, les larmes aux yeux. Des démonstrations de tendresse comme celle-ci la mettaient toujours mal à l'aise, faute d'habitude. Par contre, la chaleur ressentie alors qu'elle était blottie contre son frère avait eu raison de sa rancune et de ses inquiétudes.

— Je me suis ben gros ennuyée de toi, avoua-t-elle tout simplement en fixant Lionel droit dans les yeux.

— Moi aussi.

L'émotion déformait la voix de Lionel.

— Promis, ça n'arrivera plus, affirma-t-il après avoir toussoté. On va trouver le moyen de se voir plus souvent… Je… Béatrice aussi veut te connaître.

— Je le sais.

De la tête, Gilberte désigna Victoire.

— Ta femme me l'a dit, tout à l'heure. Y a rien au monde qui me ferait plus plaisir que de connaître enfin ma sœur Béatrice… Sauf peut-être d'apprendre que le petit Germain est pas malade.

— Alors c'est vrai, tout ce qu'on a dit depuis quelques jours ?

Gilberte hésita, chercha Victoire des yeux comme si elle avait besoin d'un certain appui pour continuer.

— Je sais pas trop ce qui s'est rendu jusqu'ici, expliqua-t-elle enfin, mais par chez nous, c'est le mot «débile» qui revient le plus souvent. Ou le mot «idiot». Tu peux pas savoir à quel point c'est dur à entendre, même si je sais qu'il n'y a pas de méchanceté là-dedans.

— Je m'en doute un peu... Alors, où est-il, ce bébé?

— Dans la chambre de Béatrice, intervint Victoire, heureuse du déroulement de ces retrouvailles réussies, alors que Lionel les appréhendait tellement. On l'a installé sur le lit. C'est fou, mais il passe son temps à dormir, ce bébé-là!

— Dans certains cas, c'est normal. Tu viens avec moi, Gilberte? J'aimerais l'examiner. C'est d'abord pour ça que tu es venue, non?

— Ouais, c'est pour ça... entre autres!

L'examen fut long et minutieux. Lionel palpait le bébé avec une grande douceur tout en exprimant ses observations à mi-voix.

— Une petite face de lune, des yeux en oblique et une langue un peu épaisse qui pointe hors de ses lèvres...

Intimidée par l'homme savant qu'elle découvrait en son frère, Gilberte se tenait un peu à l'écart et elle écoutait attentivement tout ce qu'il disait.

— La peau est flasque et un peu jaunâtre... Les jambes anormalement arquées, même pour un nouveau-né... Regarde, Gilberte, l'espacement entre ses deux orteils! Ça ne trompe pas... Maintenant, j'aimerais que tu lui enlèves tous ses vêtements.

Debout dans l'embrasure de la porte, Victoire se tenait immobile, les deux mains jointes à la hauteur du cœur. Comme chaque fois qu'elle avait eu la chance de voir Lionel avec un patient, elle était subjuguée par sa grande douceur, par sa patience qui semblait inépuisable. Il sortit son stéthoscope de la mallette noire qu'il avait emportée et après l'avoir réchauffé au creux de ses mains, il le posa délicatement sur la poitrine du petit Germain. Même réveillé par toutes ces manipulations, le bébé ne pleurait toujours pas. Puis, posant le bébé à plat sur une main, Lionel le retourna et promena son instrument sur son dos.

— Heureusement, à première vue, le cœur ne semble pas touché comme je l'ai déjà vu du temps de mon internat, murmura le médecin avec une pointe de soulagement dans la voix. Voilà, j'ai terminé. Tu peux l'emmailloter, Gilberte. Je ne voudrais pas qu'il prenne froid.

Sans trop savoir pourquoi, Gilberte se sentait soulagée, comme si elle s'était libérée du fardeau en le confiant à Lionel. Elle s'empressa de recouvrir le bébé et elle le coucha sur le côté, un oreiller soutenant son dos. Puis elle se tourna vers son frère, confiante.

Malheureusement, le diagnostic de Lionel, impitoyable, la frappa directement au cœur, ramenant aussitôt angoisses, inquiétudes et tristesse.

— Idiotie mongoloïde, laissa tomber Lionel dans un soupir.

Ce pronostic ressemblait à s'y méprendre à celui du vieux docteur Ferron et Gilberte sentit tout son corps se cabrer sans qu'aucun mot n'arrive à franchir le seuil de ses lèvres.

— Ouais, idiotie mongoloïde, répéta Lionel en replaçant machinalement les couvertures autour du corps du bébé qui s'était rendormi. C'est triste à dire, mais il n'y a pas de doute: le petit Germain est un idiot.

— J'aime pas ce mot-là, riposta Gilberte sur un ton buté, le visage inondé de larmes qu'elle essuya d'un geste brusque du bras. T'es ben sûr de toi ?

— Aucun doute. Et même si je n'aime pas le mot moi non plus, c'est le seul qu'on connaît pour décrire un bébé comme celui-là. L'avenir va te le prouver.

D'un haussement d'épaules répété, tel un tic, Gilberte repoussa le pronostic de Lionel et toutes les perspectives d'avenir qu'il laissait supposer.

— Alors qu'est-ce qu'on fait ? demanda-t-elle avec une certaine impatience, déçue de voir que son frère n'en savait guère plus que le vieux médecin du village.

— J'avoue qu'il n'y a pas grand-chose à faire dans un cas comme le sien, sinon le regarder grandir. La famille pourrait choisir de le garder avec elle, c'est sûr. Certaines le font et ne s'en portent pas plus mal, malgré le surplus de travail que ça entraîne et les provisions de patience que ça demande. Par contre, à mon avis, le placer serait le mieux, pour lui comme pour la famille. Surtout que Marie a déjà de nombreux enfants, n'est-ce pas ?

— Le placer !

Sans répondre à la question de Lionel, Gilberte s'insurgeait contre sa proposition.

— Et si je dis que moi, je ne veux pas le placer ?

— Est-ce à toi de le vouloir, Gilberte ? Ce n'est pas ton fils ni le mien. Qu'est-ce que Marie a dit en te le confiant ?

À cette seconde question, Gilberte se mit à rougir violemment.

— Marie l'a pas vu, articula-t-elle péniblement, la gorge serrée. Je lui ai même pas parlé. Elle s'est endormie tout de suite après la délivrance. C'est… c'est Romuald, son mari, qui a pris toutes les décisions. Il a dit qu'il ne voulait pas s'attacher au bébé et que ça serait mieux que Marie le voie jamais. Il a quand même accepté ma proposition de venir te consulter pour avoir un autre avis… Romuald m'a dit aussi que mes décisions seraient les bonnes et qu'il les endosserait. J'espérais tellement revenir à la maison avec Germain.

Puis, dans un souffle accablé, Gilberte ajouta :

— Mais étant donné que tu parles comme le docteur Ferron…

— Ce n'est pas moi qui parle, Gilberte, c'est le gros bon sens. Il n'en souffrira pas, tu sais. C'est à peine s'il va être conscient de vivre.

— Tu crois ?

Lionel poussa un long soupir rempli à la fois d'impuissance et d'amertume.

— C'est ce que l'expérience nous a démontré jusqu'à maintenant, expliqua-t-il, toujours aussi patient. Si quelques-uns d'entre eux arrivent à prononcer péniblement certains mots, ça ne va pas beaucoup plus loin. Et rien ne prouve qu'ils comprennent ce qu'ils disent.

— C'est difficile à croire.

— Je le sais...

Gilberte resta un long moment à contempler le bébé, perdue dans ses pensées. Victoire s'était approchée de Lionel et elle avait glissé son bras sous le sien. Dès qu'il était question de bébé, son cœur tressaillait d'émoi. Surtout depuis la naissance de son fils Julien. Au lieu de combler son désir de maternité, la venue de son fils avait exacerbé cette envie. Malheureusement, elle n'était plus en âge d'avoir un autre enfant. Les yeux brillants de larmes contenues, elle aussi, elle contemplait le bébé en silence. Puis, lentement, Gilberte tourna la tête vers son frère.

— Je connais pas ça, moi, une famille où placer un bébé qui est... qui est malade, déclara-t-elle d'une voix étranglée.

— Quand je parlais de le placer, je ne pensais pas nécessairement à une famille.

— Ah non ?

— Non. Je pensais plutôt à l'Hospice Sainte-Anne, à Baie-Saint-Paul.

Gilberte ferma brièvement les paupières sur son regard affolé.

— C'est quoi ça ? Un hospice ? C'est pas pour les vieux, un hospice ?

— Oui, si on veut. Mais à Baie-Saint-Paul, ils reçoivent aussi quelques personnes comme Germain.

Des idiots. C'est le gouvernement qui paie pour eux et ça permet de faire fonctionner tout l'hospice.

— Ben voyons donc!

Consternée, Gilberte promena son regard angoissé de Lionel à Victoire avant de revenir le poser sur le petit Germain.

— Ça se peut pas, murmura-t-elle, en se tordant les mains d'impuissance. C'est pire que tout ce que j'avais pu imaginer... Un hospice...

Gilberte ravala son envie de pleurer en reniflant bruyamment. Pour l'instant, son minuscule neveu n'avait pas besoin de ses larmes.

— Pis qui est-ce qui va s'occuper de lui à... à l'hospice?

— Des religieuses. Les Petites Franciscaines de Marie. De saintes femmes, crois-moi! Comme je vais parfois à l'hospice, je connais bien l'endroit et les religieuses. Je peux donc t'assurer que le bébé ne manquera de rien. Pourvu que les religieuses acceptent un si jeune bébé, bien entendu.

— Bon! Encore autre chose...

Jamais de toute sa vie Gilberte ne s'était sentie aussi inutile, insignifiante.

— Et si on allait manger? proposa Victoire d'une voix apaisante, voyant que sa belle-sœur était complètement dépassée. Ça fait beaucoup d'émotion en peu de temps, tout ça. Et j'avoue que j'ai un peu de difficulté à m'y retrouver, moi aussi. On n'est pas obligés de prendre une décision tout de suite, là, debout dans l'encadrement de la porte, n'est-ce pas? De toute façon,

Julien doit se demander ce qu'on fait, alors moi, je descends.

La décision se prit d'elle-même, puisqu'il n'y avait aucun autre choix. Le petit Germain irait donc à l'hospice. Durant la soirée, Lionel en parla longuement et l'image qu'il en fit réussit à apaiser Gilberte un tant soit peu.

— Des religieuses, tu dis ?

— Oui, des religieuses. De bien bonnes personnes. Et aussi des bénévoles. Un grand bâtiment comme celui-là a besoin de toutes les mains charitables qui s'offrent.

— Ah oui ? Si tu le dis…

Il fut décidé qu'on demanderait à Clovis s'il pouvait les reconduire.

— Ça va mieux en suivant le fleuve que par la route, estima Lionel. Veux-tu que je t'accompagne ? Je connais bien la mère directrice et je pourrais, le cas échéant, mettre un peu de pression pour…

— Ça sera pas nécessaire. Je devrais être capable de me débrouiller toute seule. Tu as beaucoup d'ouvrage ici, non ?

— Et si moi j'y allais ? proposa Victoire sans laisser la chance à Lionel de répondre. Je peux très bien demander à maman et à Lysbeth de voir à Julien pour une journée. Ou encore à Béatrice.

Cette fois-ci, Gilberte sembla d'accord. Elle tourna vers Victoire un sourire reconnaissant.

— Ça serait gentil… C'est vrai que ça va être une journée difficile. Je… je le sais pas comment j'vas réagir quand ça va être le temps de laisser Germain là-bas.

— Alors c'est décidé, je vais avec toi ! Demain, je m'occupe de tout organiser et on va essayer de faire le voyage après-demain ! En attendant, j'invite Béatrice à venir souper avec son mari et ses deux garçons. Il n'est pas dit que ta première visite chez nous va être uniquement un moment de tristesse !

Sur ce constat, Victoire jeta un regard sur l'horloge du salon avant d'éclater de rire, comme si une femme de sa trempe, amoureuse de la vie, avait le besoin impérieux de cette jovialité pour désamorcer toutes les tensions passées et à venir. Puis, après un long bâillement, elle lança :

— Avez-vous vu l'heure ? Au lit tout le monde ! Voir que ça a de l'allure, se coucher tard comme ça ! Je peux bien tomber de fatigue.

Victoire et Lionel montèrent à leur chambre côte à côte, main dans la main, les doigts entremêlés. Heureusement pour elle, Gilberte les précédait. Être le témoin de leur intimité n'aurait fait qu'attiser le feu de son amertume de vieille fille, comme elle se surnommait elle-même avec dérision et affliction. Pour l'instant, la tristesse profonde ressentie à l'égard du petit Germain était amplement suffisante pour éloigner le sommeil. Elle n'avait pas besoin d'en rajouter.

Le voyage se fit le surlendemain, comme prévu, par temps gris et venteux. Tendue, nerveuse et le cœur dans l'eau, Gilberte se réfugia dans le coin le plus reculé de la cabine du bateau pour éviter de participer à la conversation.

En quelques mots à peine, prononcés entre Clovis et Victoire, Gilberte comprit que, malgré les apparences, ces deux-là ne faisaient pas partie de son univers. Ils étaient de la génération de son père et elle l'entendait dans leurs propos. Gilberte se demanda alors comment Lionel se sentait quand ils étaient tous ensemble. Son frère avait-il réussi à se tailler une place d'égal à égal ? Il était vrai, par contre, que son titre de médecin imposait le respect. Probablement suffisait-il à combler le fossé.

Ce qui n'était pas son cas à elle, avec à peine une sixième année terminée…

Gilberte laissa échapper un soupir discret. À vrai dire, il était rare qu'elle se sente à sa place, qu'elle se sente à l'aise. Elle se faisait souvent l'impression de n'être qu'une forme imprécise, un peu grisâtre, qui se mouvait entre les gens sans qu'on l'aperçoive.

Sauf hier peut-être…

La rencontre avec Béatrice, bien que chargée en émotion, avait été un beau moment. Elles se ressemblaient tellement que leur premier contact avait été le sourire timide mais complice qu'elles avaient spontanément échangé.

— Je me suis souvent demandé à qui je ressemblais, dans la famille Bouchard, avait constaté Béatrice dès qu'elle avait aperçu sa sœur. Je viens d'avoir ma réponse.

— En fait, c'est à maman que nous ressemblons, avait précisé Gilberte. Du visage, parce qu'elle était plus grande que nous.

Puis, dans cette économie de gestes émotifs si caractéristique de l'éducation reçue, et malgré son cœur qui battait la chamade, tout comme elle l'avait fait précédemment avec Lionel, Gilberte avait fait un pas vers Béatrice en lui tendant la main. C'était sans compter le fait que Béatrice avait été élevée par Victoire. Ignorant la main tendue, elle avait plutôt enlacé Gilberte et l'avait serrée tout contre elle avant de l'embrasser sur les deux joues.

— Si tu savais à quel point je suis contente ! J'ai souvent pensé au moment que je suis en train de vivre. J'ai souvent tenté de l'imaginer.

— Moi aussi !

Un long regard avait scellé cette confession. Puis, prenant Gilberte par la main, Béatrice l'avait entraînée à sa suite.

— Et maintenant, viens ! Il faut que je te présente mon mari et mes deux garçons.

Gilberte n'avait quant à elle personne à présenter. Pourtant, elle avait ravalé la réplique habituelle qui lui montait aux lèvres en pareil cas et elle s'était laissée remorquer par Béatrice.

C'est ainsi que, la veille, Gilberte avait passé une des plus belles soirées de sa vie. Une de celles dont elle chérirait longtemps le souvenir à défaut de pouvoir chérir autre chose dans la vie. Ce n'est qu'au moment où Gilberte s'était glissée finalement entre les draps que la tristesse de devoir bientôt se séparer du bébé l'avait rattrapée avant de s'emmêler à ses rêves.

Au réveil, le cauchemar s'était poursuivi.

Aujourd'hui, elle devrait abandonner son neveu dans un hospice. Ce n'était plus un rêve mais bien la triste réalité. Il faisait gris, il faisait froid et Gilberte avait le cœur lourd.

Le vent s'engouffrait sous la porte disjointe de la cabine. Il faisait si beau à son départ de l'Anse, deux jours auparavant, que Gilberte n'était pas vraiment habillée pour la saison. Une simple veste de laine tentait de la réchauffer sans grand succès. Un long frisson convulsif secoua ses épaules alors que, par le petit hublot, Gilberte contemplait la rive que le bateau suivait. Le paysage de la côte nord du fleuve était si différent de celui du sud !

Puis il y eut une certaine accalmie et Gilberte s'aperçut que le bateau venait d'entrer dans une baie.

— On est presque arrivés, commenta Clovis. Le temps d'accoster, d'amarrer le bateau pis vous pourrez descendre. L'hospice est un peu plus loin que l'église. Vous pourrez pas le rater, c'est gros comme un hôpital ! Pis vous avez tout votre temps ! Avec les vents de travers qu'on connaît à matin, m'en vas attendre le baissant de la marée pour retourner à la Pointe.

Les deux femmes traversèrent le village en marchant contre le vent et Gilberte avait l'impression que le Ciel se mettait de la partie pour lui signifier son désaccord en agissant comme elle le faisait. En agissant contre nature. Quelle sorte de cœur avait-elle donc pour s'apprêter à abandonner un aussi petit bébé ?

Indifférent aux états d'âme de sa tante, le petit Germain dormait profondément, blotti contre sa poitrine. Gilberte l'avait chaudement emmitouflé dans une couverture et elle l'avait glissé sous son chandail. Tous les trois pas, anxieuse, elle vérifiait s'il respirait toujours.

Malgré les bourrasques et le chemin pierreux, Gilberte trouva que l'hospice n'était pas assez loin. Le cœur voulut lui sortir de la poitrine quand la masse sombre de l'édifice se dressa devant elle.

— Je crois bien qu'on y est, murmura Victoire, en ralentissant le pas. Bonne sainte Anne que c'est difficile. Es-tu prête, Gilberte ?

— Qu'est-ce que vous pensez ? Non, je suis pas prête.

La voix de Gilberte était rauque, renfrognée, agressive.

— Mais comme je pense que je le serai jamais, aussi ben y aller tout de suite. Astheure, on passe par où ? Par la grande porte ou par celle d'à côté ?

Elles passèrent par l'entrée principale et furent accueillies par une religieuse à la cornette amidonnée et au sourire avenant. Quand elle comprit la raison de leur visite, sa désolation fut sincère.

— Pauvre petit ange ! Venez, mesdames, venez avec moi. On va rencontrer notre mère supérieure. C'est elle qui pourra vous dire ce qu'on peut faire, déclara la religieuse alors que son regard attendri, glissé subrepticement vers le bébé, proclamait clairement ce qu'elle aurait bien aimé que sa supérieure décide.

Cette même supérieure, toutefois, sembla plutôt embêtée.

— Un bébé ? Je suis reconnaissante au docteur

Bouchard d'avoir pensé à nous comme étant de bonnes personnes, mais nous ne sommes pas équipées pour recevoir des bébés !

— Quand même ! Ça ne demande pas grand-chose, un si petit bébé !

— Ça demande une présence vigilante... et bien du temps !

— Allons donc !

Victoire avait pris la situation en mains, comprenant, au silence de Gilberte, que celle-ci en serait bien incapable.

— J'ai dû m'occuper d'un nouveau-né, moi aussi, expliqua-t-elle à la supérieure, d'un ton qui se voulait convaincant. La mère était morte en couches. Une amie à moi et la mère de ma compagne, ajouta Victoire en désignant Gilberte, qui n'avait toujours pas desserré les lèvres. Ce n'est pas facile de s'occuper d'un bébé quand on n'a pas l'habitude, je vous l'accorde, mais avec l'aide de Dieu, on y arrive, croyez-moi ! Pis finalement, on s'aperçoit que c'est une bénédiction du Ciel, avoir un bébé dans sa vie.

— Je n'en doute pas un seul instant, chère dame, même si j'ai fait un tout autre choix pour orienter ma vie... Cela dit, ça ne me donne pas de solution miracle de savoir tout cela. Même en admettant que vous ayez raison !

Un silence gênant s'abattit sur la pièce tandis que Victoire tentait désespérément de trouver d'autres mots, d'autres motifs pour convaincre la religieuse de changer d'avis.

— Et si je vous offrais de rester ici, avec vous autres, pour m'en occuper ?

Gilberte était intervenue dans la discussion, d'une voix évasive, sans quitter le petit Germain des yeux. Constater que personne ne voulait de cet enfant-là dépassait son entendement, d'où cette proposition qu'elle-même était surprise d'avoir faite aussi spontanément.

Mais maintenant que les mots étaient dits…

Le temps de prendre une profonde inspiration pour se conforter dans sa décision et Gilberte leva la tête.

— Alors ? Qu'est-ce que vous pensez de mon idée ?

Toute supérieure qu'elle était, la religieuse semblait déroutée par une telle proposition.

— Vous ? Ici ?

Gilberte haussa les épaules.

— Pourquoi pas ?

— Vous voulez prendre le voile ?

— J'ai pas dit ça, souligna Gilberte avec une petite impatience dans la voix. Si j'avais voulu devenir religieuse, ça fait longtemps que je me serais décidée. Non, le couvent, le costume pis les vœux, ça m'intéresse pas. J'ai juste dit que je pourrais rester ici pour m'occuper de Germain. Ça, c'est le nom du bébé. Germain Delisle. C'est de même qu'on l'a baptisé dans la paroisse où il est né. J'ai son baptistaire dans mon panier, pis j'ai aussi une lettre du père, confirmant que c'est moi qui peux prendre toutes les décisions concernant Germain.

— Ouais…

— Pis si je vis ici, je pourrais m'occuper des autres aussi, comme de raison, ajouta précipitamment Gilberte. Durant mes temps libres. Si vous avez besoin de moi. Chus pas manchote, vous savez !

— On a besoin de toutes les bonnes volontés, c'est vrai, confirma la supérieure, tout en hochant la tête.

— Bon ! Vous voyez ben que mon idée est pas si folle que ça !

Gilberte s'animait. Elle se redressa, resserra son étreinte autour du corps du bébé, toujours emmailloté et blotti tout contre elle.

— Tout ce que j'ai besoin, dans le fond, expliqua Gilberte avec conviction, c'est d'un lit pour dormir pis d'une assiette pour manger. Pour le reste, j'ai jamais été ben ben gourmande.

— Que vont dire vos proches ? Vous devez bien avoir une famille, des parents, des…

— J'ai personne qui tient à moi au point de s'en faire de me savoir ici, trancha Gilberte d'une voix douce mais décidée. De toute façon, c'est moi qui aurais pris soin de Germain, une bonne partie du temps. C'est juste l'endroit qui changerait, si jamais vous acceptez de le garder pis que je reste avec lui pour m'en occuper.

— En effet…

— Pis je pense que ma sœur Marie, la mère du bébé, serait ben contente de savoir que c'est moi qui vas m'en occuper. Me semble que sa peine serait moins grande… Vous pensez pas, vous ?

Ce fut ainsi que Gilberte ne reprit pas le bateau de Clovis pour retourner à la Pointe afin de prier sur la tombe de sa mère, comme elle se l'était promis, et pour rendre visite à ses grands-parents maternels avant de retourner à l'Anse-aux-Morilles. Deux lettres, péniblement écrites au bout d'une table du réfectoire, expliqueraient la situation à Marie et Romuald, bien sûr, puis à son père et Prudence. Dans cette seconde lettre, elle adressait aussi quelques mots aux jumeaux Antonin et Célestin pour qui elle avait une affection particulière. En post-scriptum, Gilberte demanda qu'on lui fasse parvenir le peu d'effets qui lui appartenaient.

— C'est le mieux qui pouvait arriver, conclut-elle en remettant ses lettres à Victoire, qui était encore sous le choc.

— T'es bien certaine de vouloir passer une partie de ta vie ici ? demanda-t-elle sur un ton désolé tout en regardant autour d'elle.

— Pourquoi pas ? Pourvu que Germain manque de rien, moi ça me suffit.

— Et ta sœur Marie ? Avec sa grosse famille, elle ne comptait pas sur toi ?

— Justement... Elle sait qu'elle peut compter sur moi. Je la connais bien, elle va comprendre ma décision. Maintenant, retournez au bateau, Victoire. Faudrait pas que Clovis commence à s'inquiéter. Vous saluerez bien Lionel pour moi. Pis Béatrice aussi, comme de raison. Pis si jamais un de ces jours vous passez par ici, oubliez-moi pas. Venez me voir ! C'est sûr que toutes les visites vont être les bienvenues.

Ce furent ses derniers mots. À la façon insistante

dont Gilberte prononça le mot « toutes », laissant sourdre une certaine forme de panique enrobée d'ennui pressenti, Victoire comprit à quel point le sacrifice était grand pour elle.

Par amour pour un bébé qui ne la reconnaîtrait probablement jamais, Gilberte acceptait de s'enfermer dans un hospice pour une longue partie de sa vie.

Sur le chemin du retour la menant au bateau, Victoire se surprit à espérer que Lionel ait eu raison en lui précisant, hier soir dans l'intimité, qu'un idiot mongoloïde n'avait pas une longue espérance de vie.

Est-ce que ce fut l'assaut du vent ou l'intensité des émotions ? Quand Victoire monta à bord de la goélette, son visage était inondé de larmes.

PREMIÈRE PARTIE

Été 1918 ~ Printemps 1919

CHAPITRE 1

Août 1918, quelque part dans le Nord de la France...

Léopold profitait d'une accalmie pour se débarbouiller dans l'eau trouble accumulée au fond d'un trou d'obus. Un bout de savon, qui rétrécissait comme une peau de chagrin, passait d'une main à l'autre tandis que quelques hommes, accroupis, essayaient tant bien que mal de faire disparaître la crasse séchée qui les maculait depuis les derniers jours. Pas question, cependant, de se raser, les lames étaient trop émoussées et l'eau trop froide.

Pourtant, pour se laver, le capitaine Léopold Tremblay aurait eu droit à une cuve remplie d'eau tiède. Après tout, il était officier. Mais il préférait rester avec ses hommes. Ce qui était bon pour eux l'était tout autant pour lui, avait-il répondu au major Langlois. On n'avait pas insisté parce qu'on le respectait.

Léopold Tremblay avait toujours été un bon soldat. Solitaire, taciturne, soit, mais un bon soldat.

En effet, si Léopold refusait de se faire des amis, c'est qu'il avait trop vu d'hommes mourir au cours des dernières années. Un lien indéfectible l'unissait néanmoins à sa compagnie et il était apprécié, tant par ses hommes que par les commandants du 22e régiment auquel il appartenait.

Dans la région où ils étaient arrivés, la semaine précédente, une longue tranchée zébrait la terre de France comme une vilaine cicatrice. Vingt-cinq kilomètres entre Albert et Montdidier. Ne manquait plus que l'arrivée des tanks et des brigades de mitrailleuses motorisées pour donner l'assaut. Hier, portant le casque de l'armée australienne pour tromper les Allemands, Léopold et quelques autres officiers, australiens et canadiens, avaient été affectés à l'étude du secteur d'Amiens. La tension était palpable. Le maréchal, Sir Douglas Haig, dirigeait l'offensive et les avait mis en garde : la bataille risquait d'être coûteuse. Mais comme Léopold estimait qu'il n'y avait pas de bataille simple ou facile, il prenait les choses comme elles se présentaient, une à la fois. Aujourd'hui, il avait la chance de se laver dans un trou d'eau, demain, il verrait. Il comprenait les visées névralgiques de cette attaque destinée à libérer la ligne de chemin de fer entre Amiens et Paris. Gagner cette bataille, repousser les Allemands au-delà de la ligne Hindenburg qu'ils tenaient depuis le printemps, entrouvrirait peut-être une porte menant vers la fin du conflit.

C'est ce que Léopold avait retenu de la réunion tenue la veille : la guerre finirait peut-être bientôt.

Peut-être...

Léopold esquissa un sourire à la fois railleur et

désabusé, en essuyant son visage avec un torchon grisâtre. Dire qu'à l'automne 1914, au moment où il s'était enrôlé, il pensait être de retour à la Pointe pour la saison de cabotage de l'été 1915 !

— ... Sapristi, maman ! On dirait que tu lis pas le journal ! Tout le monde le dit : c'est pas une guerre qui va durer longtemps. Ben juste quelques mois ! Juste assez, j'espère, pour me donner le temps d'aller voir les vieux pays.

La réalité avait été tout autre !

Cela faisait maintenant presque quatre ans que Léopold était parti de chez lui et tout près d'un an qu'il n'avait rien reçu des siens. Ni colis, ni lettres, ni même une carte postale. Il osait croire que si un malheur était arrivé, l'armée aurait bien trouvé un moyen de le prévenir. Quant à Augusta, la jolie fiancée...

Léopold ferma les yeux sur une image qui allait en s'estompant avec le passage des mois et des années. La photo qu'il avait emportée n'était plus qu'une pâle copie délavée et le sourire radieux d'Augusta, celui qui lui avait un jour chaviré le cœur, s'effaçait peu à peu sur le papier et dans sa mémoire.

D'Augusta non plus, Léopold n'avait rien reçu depuis des lunes. Peut-être avait-elle cessé d'attendre, tout simplement, ou peut-être avait-elle croisé quelqu'un d'autre.

Peut-être était-elle même mariée à un autre...

Léopold secoua la tête dans un geste de déni. Pourquoi continuerait-il à se battre si ce n'était pour retrouver celle qu'il aimait ? Les belles envolées patriotiques ne voulaient plus dire grand-chose pour lui. Le tourisme qui l'avait emmené ici encore moins. Quel imbécile il avait été ! Si la situation avait été moins tragique, il en aurait ri. Sa mère, Alexandrine, avait eu raison en disant de ne jamais faire de promesse qu'on n'est pas certain de tenir. Cela faisait maintenant presque quatre ans qu'il avait cru partir pour quelques mois, au lieu de quoi, il avait été plongé dans l'horreur. Une infamie contre laquelle sa vie avait buté et s'était arrêtée. Son quotidien, depuis, n'était plus qu'un duel entre l'espoir et la mort. Il était entouré de vermine, attaqué par les poux et tenaillé par la faim jour après jour, malgré la présence de quelques cantines du YMCA.

Rester en vie…

C'était son credo, les seuls mots qui lui venaient à l'esprit quand les obus déchiraient la terre autour de lui.

Rester en vie pour retrouver la quiétude de son village et le silence de la mer quand il voguerait d'une rive à l'autre, d'un quai à l'autre.

Rester en vie pour tenir la promesse faite à sa mère.

Rester en vie pour protéger celle de ses hommes.

Rester en vie.

L'offensive fut déclenchée à 4 h 20, le matin du 8 août. Sur vingt-cinq kilomètres, les troupes anglaises, australiennes, canadiennes et françaises échelonnées entre Albert et Montdidier se devaient de gagner du terrain méthodiquement. Tanks et avions avaient ouvert l'avancée et continuaient de les soutenir tandis qu'une brève attaque de l'armée française avait préparé les hostilités.

Le terrain se gagnait un mètre à la fois et Léopold vivait une minute à la fois. Chaque parcelle de terre gagnée sans perdre un homme était pour lui une petite victoire. Ils allaient y arriver. Coûte que coûte. Jusqu'à maintenant, chaque fois qu'il s'était retrouvé face à un feu nourri de l'ennemi, il s'en était sorti. Quelques égratignures, soit, une dent cassée, une entorse, mais rien de majeur. Pourquoi en serait-il autrement aujourd'hui ? D'autant plus que cette fois-ci, l'espoir faisait battre son cœur plus fort que la peur. Comme les commandants l'avaient prédit, le conflit tirait à sa fin. Ainsi, Léopold reviendrait chez lui en un seul morceau.

Tel que promis.

Avec quatre ans de retard, il allait finalement honorer l'engagement vis-à-vis sa mère et peut-être aussi vis-à-vis sa fiancée.

Si elle l'attendait toujours.

Après tout, pourquoi pas ?

D'un remblai à une butte, d'une tranchée à un repli du terrain, les alliés avançaient et, curieusement, les Allemands reculaient. Parfois sans riposter, se rendant corps et armes à leur ennemi. Parfois en s'enfuyant comme devant un raz-de-marée.

Est-ce pour cela que la vigilance proverbiale de Léopold se relâcha ? Peut-être bien, après tout. Cette bataille ne ressemblait en rien à celles qu'il avait connues jusqu'à ce jour.

— Hé Samson ! Tu vois la colline là-bas ?

Du bras, Léopold montrait un remblai terreux où s'acharnaient à vivre quelques arbustes rachitiques.

— Ouais.

— Ça serait bien qu'on y campe avant la fin de la journée.

— Ben d'accord avec vous, mon capitaine, mais on fait ça comment ? Jusque-là, y' doit ben y avoir trois cents pieds à découvert.

— Peut-être…

Les yeux plissés, main en visière et menton au ras du sol, Léopold analysa le terrain, tenta de calculer.

— C'est vrai qu'il y a un grand bout à découvert, admit-il, mais à l'autre bout, ça a pas l'air de bouger ben ben…

Par réflexe, Léopold regarda tout autour de lui. C'était une belle matinée d'été. S'il n'y avait pas eu au loin la déchirure de quelques tirs isolés, Léopold aurait eu envie de dire que c'était une journée pour être en vacances.

Des vacances…

Cela faisait si longtemps qu'il n'avait pas eu de temps à lui, à part quelques heures à la fois…

Un jour, quand la guerre serait finie et que le monde aurait recommencé à vivre normalement, Léopold se jura qu'il emmènerait Augusta ici, en vacances, justement…

Un avion passa en rase-mottes au-dessus de sa tête, le ramenant à sa tranchée et au monticule de terre qu'il espérait gagner.

— On les arrose sans arrêt durant un bon moment, pis on attend un peu, proposa-t-il sur un ton de commandement. S'il se passe rien, on avance.

— Pis si c'est une embuscade ?

— Ça serait bien la première de la journée. Depuis le matin, les Allemands détalent comme des lapins.

— C'est vrai... Dans ce cas-là, je vérifie l'état de nos munitions, pis je viens vous faire un rapport.

Ce fut bref.

Léopold fut le premier à tomber, touché à un bras et aux deux jambes par un tir de mitrailleuse. Samson fut le second, en essayant de porter secours à son capitaine. Le reste de la troupe se replia devant un seul homme caché par une palissade au sommet de la colline et habité par la rage de survivre. Un Allemand rendu fou par cette guerre qui n'en finissait plus.

L'attaque franco-britannique fut un franc succès. Le soir du 8 août 1918, la ligne de front avait reculé de douze kilomètres vers l'est.

Le 10 août, la ligne de chemin de fer entre Amiens et Paris fut rouverte. Ce qui s'appellerait désormais la Bataille d'Amiens avait apporté les résultats escomptés, les plus marquants pour l'armée britannique depuis le début de la guerre.

Malheureusement, Tremblay et Samson ne furent pas de ceux qui purent festoyer. Samson avait rendu l'âme sur le champ de bataille et Léopold, opéré d'urgence dans la nuit du 9 septembre, était toujours entre la vie et la mort.

Et le médecin qui l'opéra ne put sauver son bras droit.

CHAPITRE 2

Trois mois plus tard, dans Charlevoix, chez les Tremblay en novembre 1918

Il avait fallu que la vie de Léopold soit en danger pour que la famille reçoive enfin de ses nouvelles. Un simple télégramme, bref et froid, que le maître de poste avait lu avant de le leur remettre. Au moins, on savait qu'il était vivant.

— Voir qu'on aurait pas pu continuer à correspondre avec lui avant ça ! rouspéta Alexandrine, une fois de retour chez elle. Léopold était pas au fin fond des concessions, comme on l'a longtemps pensé. Bonté divine, il était en France. Me semble que c'est un grand pays, la France. Non ?

Depuis que le télégramme était arrivé, il trônait au milieu de la table. Alexandrine en connaissait le contenu par cœur à force de l'avoir lu et relu.

— Un an, Clovis ! On a passé un an à se faire du sang de cochon pour notre fils parce que l'armée disait que le courrier se rendait plus. T'as-tu une petite idée de tout ce que j'ai pu m'imaginer, moi là ? Une longue année, à prier matin et soir, sans trop savoir si on priait pour quelque chose parce que j'étais quasiment sûre qu'il était en Allemagne, prisonnier, ou pire, déjà mort !

— Au moins, ça c'est une chose de réglée ! On sait qu'il est vivant.

Le gros bon sens de Clovis ! Un trait de caractère qui avait toujours plu à Alexandrine. Par contre, dans de telles circonstances, la placidité habituelle de son mari n'arrivait pas à calmer ses inquiétudes.

— Ouais, c'est vrai, il est vivant. Merci Seigneur ! Pour une fois qu'Il entend mes prières... Mais dans quel état Léopold va nous revenir, hein ? Le papier qu'on a reçu parle de blessures sérieuses. Assez sérieuses pour qu'il soye rapatrié en Angleterre en attendant la fin de la guerre parce qu'il peut pas retourner se battre. On rit plus !

— Mais au moins, astheure, notre Léopold est loin des canons pis des fusils.

— Ouais, c'est vrai. Une saprée bonne affaire. Mais si tu veux mon avis, Clovis Tremblay, Léopold aurait jamais dû y être, devant les canons ! Il aurait ben dû m'écouter, aussi !

— Avec la conscription, il serait peut-être parti pareil.

— Que tu dis... Moi, j'en suis pas si sûre que ça. S'il y en a qui m'écoutaient, des fois, dans cette maison-là, on se serait peut-être ben moins inquiétés pis...

Quand Alexandrine commençait à parler de la guerre, des injustices de la vie et de ses déceptions toutes personnelles, Clovis avait appris à se taire et il la laissait s'épuiser. Puis il séchait les larmes qui se mettaient inévitablement à couler.

— Pourquoi, Clovis ? Pourquoi notre vie est-elle si difficile ?

Dans un sens, Alexandrine n'avait pas tort. Leur vie aurait pu être plus douce, plus facile. Ils étaient à l'âge du repos comme certains de leurs amis, entourés de leurs enfants et de leurs petits-enfants. Ce n'était pas le cas. Encore cet été, Clovis avait dû se lever à l'aube, pratiquement tous les jours, pour continuer à sillonner le fleuve parce que personne de la famille n'avait pris la relève sur la goélette. Ni fils, ni gendre, ni petit-fils parce que leurs fils, Paul et Léopold, n'habitaient plus ici, du moins pour l'instant, et qu'il n'y avait ni gendre ni petits-fils… C'était devant ce fait que la question d'Alexandrine prenait tout son sens et, comme Clovis en ignorait la réponse, il se contentait de serrer sa femme très fort contre sa poitrine. C'était sa manière à lui d'éloigner les larmes, de rester fort pour elle.

— Tout seuls, Clovis ! Toi pis moi, on se retrouve tout seuls. Nos enfants, toutes nos enfants sont partis de la maison. Même notre bébé, même Justine s'est sauvée en ville pour rejoindre ses sœurs. Pour gagner sa vie, comme elle a dit en partant. Comme si c'était là une raison capable de nous consoler ! Pourquoi, Clovis ? Pourquoi tout le monde est parti ? Me semble que la vie de par ici est pas si désagréable que ça. Me semble qu'on a été des bons parents.

— On a été de bons parents, pas de doute là-dessus.

— Pourquoi d'abord la maison s'est vidée ? Pourquoi

on est toujours pas grands-parents ? Tu peux-tu me le dire toi, Clovis ?

Philosophe, Clovis répondait invariablement :

— C'est la vie qui a voulu ça.

C'était à ce moment-là, comme un rituel entre eux, qu'Alexandrine s'arrachait à l'étreinte de son mari en bougonnant.

— La vie, la vie… C'est pas une réponse, ça, la vie !

Cette conversation revenait régulièrement entre eux, tous les dix jours ou presque, comme si tout le reste avait été épuisé au fil des mois et des années vécus en commun, et qu'il ne restait plus que cette déception amère à partager.

Pourtant, ils étaient toujours aussi amoureux l'un de l'autre, comme au matin de leurs noces, mais à leur âge, ça ne suffisait plus pour bousculer les tristesses occasionnées par la vie et leurs enfants. Alors, puisque ce matin, Léopold avait été le déclenchement et le cœur de leur discussion, Clovis y revint tout naturellement.

— Au moins, Alex, on peut oser espérer que Léopold, lui, va revenir s'installer ici. Tu sais comme moi combien il aime la mer !

Le vieil homme avait mis dans sa voix tout ce qu'il pouvait trouver d'enthousiasme au fond de son cœur et de ses espoirs. Alexandrine opina aussitôt.

— C'est vrai. Du moins, ça l'a déjà été.

La réponse d'Alexandrine, même sincère, fut cependant déclamée d'une voix un peu plus hésitante. Alors Clovis exagéra l'entrain. Rien ne lui fendait plus le cœur que de voir son Alexandrine se morfondre.

— Ben voyons donc ! Pourquoi ça aurait changé ? Fie-toi sur moi, Alexandrine : les temps durs achèvent, j'en suis certain. À l'âge où Léopold est rendu, j'aurai pas de crainte à lui céder ma place au gouvernail. Toute la place, à part de ça ! Depuis le temps qu'il en rêvait, il devrait sauter sur l'occasion ! Faut pas oublier que si Léopold était encore un gamin quand il a quitté la maison, celui qui va nous revenir devrait être devenu un homme. Un homme responsable, à part de ça. Avec tout ce qu'il a vécu pis tout ce qu'il a dû voir.

— Tant qu'à ça...

Alexandrine semblait songeuse. Peut-être tentait-elle de deviner l'avenir en y accrochant, elle aussi, tout ce qu'elle pouvait trouver d'espoir au fond du cœur. Mais soudain, son regard changea. Il devint plus perçant sous ses sourcils froncés.

— Ben voyons donc !

Alexandrine tourna la tête à droite, à gauche, puis revint à Clovis.

— T'entends-tu ce que j'entends ?

Clovis regarda par la fenêtre.

— On dirait les cloches de l'église.

— C'est ben ce que je pensais...

Tout en parlant, Alexandrine tendit l'oreille à l'instant où une vive lueur d'inquiétude traversa son regard.

— Pourquoi les cloches sonnent comme ça, Clovis ? C'est pas l'heure de l'angélus...

— Peut-être un feu dans le village ? Un gros. Comme quand le magasin de Jules Laprise a été...

— Veux-tu ben te taire, oiseau de malheur, coupa Alexandrine, alarmée.

— Ben on va en avoir le cœur net! Mets ta veste, Alexandrine.

Clovis était déjà devant la porte de la cuisine qui donnait à l'arrière de la maison. Il avait décroché les chaudes vestes de laine pendues à un clou.

— Suis-moi, Alex! On va aller au bout du jardin, sur le bord de la falaise. Comme il y a plus de feuilles dans les arbres, on devrait voir ce qui se passe en bas, dans le village.

— Je sais pas si ça me tente de voir ce qui...

— Ben si tu viens pas, moi, j'y vas!

Clovis avait ouvert la porte. Porté par le vent, le tintement des cloches s'engouffra dans la maison en même temps que la froidure. Alexandrine frissonna.

— Écoute!

Clovis, immobile, tendait l'index devant lui vers la porte grand ouverte et vers l'autre bout de leur jardin.

— Écoute comme faut! Me semble que c'est un carillon joyeux, comme celui des noces pis des baptêmes, pas le glas des funérailles comme quand le feu a pris au magasin.

— T'as ben raison...

Aussitôt, Alexandrine s'activa. Elle se dirigea vers Clovis en tendant la main pour prendre son chandail.

— Dans ce cas-là, je te suis.

Elle avait retrouvé son aplomb habituel.

— Je me demande ben ce qui se passe.

Bras dessus, bras dessous, ils traversèrent le jardin

dégarni, marchant prudemment entre les mottes de terre durcie.

Du haut de la falaise, le regard embrassait le cœur du village, de l'église jusqu'au quai en passant par la rue principale, le cimetière et le presbytère.

Nul besoin d'entendre les voix des gens qu'ils apercevaient pour comprendre que l'événement annoncé par les cloches était heureux, comme Clovis l'avait prédit.

— À se faire aller de même, le bedeau va ben avoir les deux bras morts, murmura Clovis, légèrement moqueur devant le son des cloches qui ne faiblissait pas. Pis as-tu remarqué ? Les gens sur le quai se tapent dans le dos, s'embrassent pis lancent leurs casquettes dans les airs. Ça doit être important. Ben important. De toute façon, c'est pas normal d'avoir autant de monde sur le quai en pleine semaine à ce temps-ci de l'année.

— On y va ?

Alexandrine avait redressé les épaules et, d'une main impatiente, elle tirait sur la manche du chandail de Clovis.

— Tout d'un coup, je me sens comme une petite jeunesse dans les jambes ! Envoye, viens-t'en. Pas besoin d'atteler, Clovis : une promenade jusqu'au village nous fera pas de tort. Ça va nous rappeler quand on était jeunes, toi pis moi, pis qu'on allait au village pour un oui pis pour un non, pratiquement tous les jours ! Pis...

Alexandrine hésita, comme si les mots allaient

transformer ses espoirs en déception. Malgré cela, n'y tenant plus, elle lança:

— Pis si c'était la guerre qui était finie, hein?

Clovis lui emboîta le pas en hochant la tête. Après tout, pourquoi pas? Néanmoins, plus sage que son épouse, il déclara:

— On va attendre avant de se réjouir, veux-tu? La semaine dernière aussi, on parlait dans le journal que c'était fini. Pis c'était pas vrai.

— Ben ça va finir par être vrai un jour!

Subitement, l'enthousiasme d'Alexandrine n'avait plus de limite.

— Me semble qu'il y a juste une nouvelle comme celle-là pour revirer la paroisse de même! Amène-toi, Clovis!

Clovis ne demandait pas mieux que de se joindre à l'enthousiasme d'Alexandrine, espérant qu'elle disait vrai.

— Ben ça ma belle, si t'as raison, ça voudrait dire que notre Léopold devrait plus tarder! lança-t-il tout joyeux.

Alexandrine offrit un sourire radieux à son mari avant de le presser encore plus.

— Grouille-toi, mon homme! J'ai hâte de savoir!

Alexandrine avait deviné juste et ce fut Victoire qui le lui confirma quand elles se rencontrèrent devant la maison de cette dernière, en bas de la côte. Une veste de laine hâtivement jetée sur ses épaules, la pâtissière se précipita vers son amie.

— Alexandrine! La guerre est finie! On parle juste

de ça au magasin pis au bureau de poste ! Dans la paroisse, c'est Jules Laprise qui l'a su en premier. Dans son téléphone ! Pis par le télégraphe du bureau de poste. La nouvelle s'est répandue comme une traînée de poudre, c'est le cas de le dire. C'est sûrement la meilleure nouvelle qu'on a eue depuis longtemps...

— Tu dis, toi...

Le sourire d'Alexandrine était éclatant, resplendissant de tout le soulagement qu'elle ressentait.

— Ça laisse à penser que notre garçon devrait revenir dans pas longtemps.

— C'est bien que trop vrai, ton Léopold va nous revenir. Surtout que tu as appris qu'il était bien vivant.

— Mais blessé, s'empressa d'ajouter Alexandrine, subitement sérieuse. Pis pour ça, j'ai ben l'impression que tant qu'on l'aura pas vu, on saura pas vraiment ce qui s'est passé.

La réplique ne demandait aucune réponse, sinon une pression de la main de Victoire sur le bras de son amie. Comme un encouragement à garder espoir.

— Pis Augusta, elle ? demanda-t-elle en même temps.

Alexandrine haussa lentement les épaules sans cependant se départir de son sourire.

— Jusqu'à preuve du contraire, elle l'espère toujours. C'est ce qu'elle nous a dit. C'est même elle, je crois bien, qui nous a le plus aidés durant toutes ces années-là. Clovis, elle pis moi, on mélangeait nos espoirs pis les raisons qu'on avait d'espérer, pis ça nous faisait du bien. Plus de bien que les lettres d'Anna, en tout cas, qui nous répétait que toute sa communauté continuait de prier pour son frère.

— La prière aussi, c'est important. Ben important.

— Des fois, oui. Mais pas tout le temps. T'auras beau m'ostiner jusqu'à demain, ma pauvre Victoire, y a des demandes, de même, que le Bon Dieu écoute pas. Pas pantoute ! Lui avec, des fois, Il fait juste à sa tête.

— C'est peut-être qu'Il voit plus loin que nous...

L'éternelle sagesse de Victoire, son indéfectible confiance en Dieu et en l'avenir la faisaient parler parfois de manière pontifiante, ce qui horripilait Alexandrine.

— Mais tu as raison, Alexandrine, on ne reviendra pas là-dessus, se hâta de conclure Victoire, voyant le regard de son amie s'assombrir. Ça viendrait gâcher une journée qui est bien partie.

La religion et la foi en Dieu étaient parmi les rares sujets sur lesquels Victoire et Alexandrine n'arrivaient pas à s'entendre. Quand le Bon Dieu avait le culot de se glisser dans leur conversation, les deux amies en venaient même, parfois, à se disputer ! Parfois... Alors, pour désamorcer la tension qu'elle sentait poindre, Victoire proposa :

— Viens-tu prendre un thé ? Ou un café ? J'ai des biscuits qui sortent du four.

À ces mots, Alexandrine éclata de rire. Il n'y avait que Victoire pour passer du coq à l'âne avec cette vivacité toute gourmande.

— Pourquoi est-ce que ça me surprend pas ? Des biscuits tout chauds quand la journée commence à peine !

— Faut bien que je m'occupe, rétorqua Victoire, un brin offusquée. Toi avec, des fois, quand t'avais toute ta famille à la maison, ça sentait bon jusqu'ici et pas mal de bonne heure le matin, à part de ça!

Victoire exagérait un peu, mais à peine, et Clovis, devant ces quelques mots, esquissa un sourire nostalgique. C'était la belle époque de leur vie, celle où les enfants étaient encore jeunes.

— Vas-y, Alexandrine, conseilla-t-il alors à son épouse.

Il avait assisté à la discussion sans intervenir, sachant que le moindre mot malencontreux aurait pu jeter de l'huile sur le feu. Tout comme Alexandrine, il entretenait quelques réserves envers la religion qui leur était présentée, dimanche après dimanche, comme une panacée à tous les maux, du corps comme de l'âme. Lui n'y croyait pas vraiment et il préférait s'adresser directement à Dieu, quand le besoin s'en faisait sentir.

— Durant ce temps-là, j'vas aller au bureau de poste, expliqua-t-il. Question de saluer quelques amis pis de voir si on a du courrier.

Alexandrine ne se fit pas prier et elle emboîta le pas à Victoire.

Effectivement, les biscuits étaient encore tièdes, fondants à souhait, et l'odeur du café, une boisson qu'Alexandrine buvait rarement parce que trop coûteuse pour ses modestes moyens, envahit rapidement la cuisine d'un parfum exotique qui lui fit fermer les yeux. Elle en savoura l'odeur d'une longue inspiration gourmande.

— Bonté divine que ça sent bon chez vous ! Je comprends Lionel d'avoir succombé !

Les mots lui avaient échappé car ce sujet-là, lui aussi, était un peu délicat. En effet, si la fille d'Alexandrine, la belle Marguerite, avait fui le village, c'était à l'époque où Lionel avait commencé à courtiser Victoire. Sans aucune autre précision que le fait d'avoir passé une courte soirée en tête à tête avec le beau docteur, Marguerite avait compris qu'elle n'aurait aucune chance auprès de lui. Pour cette raison, pour le départ précipité de sa fille en direction de la ville, Alexandrine aurait pu en vouloir à son amie qui était nettement plus âgée que Lionel. De quel droit Victoire avait-elle accepté les avances de cet homme qui aurait pu être son fils alors que Marguerite, elle, avait sensiblement le même âge que le beau médecin ? C'est donc d'un commun accord qu'on évitait d'en parler. Un autre sujet, finalement, qui aurait pu séparer Victoire et Alexandrine si leur amitié avait été moins sincère.

— Justement, en parlant de Lionel... Me semble qu'on le voit pas tellement par les temps qui courent.

— Parle-moi-s'en pas ! Avec l'épidémie de grippe qui a envahi les villes, pis même certains villages quand c'est pas les chantiers, d'après ce que j'ai entendu dire, la moindre toux, le plus petit reniflement font craindre le pire. Lionel s'appartient plus ! Il va de l'un à l'autre sans relâche. Quasiment jour et nuit ! C'est tout juste s'il rentre pour souper avant de repartir pour une bonne partie de la soirée. Aujourd'hui, il est à Pointe-au-Pic... Savais-tu que l'hôtel a été fermé ?

Décision du maire à la suite de celle des gouvernements d'interdire tout rassemblement dans les villes. Pas de cinéma, pas de théâtre, pas de joute sportive... Même les églises sont fermées. De toute façon, cette année, toujours à cause de la grippe qui commençait ses ravages, les touristes se sont faits plutôt rares. Tout ça pour te dire qu'avec l'hôtel fermé, on mange des biscuits pas mal souvent parce que j'ai plus personne à qui les livrer et qu'il faut bien que je m'occupe un peu ! À part Julien qui passe le plus clair de ses journées à l'école ou à la forge, j'ai pas grand-chose à faire !

Alexandrine répondit d'abord par un long soupir.

— Je comprends tout ça, annonça-t-elle enfin. Moi avec, par bouttes, je trouve le temps long même si la saison de cabotage est finie pis que Clovis reste avec moi à la maison un peu plus souvent... Pis je suis au courant aussi de tout ce qui se passe en ville à propos de la grippe... Rose m'en a parlé en long pis en large dans sa dernière lettre. Savais-tu que mes trois filles sont sur le chômage ? L'usine de la Rothmans est fermée, elle avec. Pis pas question d'aller les voir pour leur apporter de quoi manger ! Clovis lui-même a refusé une livraison en ville, le mois dernier, juste avant la fin de sa saison, parce qu'il avait vraiment peur d'attraper la grippe.

— C'est vrai qu'il n'y a pas de risque à prendre. C'était une sage décision de la part de Clovis.

— Comme tu dis... Mais moi, pendant ce temps-là, j'ai le cœur tout reviré par l'inquiétude. S'il fallait qu'une de mes filles...

Alexandrine secoua vigoureusement sa tête couronnée de gris en fermant brièvement les yeux comme pour conjurer le mauvais sort qui aurait pu s'abattre sur sa famille. Puis sur une longue inspiration, elle ajouta:

— On a jamais vu ça, une épidémie comme celle-là. J'ai lu dans le journal de la semaine dernière que ça tombe par centaines, certains jours. C'est pas des farces, ça là! Des centaines de morts en une seule journée!

— Heureusement que le village a été épargné.

— Jusqu'à date!

— Jusqu'à date, oui. Mais si on continue de prier avec ferveur, comme nos évêques le demandent dimanche après dimanche, ça va finir par passer et ici, on n'aura perdu personne.

— Si tu le dis!

Il y avait une pointe de moquerie dans la voix d'Alexandrine quand elle poursuivit sur un ton sentencieux emprunté justement à celui que Victoire employait parfois pour parler de religion.

— En autant que le Bon Dieu veut ben t'écouter, comme de raison, ça va aller, analysa Alexandrine. Mais ça, c'est juste s'Il veut t'écouter! Si on prend en compte comment ça se passe en ville, pas sûre, moi, qu'Il regarde par ici, le Bon Dieu! On dirait, ces derniers temps, que Son attention était plutôt tournée vers les vieux pays!

Victoire ne releva pas la pique sous-entendue. Elle revint plutôt à ce qui avait amené Alexandrine au village. Le sujet était nettement plus joyeux.

— Mais en attendant, pour aujourd'hui, on a toutes les raisons de nous réjouir ! Pis, comme tu viens toi-même de le dire, on peut remercier le Ciel de nous avoir épargnés de ce bord-ci de l'océan. Pour ça, au moins, tu peux pas dire le contraire : il y a quelqu'un qui a tenu compte de nos prières. S'il avait fallu que la guerre s'en vienne jusqu'ici.

— C'est vrai que ça aurait pas été drôle. Je te donne pas tort là-dessus !

Pressentant qu'elle n'aurait peut-être pas le dernier mot, Alexandrine s'était empressée de donner raison à son amie pour aussitôt après changer de sujet de conversation.

— Astheure, ma chanceuse, parle-moi de ta nouvelle petite-fille. Comment est-ce qu'elle s'appelle, encore ?

— Léonie ! La belle Léonie ! Dix livres, qu'elle pesait à sa naissance. Te rends-tu compte ? Un bien beau bébé, tu sauras ! Béatrice est vraiment aux p'tits oiseaux depuis sa naissance. Ça la change de ses deux garçons, comme elle dit. Et elle a raison ! Pour les avoir gardés de temps en temps, des jumeaux, ça occupe une journée, je te dis juste ça.

L'avant-midi passa sans que les deux amies s'en rendent compte. Les cloches de midi sonnaient quand Clovis se pointa pour retrouver son épouse et regagner leur maison avec elle.

D'un commun accord, Alexandrine et Clovis attendirent d'être de retour chez eux avant d'ouvrir leur courrier.

— Ça va faire durer le plaisir, lança Alexandrine quand ils attaquèrent la côte qui menait à leur maison. C'est rare qu'on aye trois lettres en même temps ! J'ai hâte de savoir ce qu'il y a là-dedans ! Mais quand même, marche pas trop vite, Clovis, j'ai les articulations des genoux qui tiraillent un peu !

Aux adresses écrites sur les enveloppes, ils avaient deviné que Léopold leur avait enfin donné lui-même de ses nouvelles, ce qui était encourageant.

— Pis celle-là, je pense que je pourrais assez facilement deviner ce qu'elle contient, se moqua gentiment Clovis en secouant l'enveloppe qu'il tenait du bout des doigts et sur laquelle la longue écriture d'Anna traçait élégamment leur adresse. Notre fille aînée doit encore nous parler de ses prières qui vont finir par sauver le monde et son frère.

— À force de s'entêter, on dirait ben que cette fois-ci, elle va avoir raison ! De toute évidence, d'après ce qu'on a entendu au village, le monde et son frère sont sauvés !

Quant à la troisième enveloppe, ils n'arrivaient pas à découvrir de qui elle leur parvenait, sinon qu'elle avait été envoyée depuis la ville de Québec.

— Donne-moi la main, Clovis ! Ça va m'aider à monter la côte un peu plus vite. Je suis vraiment curieuse de voir ce qu'il y a dans ces trois lettres-là.

Tandis qu'Alexandrine préparait le repas, un sandwich au porc frais vite fait, Clovis, assis à un bout de la table, sa longue pipe en écume à portée de main, décacheta une première enveloppe.

— Je commence par la lettre d'Anna !

Comme prévu, leur fille parlait prières et communauté.

— Et dans sa prochaine lettre, elle va nous écrire qu'elle avait eu raison et que si la guerre est finie, c'est grâce à elle et à ses sœurs en Jésus-Christ ! conclut-il en remettant la feuille de papier brouillon dans son enveloppe.

— Amen, lança Alexandrine, un brin agacée. Finalement, à part parler de ses oraisons, notre fille nous dit pas grand-chose de sa vie au couvent, conclut-elle.

Puis elle pressa Clovis d'ouvrir la deuxième lettre.

— Astheure, mon homme, lis-nous la lettre de Léopold. Peut-être ben qu'il nous donne la date de son retour, vu que la guerre est finie !

— Ça, ma belle, c'est impossible !

— Pourquoi ?

— Rappelle-toi ! Au moment où Léopold a écrit son papier, expliqua Clovis en montrant la lettre qu'il venait de sortir de son enveloppe, la guerre était toujours pas finie.

Alexandrine esquissa un sourire mi-figue, mi-raisin.

— C'est ben que trop vrai ! fit-elle sur un ton gêné, une rougeur subite lui maquillant les joues. C'est l'excitation d'à matin qui m'a toute chamboulée...

Sur ce, Alexandrine poussa un long soupir.

— Bon, ça y est, me v'là déçue. Ça doit être parce que je me languis de le savoir ici, chez nous, ben à l'abri. Mais lis pareil, mon mari, pis prends ben ton temps. J'veux toute ben comprendre ce que Léopold a à nous raconter.

Curieusement, Léopold ne parlait ni de la guerre ni de ses blessures.

— Ça doit vouloir dire que c'est pas trop grave, sinon me semble qu'il nous en parlerait, non ? demanda Alexandrine la voix remplie d'un optimisme bien légitime, malgré tout teinté d'hésitation.

— C'est ben ce que je me dis, moi aussi, répondit Clovis sur le même ton.

— À ben y penser, Clovis, la lettre de Léopold est ben correcte de même. Savoir qu'Augusta l'attend toujours, comme il l'a écrit, ça doit prendre ben de la place dans l'espérance qu'il met à nous revenir.

— Pour sûr !

— Selon moi, l'avenir pour lui, astheure que la guerre est finie, ça doit plus ressembler à Augusta qu'à autre chose.

— C'est vrai... Le bateau pis le fleuve, pis nous autres avec, tant qu'à y être, ça doit venir ben loin en deuxième dans ses intérêts.

— Ça peut se comprendre...

Alexandrine avait déposé deux assiettes garnies sur la table, un pot de marinades, un pichet d'eau.

— Mange tout à loisir, mon Clovis, avant de lire la dernière lettre, proposa-t-elle. Pendant ce temps-là, j'vas lire moi-même celle de Léopold. Me semble que juste le fait de reconnaître son écriture en pattes de mouche, ça va me faire chaud au cœur.

Les deux époux échangèrent un sourire heureux.

Entre eux, les mots habillaient le quotidien, certes, mais pour les choses d'importance ou celles du cœur, un simple regard suffisait.

Ce fut ce même regard, à la fin du repas, qui alerta Alexandrine.

Après s'être essuyé la bouche du revers de la main, Clovis ouvrit la dernière enveloppe, sous le regard attentif de sa femme.

Sans qu'aucun mot ne soit prononcé, simplement à voir l'expression du visage de son mari, Alexandrine eut le réflexe de déposer son sandwich dans l'assiette.

— Une mauvaise nouvelle ? demanda-t-elle quand elle vit son mari froncer les sourcils avant de lever vers elle un regard furtif rempli d'effroi.

— Je sais pas encore, articula-t-il en reportant les yeux sur le papier. C'est juste que cette lettre-là nous vient du Département de la santé publique de la Ville de Québec. C'est écrit ici, en haut du papier.

Le cœur frémissant, Alexandrine repoussa son assiette d'un geste brusque, tout appétit définitivement envolé.

— Ben voyons donc toi ! s'affola-t-elle. Qu'est-ce que c'est ça encore ? Lis, Clovis, lis ça vite, parce que j'ai le cœur qui veut me sortir de la poitrine tellement il bat fort pis tout croche. Laquelle ? Laquelle de nos filles est malade ? À moins que ça soye Paul…

Tout à sa lecture, Clovis ne répondit pas à Alexandrine.

Puis, quand il eut fini de parcourir la lettre, les mots lui manquèrent.

Les yeux mouillés, la gorge nouée, il tendit la lettre d'une main tremblante.

Alexandrine, malgré la peur, la hantise de ce qu'elle allait lire, lui arracha le papier des mains.

Elle ne vit d'abord qu'un nom, un seul.

Rose…

À cause de la réaction de Clovis, son silence et ses yeux mouillés, elle devina le reste avant même de le lire.

Rose était morte. La grippe avait eu raison d'elle. Quoi d'autre aurait pu susciter l'envoi d'une lettre de la part de la Santé publique de Québec ?

Aux prises avec quelques idées confuses emmêlées à l'inquiétude, Alexandrine inspira longuement pour tenter de se calmer.

Mais pourquoi ne les avait-on pas prévenus ? Était-ce allé si vite que ni Justine, ni Marguerite, ni Paul n'avaient eu le temps d'intervenir, d'écrire ou de les appeler ? Après tout, il y avait un téléphone au magasin général…

Alexandrine ferma les yeux sur son désarroi, et tout ce qu'elle vit sur l'écran de ses paupières baissées, ce fut le visage rieur d'une petite fille toujours heureuse. Rose avait été son rayon de soleil, son éclat de rire, sa complice. Elles s'entendaient si bien, toutes les deux, et sur tant de sujets !

Jusqu'au jour où Rose était partie à la ville.

— Pour voir comment c'est, là-bas ! avait-elle justifié, se moquant gentiment des inquiétudes de sa mère. La ville ! avait-elle ajouté d'une traite avec une certaine ferveur dans la voix, les mains jointes à hauteur de cœur et des étoiles d'envie plein les yeux. Allons donc, maman ! Pourquoi t'en faire comme ça ? Si je suis pas heureuse, je vais revenir. Promis ! Mais laisse-moi au moins aller voir.

Alors, Alexandrine avait dit oui du bout des lèvres.

Au matin de son départ, Alexandrine s'en souvenait fort bien, debout sur le quai en regardant s'éloigner le bateau de Clovis qui emportait leur fille, elle avait senti un nuage se glisser entre la mer et le soleil. Un gros nuage noir. Elle en avait frissonné. Pourtant il faisait si beau, ce jour-là.

Et voilà qu'en ce moment, elle venait de lire dans une lettre écrite par un inconnu, elle venait de lire que sa fille n'était plus qu'un souvenir.

On avait couché le nom de Rose sur le papier et on l'avait entouré de mots respectueux, comme on entoure de fleurs la dépouille des défunts.

La grippe avait tué sa fille et ses rires alors qu'elle venait tout juste d'avoir trente-cinq ans.

Plus loin, quelques lignes avant la signature, on avait précisé qu'on était désolé.

Quelle dérision !

Quand Alexandrine eut le courage d'ouvrir les yeux, quand le vertige ressenti consentit à se retirer, remplacé par la détresse, et que l'idée de la douleur à venir fut acceptée, comme cette mère avait jadis accepté celle du décès de son fils Joseph, Alexandrine relut la lettre à travers les larmes qui s'étaient mises à couler. Rose ne serait même pas enterrée au cimetière paroissial. « À cause des dangers de contagion », avait-on spécifié. Alexandrine avait perdu deux enfants et elle ne pourrait jamais se recueillir sur leur tombe. Joseph avait été enseveli sous les vagues et Rose, ravie par la grippe, reposerait dans une fosse commune.

Alexandrine frémit de désespoir.

Après cela, on lui demandait d'aimer Dieu et de Lui faire confiance…

La main qui tenait le papier se crispa, chiffonnant l'en-tête de la lettre.

C'est alors qu'Alexandrine prit conscience de la lourde main de Clovis posée sur son épaule. Debout, à côté d'elle, il la fixait intensément. Pourtant, elle ne l'avait entendu ni se lever ni s'approcher.

Alexandrine redressa la tête et elle plongea son regard dans celui de son mari. Longtemps, très longtemps, jusqu'à ce que leurs chagrins se mélangent à ne devenir plus qu'un, ils se dévorèrent des yeux. Puis, sachant qu'elle n'était plus seule avec sa peine, Alexandrine se releva.

Les yeux noyés de larmes, Clovis lui tendait les bras.

CHAPITRE 3

Quelques mois plus tard, sur la Côte-du-Sud, dans la cuisine de Prudence, en janvier 1919

Pour les jumeaux Célestin et Antonin Bouchard, celle qu'ils auraient voulu appeler maman avait toujours été Gilberte. Ils étaient trop jeunes au décès de leur mère, Emma, à peine cinq ans, pour en garder un souvenir probant et comme leur sœur l'avait remplacée au pied levé, avec une infinie patience et une bonne humeur inaltérable, ils s'y étaient attachés très facilement. Gilberte avait cependant toujours refusé qu'ils l'appellent maman mais pour eux, il n'y avait eu qu'elle pour jouer ce rôle.

Plus tard, quand Gilberte avait décidé de déménager ses pénates chez leur sœur Marie pour l'aider avec sa nombreuse famille, les jumeaux avaient été déçus, attristés, pas de doute là-dessus, mais ils avaient quand même accepté la chose sans récrimination. Après tout, leur belle-mère Prudence était là pour voir au quotidien, avec ses rires et sa gentillesse. Et Gilberte ne partait pas pour le bout du monde, elle s'en allait tout juste dans le village en bas de la côte. Ils pourraient ainsi lui rendre visite comme bon leur semblerait. De toute façon, ils n'étaient plus vraiment des gamins et ils étaient deux. L'ennui n'aurait donc pas la même saveur pour eux que pour quelqu'un qui aurait été seul.

Dans leur cas, la déception était permise, d'accord, mais pas l'amertume. C'était là une constatation qu'ils avaient faite de nombreuses années plus tôt.

C'est pourquoi, dans leurs prières quotidiennes, ils n'oubliaient jamais de remercier le Ciel de leur avoir donné ce privilège d'être des jumeaux. Ainsi, ils ne seraient jamais seuls.

D'aussi loin qu'ils s'en souvenaient, les jumeaux avaient toujours considéré qu'ils avaient raison de penser ainsi. À preuve, leurs sœurs Clotilde et Matilde, jumelles tout comme eux, partageaient leur point de vue, bien qu'elles soient aujourd'hui fort éloignées l'une de l'autre. Matilde vivait dans un rang non loin de là avec sa petite famille, à peine trois enfants, tandis que Clotilde, toujours célibataire, puisqu'elle était « maîtresse d'école », passait la majeure partie de son temps dans la région de Rimouski.

— Ça change rien au fait que je sais que Matilde sera toujours là pour moi, avait-elle cependant rétorqué, un jour qu'ils en parlaient avec Clotilde, de passage à la maison paternelle. Et vice-versa ! Matilde n'a qu'à me faire savoir qu'elle a besoin de moi et je trouverai bien moyen de revenir auprès d'elle. Élèves ou pas ! De toute façon, depuis le temps que j'enseigne à Neigette, la Commission scolaire me doit bien ça !

Quand ils avaient ce genre de discussion, et avec qui

que ce soit, Célestin laissait habituellement Antonin parler librement sans intervenir. Tout ce que son frère prétendait ou affirmait était tellement mieux dit que ce qu'il aurait pu faire lui-même.

Et comme, la plupart du temps, ils pensaient la même chose...

Quand son frère prenait la parole, Célestin se contentait donc de signifier vigoureusement son accord et tout le monde était content.

Antonin était l'homme des mots, tandis que Célestin était celui de l'action. La vie les avait ainsi faits.

— C'est le Bon Dieu qui l'a voulu comme ça, déclarait solennellement leur père, Matthieu, quand Célestin, enfant, demandait pourquoi il était si grand, si fort, alors qu'Antonin, lui, était délicat, voire gracile. C'est depuis la naissance que vous êtes différents. Même votre mère, Emma, le disait: Célestin sera toujours plus lent qu'Antonin, mais il est fait plus fort. Pis si vous êtes nés comme ça, expliquait leur père sur un ton convaincu, le regard porté vers le passé, avec un indéniable respect dans la voix puisqu'il parlait de sa première épouse, c'est pour pouvoir vous protéger l'un l'autre. Chacun à sa manière.

Ce fut ainsi qu'ils vécurent leur enfance de jumeaux, l'un jamais bien loin de l'autre. Au besoin, Antonin prenait la parole, surtout quand on se moquait de la lenteur de Célestin, et, en contrepartie, ce dernier montrait les poings quand on se moquait de la petite taille d'Antonin. Règle générale, Célestin n'avait pas besoin d'aller plus loin: sa carrure en imposait, même aux plus fanfarons. D'autant plus qu'on avait vite compris qu'on ne pouvait pas vraiment discuter avec lui: quand il était en colère, Célestin Bouchard était encore moins loquace qu'en temps normal et encore plus lent à comprendre la logique des choses ou des événements.

Et ses coups pouvaient faire très mal, quelques bravaches du village l'avaient appris à leurs dépens.

On avait donc pris l'habitude de l'éviter, tout comme on évitait son frère, d'ailleurs, puisque l'un n'allait pas sans l'autre.

Puis ce fut l'adolescence, période où les amis ne furent pas légion autour d'eux.

Antonin aurait pu faire de grandes études, comme son frère Lionel dont il ne gardait qu'un très vague souvenir. En fait, aux yeux des jumeaux, Lionel était mort en même temps que leur mère, pour ainsi dire, puisqu'il avait quitté définitivement la maison en même temps qu'elle. Si aujourd'hui, ils savaient que l'aîné de leur famille était devenu médecin, c'était bien parce que Gilberte en avait vaguement parlé, au retour de son premier voyage à la Pointe, de l'autre côté du fleuve. Pour le reste, Lionel aurait bien pu ne pas exister, ils ne s'en seraient pas plus mal portés. Pour cette raison, le fait qu'un des Bouchard ait eu la chance d'étudier jusqu'à l'université n'avait eu que bien peu d'importance dans l'esprit d'Antonin quand était venu le temps de songer à son avenir. Célestin ne pouvant le suivre au collège, déjà que le primaire avait été un véritable enfer pour lui, la décision s'était imposée d'elle-même : dès la fin de leur huitième année de présence à l'école au bout du rang, les jumeaux resteraient donc à la maison pour aider leur père et leur frère Marius. Comme il ne manquait pas d'ouvrage sur la ferme familiale, deux paires de bras supplémentaires ne pourraient nuire. Après en avoir longuement discuté, un bon matin, les jumeaux s'étaient déclarés entièrement satisfaits de la vie qu'ils mèneraient.

— Pourvu qu'on reste ensemble, le reste a peu d'importance, avait alors déclaré Antonin, au grand soulagement de leur père pour qui les études n'avaient jamais été un élément essentiel à la réussite d'une existence.

La vie d'homme des jumeaux venait donc de commencer, ils avaient treize ans. Ils étaient nés deux. Ils avaient traversé l'enfance à deux. Ils continueraient sur le chemin de la vie à deux. C'était logique, prévisible et rassurant.

Le moment où tout avait semblé déraper, beaucoup plus pour Célestin que pour Antonin d'ailleurs, avait été le jour où Gilberte était partie pour la Pointe avec le nouveau-né de Marie, celui que tout le monde au village appelait déjà l'idiot. Pourtant, Gilberte leur avait promis de ne pas s'attarder sur l'autre rive du fleuve.

— Il faut bien que quelqu'un s'en occupe, de ce bébé-là, avait-elle expliqué, lors de son bref séjour à la maison paternelle après la naissance du petit Germain. Tu dois bien comprendre ça, n'est-ce pas, Célestin ? Dès que tout est réglé, pour le mieux, j'vas revenir ici.

— Promis ?

— Promis !

Célestin lui avait donc fait confiance car, oui, il comprenait que ce petit bébé-là n'était pas tout à fait comme les autres.

Mais Gilberte n'était jamais revenue.

Jamais !

L'incompréhension de Célestin n'avait eu d'égal que le sentiment de panique qui l'avait alors envahi.

Gilberte ne les aimait-elle donc pas ? Durant toutes ces années passées à dire qu'elle tenait à eux et qu'ils remplaçaient les enfants qu'elle n'avait pas eus, elle leur avait menti ?

Aux yeux de Célestin, c'était un non-sens. Gilberte avait été leur mère, la seule dont il pouvait se souvenir du visage ou du son de la voix et il l'aimait.

Au plus profond de son cœur, Célestin aimait Gilberte, comme un enfant peut aimer une mère et Gilberte le savait fort bien, puisqu'il l'avait souvent répété. Alors, pourquoi était-elle partie ?

D'autant plus que malgré l'importance qu'elle avait dans sa vie, dans leur vie à tous les deux, Antonin et lui, Gilberte était partie sans même leur dire adieu, par un beau matin d'automne, alors que tous les deux, ils travaillaient aux champs.

Le jour où son père, Matthieu, lui avait confirmé que Gilberte ne reviendrait pas, Célestin n'avait rien compris sinon qu'il était profondément malheureux.

Là encore, Antonin avait fait la différence. Il avait parlé et expliqué pour que Célestin se fasse à l'idée.

Puis, il avait lu et relu la lettre que Gilberte leur avait fait parvenir par l'entremise de Clovis.

— Tu vois bien qu'elle ne nous a pas oubliés ! C'est écrit là, dans la lettre que papa et Prudence ont reçue : « Dites à Antonin et Célestin que je les aime et que je vais penser à eux autres tous les jours. »

— Peut-être... Mais pour rester loin comme ça, aussi longtemps que ça, on dirait bien que Gilberte aime mieux le nouveau bébé que nous deux.

— C'est parce qu'il est encore bien petit. Penses-y, un nouveau-né ! Il a besoin de quelqu'un pour s'occuper de lui.

— Ouais...

Une deuxième lettre, arrivée le mois suivant, avait apporté un certain réconfort et une troisième, adressée directement aux jumeaux, cette fois-ci, avait fait comprendre à Célestin que Gilberte aussi s'ennuyait.

— Pourquoi elle revient pas, d'abord, si elle s'ennuie de nous deux ? avait-il demandé d'une voix grave remplie d'interrogation.

— Parce qu'un bébé, ça ne grandit pas aussi vite que de l'avoine, Célestin. Ça prend plus qu'une saison pour devenir grand !

La discussion s'était terminée dans un éclat de rire, parce que l'image employée par Antonin était drôle. L'idée d'un champ rempli de bébés en train de pousser faisait rire Célestin. Oui, bien sûr, il comprenait ce qu'Antonin cherchait à expliquer : un bébé, ça prend plus de temps que de l'avoine pour devenir grand, tout le monde sait ça, même Célestin, et comme Gilberte avait écrit qu'elle reviendrait quand Germain serait grand...

Encore une fois, les années avaient passé. Un peu plus de quatre ans, pour être précis. Petit à petit, Célestin s'était fait à l'idée que ça prendrait du temps avant de revoir Gilberte. Beaucoup de temps. Mais bon... Comme elle écrivait régulièrement pour donner de ses nouvelles et parler du petit Germain qui, malgré tout, grandissait peu à peu; comme chaque année, à Noël, elle fabriquait une très jolie carte de souhaits pour lui et Antonin, avec des anges joufflus et des bergers habillés de peaux de bêtes, Célestin s'était mis à attendre les lettres de sa sœur comme autrefois, il attendait le bon moment pour aller lui rendre visite chez Marie.

Il avait accepté qu'il ne servirait à rien de s'impatienter. Antonin lui avait expliqué que personne ne pouvait rien changer à la situation. Pas plus leur père que Prudence ou lui, Antonin.

Sauf que, depuis quelque temps...

Assis dans un coin de la cuisine, occupant la chaise habituellement dévolue à Mamie, Célestin essayait de faire le point, ce qui lui demandait de gros efforts, comme jadis quand il devait faire ses devoirs. Le regard perdu sur l'immensité du champ d'avoine qu'il apercevait au-delà de la grange, un champ aujourd'hui couvert de neige durcie où le vent s'en donnait à cœur joie en faisant virevolter une fine poussière brillante, Célestin se berçait vigoureusement. Avec acharnement, pourrait-on dire, parce que le mouvement de balancier l'avait toujours aidé à réfléchir.

Et en ce moment, la réflexion s'annonçait pénible car il avait le cœur dans l'eau.

Être mis de côté par son frère, et ce, de plus en plus souvent, bouleversait Célestin. La perspective de se retrouver seul, ne serait-ce que pour quelques heures, était aussi terrorisante que les fléaux dont on parlait dans la Bible et que le curé Bédard brandissait à l'envi à la messe le dimanche. Prudence lui avait expliqué le sens du mot « fléau », différent de ceux qu'on prenait pour battre l'avoine et, depuis, chaque fois qu'il l'entendait, Célestin fermait les yeux d'effroi comme s'il était personnellement menacé.

Depuis quelque temps, en fait quand il y pensait comme il faut, en comptant sur ses doigts pour calculer les semaines, Célestin s'apercevait que c'était depuis la fête de l'Immaculée Conception, ou à peu près, que le manège durait : Antonin n'était plus tout à fait le même.

Cette nouvelle réalité, blessante, Célestin n'avait pas eu besoin de longues explications pour la comprendre.

En effet, en quelques jours à peine, le changement avait été perceptible. Une simple commission à faire au village, commission qu'Antonin avait tenu à faire seul, l'exigeant même sur un ton tout à fait inhabituel, un peu cassant, avait sonné l'alarme aux oreilles de Célestin comme le clairon de l'orchestre militaire avait résonné dans sa tête, l'automne précédent, lors d'un concert donné sur le parvis de l'église pour souligner la fin des hostilités en Europe.

— Pis pourquoi tu veux pas que j'y aille ? avait-il cependant demandé, tout à fait décontenancé par la situation.

Pour la première fois de sa vie, Célestin se sentait méfiant vis-à-vis son frère. Celui-ci avait haussé les épaules avant de répondre.

— Parce que c'est pas nécessaire que tu viennes avec moi. J'vas juste chercher vingt livres de farine pour Prudence pis Mamie qui veulent faire des tartes.

— Ben justement... Je pourrais transporter la farine pour toi vu que je suis plus fort que toi. T'auras juste à t'occuper de payer.

— Je viens de te le dire, sapristi ! C'est pas nécessaire.

— Pis ça ?

— Bon, ça suffit ! J'vas au village tout seul pis je veux plus en entendre parler. T'es plus un bébé. Tu peux rester ici à m'attendre durant une petite heure sans faire de crise. Un point c'est tout !

Le ton était tellement impatient que Célestin en avait perdu le peu de mots qu'il trouvait si difficilement quand venait le temps de se justifier ou de défendre ses choix.

Ça avait été le premier d'une longue série d'événements en tous points semblables, au grand désarroi de Célestin.

De toute leur vie de jumeaux, jamais il n'y avait eu autant de courses à faire au village que depuis la messe de l'Immaculée Conception et, immanquablement, Antonin exigeait d'y aller seul.

S'il n'y avait eu que cela !

Songeur, sursautant au moindre mot lancé un peu fort, parfois impatient ou encore agité, Antonin ne se ressemblait plus et cette nouvelle attitude plongeait Célestin dans une grande perplexité.

Tenez ! Prenez aujourd'hui, par exemple !

Par un temps digne du pôle Nord, alors qu'Antonin détestait avoir à affronter les grands froids, il était quand même parti pour le village pour se rendre chez Marie afin d'aider leur beau-frère Romuald à rentrer du bois pour le poêle.

Depuis quand Romuald avait-il besoin d'aide pour rentrer son bois ? Ça sentait le prétexte à plein nez et même lui, Célestin, à qui on pouvait facilement passer un sapin, avait senti l'échappatoire. Il avait eu beau insister, soupirer, taper du pied, Antonin avait fait la sourde oreille et il était parti sans lui.

Encore !

Même que cette fois-ci, devant tant d'insistance de la part de Célestin et l'évidente impatience d'Antonin, Prudence s'en était mêlée.

— Laisse tomber, mon homme ! avait-elle conseillé à Célestin quand, le cou tendu vers la fenêtre, il regardait son frère disparaître au coin de la maison. Laisse aller ton frère. Avec le froid de canard qu'on a depuis un boutte, y a rien de ben agréable dans ce qu'Antonin va aller faire au village, crois-moi ! Toi, pendant ce temps-là, tu vas m'aider à glacer le gâteau. C'est pas mal plus agréable que d'aller se geler les pieds dehors, tu penses pas ? Pis tu sais comment est-ce que t'aimes ça, non, m'aider à glacer les gâteaux ?

La perspective d'aider Prudence avait mis un peu de baume sur la déception de Célestin.

— D'accord, avait-il marmonné, en se laissant lourdement tomber sur la chaise berçante de Mamie. Mais le gâteau, ça réglera pas mon problème.

C'est pourquoi, en attendant que le gâteau ait suffisamment refroidi pour être garni, Célestin se berçait avec ardeur, battant bruyamment des pieds à chaque mouvement de balancier des patins de la chaise et essayant de comprendre ce qui était en train de se passer dans sa vie. C'était confus, mais il sentait que le moment était grave et les larmes n'étaient pas bien loin. Seule la présence de Prudence, Mamie et Hortense dans la même pièce, et un semblant d'amour-propre appris au fil des ans à observer Antonin, empêchait son chagrin de déborder sur ses joues mal rasées.

Du coin de l'œil, Prudence l'observait, sachant que bientôt, dans quelques minutes peut-être, elle devrait intervenir. Antonin le lui avait demandé, trop bouleversé pour le faire lui-même.

— Je vous en prie Prudence ! Moi, je pourrai pas. Les mots vont rester coincés là, avait-il expliqué en se pointant la gorge. J'ai jamais été capable de voir pleurer mon frère pis cette fois-ci, je suis certain qu'il va commencer par pleurer. Je le connais, vous savez. Après, quand il va avoir compris que ça changera rien entre lui pis moi, il va accepter. J'en suis sûr. Mais jusque-là, par exemple, avant qu'il aye toute ben compris…

Antonin semblait si vulnérable, si désemparé que

Prudence avait promis d'intercéder pour lui auprès de Célestin.

— D'accord. Dès que l'occasion se présente, je vais parler à ton frère.

D'où la confection de ce gâteau au chocolat comme Célestin les aimait tant. Ça servirait de mise en place pour une conversation qui risquait d'être difficile.

Du bout du doigt, Prudence tâta la surface de la pâtisserie et la tiédeur ressentie lui fit pousser un petit soupir de soulagement. La discussion qu'elle anticipait n'était pas pour tout de suite.

Prudence tourna alors les yeux vers Mamie. Assise à la table aux côtés d'Hortense, l'épouse de Marius, la vieille dame préparait les légumes pour le repas du midi. Une montagne de légumes ! Les années avaient beau passer, la maison de Matthieu ne désemplissait pas ! Du premier lit, comme on appelait sa première union avec Emma, il ne restait que les jumeaux et Marius. Tous les autres faisaient leur vie plus ou moins loin de la maison paternelle. N'empêche qu'avec les deux filles nées de son mariage avec Prudence, plus les trois fils de Marius et tous les adultes de la maison, il restait encore douze personnes à la table, trois fois par jour ! La besogne ne manquait pas mais, à trois, les femmes s'en tiraient, ma foi, assez bien. Comme en ce moment, alors qu'à dix heures à peine, le repas du midi était pratiquement prêt. Quand Prudence signalerait discrètement à Mamie et Hortense de la laisser seule avec Célestin, la routine n'en souffrirait pas. En effet, sur une simple toux sèche de la part de Prudence, une toux répétée au moins trois fois, les deux femmes avaient promis de se retirer.

— Pauvre toi, avait compati Mamie quand Prudence lui avait confié ce qu'Antonin lui avait demandé de faire. Je voudrais pas être à ta place, chère ! Avec Célestin, on sait jamais trop trop ce qui nous attend. Peut-être ben qu'il va te piquer une braille sans bon sens pis que t'arriveras pas à le consoler. Comme un p'tit garçon qui a un gros chagrin. Mais peut-être, avec, qu'il va se mettre en colère parce que les mots vont y manquer pour dire ce qu'il ressent. Pis ça, d'habitude, c'est pas trop beau à voir.

Tout en parlant, Mamie hochait la tête d'un air inquiet, presque affolé.

— J'aime pas ça, moi, quand Célestin se choque, même si dans le fond, je le sais ben qu'il peut être doux comme un agneau… Comment on va faire, chère, pour vivre avec Célestin quand Antonin sera plus là ? Tu le sais-tu, toi ?

C'était là la question que tout le monde se posait dans la maison parce que, hormis Célestin, tous les adultes, bien entendu, étaient au courant du grand bonheur qui s'était présenté dans la vie d'Antonin.

— À mon avis, mieux vaut tout dire net, frette, sec, sans mettre de gants blancs, avait estimé Matthieu lorsqu'il avait été mis au courant de la situation. Me semble que ça regarde pas Célestin si son frère a décidé de…

Un simple regard de Prudence, qui n'était pas du tout d'accord avec sa vision des choses, avait interrompu la tirade de Matthieu. Un éclat d'impatience avait traversé son regard, le temps de comprendre, exaspéré, qu'encore une fois, à cause de Prudence, il en avait perdu tous ses moyens et tous ses mots. Cependant, comme il était forcé d'admettre qu'habituellement, c'est elle qui avait raison dès qu'il était question de sentiments et que, depuis le jour où cette femme-là était entrée dans sa maison, le calme et la sérénité régnaient sous son toit, Matthieu avait obligé cette colère instinctive à s'éloigner en inspirant longuement. Beau joueur, il avait même ajouté avant de quitter la pièce :

— Ça a pas vraiment d'importance, ce que j'en pense. C'est toi qui dois avoir raison. D'habitude, t'es pas mal meilleure que moi quand vient le temps de parler au monde... Ça fait que pour astheure, m'en vas te faire confiance pour jaser avec Célestin pis moi, m'en vas aller voir mes vaches. Avec elles, au moins, on a pas besoin de discuter ben ben longtemps. Pis ma Betty est sur le point de mettre bas. Comme elle est plus très jeune, j'veux m'assurer que toute se passe ben.

Sur ce, Matthieu avait quitté leur chambre à coucher sans demander son reste, se promettant même de ne revenir sur le sujet des noces d'Antonin que le jour où tout serait annoncé à Célestin.

Ce que Prudence espérait faire dans l'heure à venir.

Par contre, de là à dire que tout serait alors réglé aurait été d'un optimisme excessif.

Prudence en était tout à fait consciente.

Au mieux, se disait-elle, elle préparerait Célestin à

avoir un bon dialogue avec son frère. « Paver le chemin », avait-elle coutume de dire quand une tâche délicate l'attendait alors qu'elle savait n'être que l'intermédiaire, tout comme en ce moment. C'était logique de voir la situation sous cet angle. Logique et réalisable.

En fait, c'était le plus que Prudence pouvait espérer car, depuis toujours, il n'y avait eu qu'Antonin pour faire entendre raison à Célestin.

Tout à coup, un bruit de chute venu d'une des chambres à l'étage posa un silence de stupeur sur la cuisine. Les trois femmes et Célestin se regardèrent, surpris. Hortense se leva précipitamment et Célestin, comprenant que le subit branle-bas ne s'adressait pas à lui, redonna un élan à la chaise berçante qui recommença aussitôt à grincer.

— Excusez-moi, tout le monde, mais ça doit être Gédéon qui est encore tombé. Un vrai casse-cou, cet enfant-là !

Hortense était déjà dans l'escalier. Profitant de l'occasion qui lui était présentée, Mamie se leva à son tour.

— Pour que j'entende un bruit qui vient de l'étage d'en haut, ça doit être grave, expliqua-t-elle. D'habitude, avec mes oreilles pas fiables, j'entends rien en toute de ce qui se passe dans les autres pièces. Tu vas devoir m'excuser, Prudence, mais j'ai ben envie d'aller voir ce qui est arrivé en haut. Touche pas aux carottes, chère, j'vas finir de les éplucher en redescendant.

À son tour, devant la cuisine désertée, Prudence

estima qu'elle allait, elle aussi, profiter de l'occasion.

— Viens-tu me rejoindre, mon Célestin ? Je dirais que c'est le temps de glacer le gâteau. Il a bien refroidi.

Chaque fois qu'elle avait un moment d'intimité avec Célestin, Prudence ressentait une curieuse émotion, faite de malaise et d'attendrissement. S'adresser avec des mots d'enfant à ce gros et grand gaillard la bouleversait toujours, même si au quotidien, elle n'y pensait pas souvent. Elle posa un regard ému sur Célestin qui semblait hésiter.

— Qu'est-ce que t'attends, mon homme ? Viens me rejoindre !

Avec une certaine lourdeur, dépliant gauchement son corps un peu trop gros, un peu trop long, Célestin se leva enfin. Fermant les yeux une fraction de seconde, Prudence implora le Ciel de lui venir en aide. Tout ce qu'elle souhaitait, c'était de trouver les bons mots, ceux qui ménageraient la sensibilité de cet homme un peu simple, un brin exaspérant par moments à cause de sa lenteur en tout, mais qui pouvait donner sa chemise au besoin.

— Viens t'asseoir, Célestin !

Devant l'air morose de ce dernier qui traînait les pieds en approchant de la table, Prudence exagéra son entrain.

— Coudonc, qu'est-ce qui se passe, à matin, avec toi ? C'est quoi cette face-là ?

Prudence s'activait. Elle déposa alors le gâteau sur la table tout à côté du bol de glaçage à la vanille qu'Hortense avait préparé plus tôt.

— Tu parles d'une chance! Tu glaces le gâteau, Célestin. Tout seul! T'es pas content? Tiens, prends la spatule. Moi, pendant ce temps-là, j'vas finir de peler les carottes, vu que Mamie a pas l'air de vouloir redescendre tout de suite. Faudrait pas prendre du retard! Tu sais comme moi que ton père aime bien manger à midi tapant, quand on entend les cloches de l'église!

Tout en parlant, sans vraiment attendre de réponse, Prudence s'était installée de l'autre côté de la table, en face de Célestin. Avec l'aisance de la grande habitude, elle maniait l'économe à petits gestes précis sans perdre Célestin de vue.

— Attention, mon homme! Ça coule sur le bord de l'assiette... Voilà! C'est mieux... Pis? Dis-moi comment ça va! T'avais l'air ben jongleur, tout à l'heure, pendant que tu te berçais. Y a quelque chose qui tourne pas rond?

Concentré sur sa tâche, Célestin ne répondit pas. À croire qu'il n'avait rien entendu, mais Prudence ne s'en formalisa pas. Elle savait que la question ferait son bout de chemin dans l'esprit de Célestin et que la réponse viendrait plus tard. Ou alors, s'il avait tout oublié, il lui demanderait de répéter.

Patiente de nature, Prudence se contenta de peler ses carottes en attendant que Célestin soit disponible, de corps et d'esprit.

Les travaux de force n'avaient jamais été un problème pour Célestin. On pouvait aller jusqu'à dire qu'il y excellait. À preuve, certains voisins faisaient même appel à ses services, à l'occasion, et les quelques sous alors gagnés faisaient la fierté de Célestin. Mais pour les détails, les gestes délicats, il en allait différemment. Depuis qu'il était tout gamin, Célestin devait faire de réels efforts pour parvenir au bout de la tâche demandée. Comme Mamie l'avait déjà souligné en riant, ce n'était pas lui qui pourrait faire de la dentelle ! À quoi Célestin avait répondu, en riant lui aussi :

— Mes doigts sont ben que trop gros, Mamie, pour faire une chose aussi belle que la dentelle du col de la robe à Prudence. Voyons donc ! Pis à force de travailler dans la grange pis dans la terre, mes mains sont devenues toutes rugueuses. Je tirerais tout plein de fils !

Émue par ce souvenir, Prudence leva les yeux vers Célestin. S'étant redressé, il admirait son œuvre : un gâteau au chocolat qu'il avait lui-même glacé sans aide. De toute évidence, il était fier de lui et beaucoup plus calme que tout à l'heure. Prudence décida d'en profiter pour lancer la conversation.

— Bravo, Célestin. C'est un beau gâteau que tu nous as fait là... Ça devrait être bon comme dessert. Merci pour ton aide.

— Pas de quoi.

Le sourire de fierté de Célestin était éclatant. Cependant, il fut de courte durée et il s'effaça peu à peu pour être remplacé par une ride de réflexion qui s'installa entre ses sourcils.

— Prudence ? Je peux-tu vous poser une question ?

— C'est sûr, ça !

Prudence ne savait trop si elle devait se réjouir ou s'inquiéter de voir Célestin prendre les devants. De toute évidence, il voulait parler de ce qui l'inquiétait et il y avait fort à parier que le nom d'Antonin allait apparaître.

— Alors ? C'est quoi ta question ?

— C'est Antonin.

— Quoi, Antonin ?

— Ben...

De toute évidence, Célestin était déstabilisé. Expliquer ses émotions n'avait jamais été facile pour lui et parler de son frère faisait justement appel aux sentiments qui les unissaient. Agité, Célestin regarda autour de lui jusqu'à ce que son regard rencontre la berceuse, abandonnée devant la fenêtre. Ce fut alors plus fort que lui et il s'y dirigea pour aussitôt la mettre en branle. Prudence attendit un moment. Voyant que Célestin semblait plus calme, elle n'hésita plus et elle le rejoignit, traînant une chaise pour elle.

— Ça va nous faire du bien une petite détente, annonça-t-elle nonchalamment tout en s'installant devant lui. T'as eu une bonne idée. Pis ? Qu'est-ce que tu veux me demander à propos d'Antonin ?

— C'est quoi qui se passe avec mon frère ?

Installé dans la chaise qu'il berçait tout doucement, Célestin se sentait à l'aise. Il lui semblait qu'ainsi, les mots viendraient plus facilement pour s'expliquer et qu'enfin, grâce à Prudence, il aurait peut-être une réponse à toutes les interrogations qui s'agitaient en lui depuis un long moment déjà.

Parce que lui, il n'y arrivait pas tout seul.

— On dirait que je connais plus mon frère,

expliqua-t-il, en parlant lentement tout en regardant par la fenêtre. On dirait qu'il a changé...

Puis il se tourna vers Prudence pour ajouter:

— J'ai-tu faite quelque chose de travers qui l'aurait choqué ?

Prudence haussa les épaules pour gagner du temps. Elle savait qu'avec Célestin le moindre mot malencontreux pouvait prendre des proportions démesurées. Elle décida alors de lui renvoyer la question. Tranquillement, au rythme imposé par Célestin lui-même, les choses prendraient peut-être tout naturellement leur place, sans esclandre ou grands épanchements.

— Selon toi, qu'est-ce que t'aurais pu faire pour le choquer ?

Tout en soupirant, Célestin donna un coup de talon sur le plancher pour accélérer le balancement de la chaise.

— Je le sais pas pantoute, Prudence. C'est ça, le problème ! Antonin a changé, ça c'est sûr, mais je sais pas pourquoi.

— Et tu penses que c'est de ta faute ?

À son tour, Célestin haussa les épaules dans un geste de découragement.

— C'est souvent à cause de moi quand Antonin s'impatiente, expliqua-t-il sur le ton qu'il aurait pris pour se parler à lui-même. Pis depuis un boutte, il est pas tellement patient, Antonin. Il veut même plus que j'aille avec lui pour faire les commissions au village. Ça, c'est grave.

— C'est vrai que d'habitude, Antonin et toi, vous faites les commissions ensemble.

— Bon ! Vous voyez ben que j'ai raison !

Un sourire fugace traversa le visage de Célestin, visiblement satisfait de voir qu'il ne s'était pas trompé.

— Me semblait aussi, murmura-t-il en redressant les épaules.

Le temps de se bercer un peu, le temps d'ajuster quelques idées, et Célestin demanda une seconde fois :

— Mais tout ça, ça règle pas le problème. Non monsieur ! C'est quoi j'ai ben pu faire pour qu'Antonin soye pas trop patient avec moi ?

— Si je te disais que tu n'y es pour rien.

Le soulagement de Célestin, bien qu'évident, fut rapidement remplacé par l'incompréhension qui brouilla à nouveau son regard.

— Mais c'est quoi, d'abord, qui fait pas l'affaire d'Antonin ? Je comprends pas, Prudence. Si c'est pas moi, c'est qui ? C'est quoi ? Il est malade ?

— Rassure-toi, il n'est pas malade. Disons que c'est plutôt une joie qui a amené ton frère à changer.

— Une joie ? Une joie aussi, ça peut rendre le monde de mauvaise humeur ? Comme une mauvaise nouvelle ? J'aurais jamais pensé… Pourquoi il m'en parle pas de sa nouvelle, Antonin, d'abord ? Moi aussi, j'aime ça les joies.

— Même si c'était une joie juste pour lui ?

— Oh ! Ça se pourrait, ça ? Depuis qu'on est tout petits, Antonin pis moi, les choses ont toujours été pareilles. Même notre linge, des fois. Pis quand j'avais de quoi, Antonin l'avait aussi. Pis c'était pareil pour lui. On a toujours été contents en même temps. On a toujours toute partagé, lui pis moi.

— C'est vrai. C'est la première chose que j'ai remarquée quand je suis venue m'installer ici: les jumeaux Bouchard savaient se tenir entre eux. Pis ça vaut aussi pour tes sœurs Clotilde et Matilde.

— Ouais... On est fiers de ça, nous quatre, d'être des jumeaux. On en parle des fois quand mes sœurs viennent faire un tour.

— Mais tu sais aussi que tes sœurs ne vivent plus ensemble même si elles sont encore très unies.

— C'est vrai.

Tout en approuvant, Célestin opina vigoureusement de la tête jusqu'à ce que, brusquement, il lève les yeux vers Prudence.

— Mais Antonin pis moi, c'est pas pareil. On vit ensemble. À moins que...

S'il fut un moment dans sa vie où Prudence eut la certitude d'être le témoin privilégié d'une révélation, ce fut bien quand elle aperçut une lueur de détresse traverser le regard de Célestin.

— Une minute, vous là...

Le jeune homme s'agitait sur sa chaise. Il s'épongea le front avec la manche de sa chemise, regarda autour de lui avec désarroi comme si la pièce venait subitement de se métamorphoser et qu'il ne reconnaissait plus les lieux. Respirant bruyamment, il revint à Prudence.

— Êtes-vous en train de me dire, vous là, qu'Antonin veut s'en aller? Ça se peut pas, ça! On l'a dit assez souvent, lui pis moi : on est venus au monde ensemble, nous deux, ça fait que c'est pour la vie.

— Tu as tout à fait raison. Antonin et toi, c'est pour la vie. Il ne faut pas avoir de doutes là-dessus. Jamais ! Ça n'empêche pas qu'il peut y avoir certains changements dans votre vie de tous les jours.

— Des changements... J'en veux pas, moi, des changements.

Célestin regarda autour de lui pour vérifier que tout était bien à sa place avant de revenir à Prudence.

— On est assez bien comme ça, estima-t-il avec une intonation de panique dans la voix... Pis j'aime pas ça, les changements... Ça serait quoi, les changements que vous parlez, Prudence ? Pas trop gros, j'espère, parce que moi je serai pas content. Non monsieur !

Prudence prit une profonde inspiration avant de répondre par une question.

— Si je te disais qu'Antonin est amoureux, est-ce que c'est quelque chose que tu comprendrais, que tu pourrais accepter, comme changement ?

Célestin avait arrêté le va-et-vient de la chaise et, les yeux écarquillés, il fixait Prudence. Le temps que les mots se fraient un chemin en lui, jusqu'à son cœur et, d'une voix étranglée, il demanda, une pointe d'incrédulité dans la voix :

— Antonin ? Mon frère Antonin est en amour ?

— On dirait bien.

— Ben ça alors !

Brusquement, Célestin comprenait un peu mieux. C'était à la fois une joie pour Antonin et une inquiétude pour lui. Il ne savait trop comment il allait faire pour l'accepter, mais c'était assurément une grosse, une très grosse nouvelle et il avait besoin d'un moment pour y penser.

Lentement, Célestin remit la berceuse en marche.

Finalement, c'était comme pour Marius et Hortense quand ils voulaient être seuls et qu'ils montaient dans leur chambre pour avoir la paix. Les commissions au village, c'était la façon qu'Antonin avait trouvée quand il voulait avoir la paix, lui aussi.

N'est-ce pas ?

Ça, Célestin pouvait le comprendre. Au moins, ce n'était pas à cause de lui si Antonin était impatient.

Quand on était en amour, des fois, ça arrivait qu'on avait envie d'être seuls. Comme lui, parfois, quand il demandait à Antonin de venir avec lui, dehors sur la galerie, ou dans la grange, ou dans leur chambre, juste pour jaser sans personne pour les déranger. Parce qu'il aimait Antonin et qu'il voulait, parfois, être seul avec lui.

C'était ainsi qu'on lui avait expliqué pourquoi Marius et Hortense avaient envie de se retirer parfois dans leur chambre, et Célestin l'avait très bien compris.

Et maintenant, c'est Antonin qui avait une amoureuse.

— C'est qui, la fiancée d'Antonin ?

La question avait été posée sur un ton distrait, absent, comme si elle était sans véritable importance.

— C'est Annette, la sœur de Romuald. Tu connais Romuald, n'est-ce pas ?

Une lueur d'intérêt traversa le regard de Célestin.

— C'est sûr que je connais Romuald! C'est mon beau-frère à cause qu'il est marié à ma sœur Marie... Pis je connais Annette aussi. Je l'ai vue pas mal souvent quand j'allais voir Gilberte chez Marie.

Le nom de Gilberte s'était glissé tout naturellement dans la conversation, et de l'avoir prononcé fut comme une grande tristesse s'abattant sur Célestin, un rappel de l'ennui qu'il avait d'elle. Ce souvenir lui coupa la parole. Si Gilberte avait été là, il se serait senti moins seul. Puis, lentement, le nom d'Annette revint s'imposer et Célestin tourna alors les yeux vers Prudence.

— Elle est gentille, Annette, admit-il avec un calme surprenant. Et drôle aussi, quand elle raconte des histoires aux enfants de Marie. Elle fait toutes sortes de bruits avec sa bouche, comme si les poules étaient vraiment là. Ou les cochons, ou le grand méchant loup...

— Comme ça, t'es pas trop triste de savoir qu'Antonin est amoureux d'elle ?

— Non, pas trop... Ça va être comme pour Marius pis Hortense...

— Presque, oui. Je vois que tu comprends ce qui arrive à Antonin.

— C'est sûr que je comprends. Il a une fiancée. Ça arrive des fois, d'avoir une fiancée. Pis si Antonin est heureux, moi aussi va falloir que je le soye. Pour lui.

— C'est bien de penser comme ça, Célestin.

— Ouais... Astheure, Antonin a une fiancée...

Célestin parlait à mi-voix, sur un ton pensif en se

berçant tout doucement. Prudence se fit le plus silencieuse possible. En ce moment, Célestin avait besoin de toute la concentration dont il était capable pour se faire à l'idée, pour s'ajuster à la situation. Au bout de quelques minutes, il leva les yeux et offrit un sourire un peu timide à Prudence.

— Si Antonin est content, moi aussi j'vas l'être, déclara-t-il, solennel. Ça a toujours été de même entre nous deux. Ça fait qu'il reste juste un problème à régler, Prudence.

— Ah oui ? Lequel ?

— Quand Annette va venir s'installer ici comme Hortense, expliqua Célestin, moi, où c'est que j'vas aller me coucher ? Va-tu falloir que j'aille mettre mon lit dans la chambre des p'tits ?

— Non. Ça ne sera pas nécessaire, Célestin.

— Ah non ?

Subitement, Célestin était tout sourire.

— Ben c'est correct, d'abord. Ça me tentait pas tellement de me retrouver avec trois p'tits gars dans ma chambre. Rapport que moi, j'suis devenu un homme. Mais si j'peux rester dans la même chambre qu'Antonin, y en a pas, de problème. Annette peut ben déménager quand elle voudra.

À ces mots, Prudence comprit que, malgré les apparences, le pire restait à venir.

— Annette ne déménagera pas, Célestin, précisa-t-elle alors d'une voix très douce. C'est Antonin qui va aller la rejoindre.

Encore une fois, les mots prirent tout leur temps

pour se frayer un chemin jusqu'à la compréhension. Lentement, le regard de Célestin s'assombrit.

— Ah non ! Ça, je veux pas, annonça-t-il finalement en tapant du pied.

La perspective d'une vie sans Antonin lui était tout à fait intolérable, douloureuse, impensable.

Puis cette même perspective devint rapidement impossible.

— Non, ça se peut pas, ce que vous dites là, Prudence. Pourquoi Antonin y ferait ça ? Je crois pas ça, moi, qu'Antonin aye décidé de s'en aller. Non, ça se peut pas !

— Oui, ça se peut.

— À cause de la chambre ? Ben, si c'est juste ça que ça prend pour régler le problème, m'en vas y aller, d'abord, dans la chambre des p'tits. C'est pas grave. Mais je veux pas qu'Antonin s'en aille. Non monsieur !

Prudence avait la désagréable sensation de marcher sur des œufs. Le moindre faux pas risquait de provoquer un désastre.

— C'est pas une question de chambre, Célestin.

Le grand gaillard s'agitait, épongeait son front où la sueur dessinait des sillons comme lui savait si bien les tracer dans la terre meuble.

— C'est quoi d'abord ? demanda-t-il au bord de la panique. C'est donc ben compliqué, à matin, de comprendre les choses.

Célestin respirait bruyamment, comme un taureau que l'on excite, que l'on tente de mettre en colère.

— C'est vrai que tout ça, c'est un peu compliqué,

concéda Prudence. Mais Antonin n'a pas le choix, Célestin, expliqua-t-elle avec une infinie patience dans la voix.

— Pourquoi ?

Prudence perçut un sentiment d'angoisse dans la voix de Célestin. La sienne se fit alors rassurante.

— Parce qu'Annette doit rester avec ses parents. Sa maman n'a pas une bonne santé et avec le magasin général, elle a besoin que sa fille reste auprès d'elle.

— Ben c'est moi qui vas y aller, d'abord.

— Non plus, Célestin. Toi, tu peux pas t'en aller. Qu'est-ce que Marius, Louis et ton père feraient sans toi ?

— Ils vont ben se passer d'Antonin, analysa Célestin de façon tout à fait inattendue, ça fait qu'ils peuvent se passer de moi aussi. C'est tout !

— Voyons donc ! Mais qu'est-ce que tu vas penser là ? Antonin va revenir, Célestin. Jamais il ne pourrait s'en aller en te laissant derrière lui. Et puis, il le sait bien que son père et ses frères ont encore besoin de lui. C'est une grande ferme, la ferme des Bouchard ! C'est pour ça qu'il va continuer à travailler ici, tous les jours, comme il a l'habitude de faire.

— Ah oui ? fit le gaillard avec un lourd scepticisme dans la voix.

Il fixait Prudence avec méfiance.

— Je le sais pas si ça se peut, ça, demeurer ailleurs pis travailler ici ?

— Oui, ça se peut. Je te jure que je dis la vérité, Célestin ! Tu vas continuer à voir ton frère tous les jours puisqu'il va continuer à venir travailler ici.

— Tous les jours ?

— Oui, tous les jours. Sauf peut-être le dimanche. Mais ce jour-là, tu vas le voir à la messe. Pis tu vas pouvoir lui faire des visites, si tu t'ennuies trop.

— Ah oui, des visites... Comme Gilberte avant. Ben, si c'est comme ça...

Ce fut ainsi qu'il n'y eut ni grande colère ni larmes inépuisables. Juste un grand désarroi devant un tel bouleversement des habitudes. Un désarroi si intense que les mains de Célestin se mirent à trembler, malgré sa visible acceptation de la situation. Mais quand Prudence tendit la sienne vers lui pour le rassurer, le costaud recula sur sa chaise en roulant des yeux effarés.

— Non ! Touchez-moi pas, Prudence. Vous le savez ben : j'aime pas ça quand on me touche... Pour astheure, j'veux juste parler à Antonin.

Désemparé, Célestin regardait tout autour de lui, les mains agrippées aux accoudoirs de la chaise.

— Ouais, faut que je parle à Antonin, gronda-t-il. J'veux que ça soye lui qui me raconte tout ça, avec ses mots à lui. Oui monsieur ! Après, ça va aller...

Célestin poussa un long soupir rempli de sanglots. Puis, d'une longue inspiration, il sembla se reprendre et, fixant Prudence, il ajouta :

— Ouais... Promis, Prudence, ça va aller.

CHAPITRE 4

Le même jour, en janvier 1919, à Québec, dans la cuisine de Paul.

La journée avait été glaciale. Derrière le rideau de cotonnade bleu pervenche, le soleil se couchait déjà. On avait beau savoir que les journées avaient déjà commencé à rallonger, on ne le percevait pas vraiment et l'impression qui persistait était celle que l'hiver régnerait en maître de nombreuses semaines encore.

Hélas !

Installés autour de la table de la cuisine, les trois enfants Tremblay, ceux qui vivaient à Québec depuis un bon moment déjà, pressaient le bout de leurs doigts contre leurs tasses en les tenant à deux mains. Le chauffage au charbon de la grande maison de Paul peinait à garder l'immeuble tiède par ces grands froids sibériens. Dans l'attente de ses sœurs Justine et Marguerite, qu'il avait invitées, il avait donc préparé une grande quantité de thé bien chaud, un mélange anglais que sa mère appréciait particulièrement, et il avait déposé la théière au beau milieu de la table, bien enveloppée dans une cache en coton matelassé qu'Alexandrine avait cousue expressément pour lui. Le seul regret de Paul, en ce moment, était de ne pas avoir de foyer pour faire une bonne flambée. À son avis, ça aurait été nettement plus efficace que le thé pour tous les réchauffer, à défaut d'avoir un bon vieux poêle à bois comme dans la cuisine chez ses parents.

L'électricité n'avait pas que des avantages !

Depuis le décès de leur sœur Rose, par solidarité ou tout simplement pour se commémorer quelques souvenirs communs, Marguerite, Justine et Paul se réunissaient ainsi, plus ou moins régulièrement. Depuis les Fêtes, ils l'avaient même fait à trois reprises. Comme la tristesse avait dominé, lors du souper traditionnel chez leurs parents le soir de Noël, ils ressentaient ce besoin d'être ensemble encore plus fortement qu'en temps normal.

— J'ai peut-être pas d'enfant à moi, soulignait justement Marguerite, faisant ainsi référence à la grande tristesse d'Alexandrine et Clovis, mais j'aime ça, les enfants. J'ai toujours aimé ça ! Ça fait que je peux fort bien comprendre comment les parents doivent se sentir…

Tout en parlant, Marguerite hochait la tête, le regard un peu vague. Puis, secouant vigoureusement la tête, elle prit son frère et sa sœur à témoin et ajouta :

— Perdre deux enfants, vous rendez-vous compte ? D'abord Joseph, tout jeune, pis astheure, Rose, qui était pas ben vieille, elle non plus. Ça doit t'arracher le cœur, de voir mourir tes enfants comme ça.

La simple mention du nom de son frère aîné suffisait

habituellement à faire blêmir Paul, ce que Marguerite était justement en train de constater. Le temps avait estompé l'événement, certes, mais les émotions restaient vives et douloureuses. L'horreur de voir Joseph passer par-dessus bord et disparaître sous les vagues glauques était toujours aussi présente. Paul en faisait encore des cauchemars, à l'occasion, et s'il avait décidé de vivre ici, à Québec, ça avait été un choix tout à fait délibéré: celui de mettre une distance calculable entre lui et le village de Pointe-à-la-Truite.

Entre lui et le fleuve aux allures d'océan.

C'est pour cette même raison que Paul n'allait jamais se promener sur la Terrasse, près du Château Frontenac, là où la vue du fleuve, entaillé par la pointe de l'île d'Orléans, était époustouflante. Il se refusait aussi de prendre le traversier pour se rendre à Lévis. La noirceur insondable de l'eau lui donnait le vertige, disait-il.

— C'est pour ça que je peux pas prendre la relève du père sur le bateau, disait-il en guise d'explication quand on lui demandait s'il finirait par retourner à la Pointe, un jour. La houle, ça me donne le vertige pis un gros mal de cœur! Je peux pas passer toute ma vie à avoir mal au cœur, vous pensez pas?

Il avait une telle hantise de l'eau qu'il allait jusqu'à croire que, même si le pont de Québec accueillait trains et piétons depuis plus d'un an déjà, il valait mieux attendre encore un peu avant de l'emprunter. Paul avait ainsi décidé, de façon tout à fait arbitraire, que l'inauguration officielle du pont, l'été prochain en présence du prince Edward de Galles, serait une date envisageable pour enfin se diriger vers la rive sud, à Lévis plus précisément, là où habitait un bon ami à lui. En effet, deux incidents majeurs lors de la construction du pont, incidents qui avaient provoqué de nombreux décès, il fallait tout de même l'admettre, l'empêchaient d'avoir une confiance absolue dans cet enchevêtrement de poutres d'acier sur piliers de pierres en maçonnerie.

Pourtant, sans contredit, l'architecte qu'il était admirait le chef-d'œuvre !

Se faisant violence, Paul repoussa le souvenir de son frère Joseph et tout ce qui s'y rattachait pour revenir à la conversation de ses sœurs qui, malheureusement, tournait en rond, encore et toujours, ponctuée par les tragédies ayant marqué leur vie familiale.

— Ça fait que j'ai jamais connu Joseph ! constatait présentement Justine, la plus jeune des enfants Tremblay, la seule qui n'était pas encore née lors du tragique événement. Pis c'est une chance que je sois venue m'installer ici, en ville, parce que j'aurais à peine connu Rose, elle avec. Si on se souvient bien, j'étais encore pas mal petite quand la plus vieille de mes sœurs est partie pour Québec.

— C'est pas vrai, ce que tu viens de dire là ! La plus vieille chez nous, c'est pas Rose, c'est Anna.

— Oui, c'est vrai, mais comme je l'ai pas connue, s'excusa Justine en rougissant. C'est un peu fou de penser comme ça mais, en plus, comme Anna vit au couvent, chez des sœurs cloîtrées, j'ai tendance à l'oublier. On la voit si peu souvent…

— C'est vrai… Tout ça pour dire : pauvre maman ! En plus de perdre Joseph pis Rose, sa plus vieille vit enfermée dans un monastère ! Elle pouvait bien être triste à Noël, même si on voit que papa fait tout son possible pour la soutenir.

— Ce qui n'a pas aidé, c'est que Léopold soit pas encore revenu des vieux pays, renchérit Paul, coupant ainsi la parole à Marguerite, pressé qu'il était de changer de sujet.

— Mais au moins, on sait qu'il est vivant, argumenta Justine avec une pointe de soulagement dans la voix. C'est toujours pas de sa faute à lui si l'armée a de la misère à organiser le retour des troupes.

— C'est vrai. Mais j'ai hâte de le revoir, moi aussi, déclara Marguerite sur le même ton. Les parents sont pas les seuls à s'ennuyer, vous saurez ! Je suis du même avis que toi, Paul : si Léopold avait été là, ça aurait aidé à détendre l'atmosphère durant le souper de Noël. Notre frère doit sûrement avoir des tas de choses à nous raconter.

— C'est sûr que ça aurait changé bien des choses… C'est papa surtout qui a l'air de s'ennuyer de lui. Je parie qu'il doit espérer son retour avant la saison de navigation. À son âge, ça doit être dur de se retrouver au gouvernail, jour après jour.

— Ça doit, oui. Certains jours doivent lui paraître ben longs pis difficiles.

— Pis maman, elle ? demanda Justine en versant une bonne lampée de thé dans sa tasse avant de resserrer promptement ses mains tout autour. Est-ce qu'il y a quelqu'un qui pense à maman? Elle aussi, elle doit trouver les journées pas mal longues, toute seule à la maison, même quand papa est présent.

— Si c'est ce que tu penses, pourquoi tu retournes pas chez les parents? nota Paul, tout en se levant pour remettre de l'eau à bouillir parce qu'il venait de soulever une théière vide. De toute façon, j'ai jamais vraiment compris pourquoi t'avais quitté la maison. Rouleuse de cigarettes, c'est pas un métier qui doit être tellement...

— Tais-toi, Paul!

Justine fixait son frère avec une lueur amère au fond des prunelles. Elle attendit qu'il reprenne sa place à la table parce qu'elle voulait le regarder droit dans les yeux quand elle préciserait sa pensée.

— C'est injuste de parler comme tu le fais, lança-t-elle, colérique, dès que Paul fut en face d'elle. C'est toujours ben pas de ma faute à moi si les parents avaient pas les moyens de me payer des études. Je l'ai demandé, pis c'est ce qu'ils m'ont répondu: Paul a épuisé toutes nos réserves! C'est comme ça que je suis devenue rouleuse de cigarettes.

Mal à l'aise, Paul détourna le regard. Justine n'avait pas tout à fait tort, car, tout comme lui, elle aurait pu poursuivre sa scolarité bien au-delà de l'école du village, même si les longues études n'étaient pas vraiment à la mode pour les filles. Par contre, Paul avait été à même de constater que certaines d'entre elles se rendaient parfois jusqu'à l'université. D'où peut-être ce ressentiment qu'il entendait dans la voix de Justine. Sa jeune sœur avait toujours eu des notes au-dessus de la moyenne et elle aimait apprendre. Toutefois, dans le domaine des études, quand la famille n'était pas trop fortunée, il était normal de favoriser les garçons plutôt que les filles. C'est ce que Paul s'apprêtait à dire quand Marguerite le prit de court.

— J'avoue que c'est peut-être normal de donner la préférence à un garçon quand vient le temps de payer des études à quelqu'un dans une famille, remarqua-t-elle comme si elle avait lu mot à mot dans les pensées de son frère, mais dans ton cas, mon pauvre Paul, ça se justifie pas complètement. Je dirais même pas du tout !

— Pourquoi tu dis ça ? fit-il, piqué au vif en se tournant prestement vers sa sœur. J'ai toujours été appliqué dans mes études, tu sauras, et j'ai très bien réussi mon cours. J'ai obtenu mon diplôme avec très grande distinction, faut surtout pas l'oublier. Aujourd'hui, si je peux dire que j'ai une bonne profession, je peux aussi ajouter avec fierté que mon bureau a une solide réputation !

— Pis à trente-huit ans, t'es toujours pas marié, répliqua Marguerite du tac au tac sans tenir compte des explications de son frère.

Était-ce de la moquerie ou une critique qui faisait briller les yeux de Marguerite à ce point ? Difficile à dire, mais aussitôt la remarque lancée, Paul se sentit indéniablement embarrassé devant ce qui ressemblait à un reproche.

— Dans ton cas, on peut pas dire que t'as étudié durant tout ce temps-là pour faire vivre décemment une famille, affirma Marguerite, d'une seule traite, en dépit de la rougeur qu'elle avait cru percevoir sur le visage de Paul, au moment où il ouvrit la bouche pour essayer, en vain, de se défendre. Me semble que d'habitude, c'est pour ça qu'un garçon étudie, non ?

L'envie de répondre s'était dissoute dans la tirade de Marguerite. Alors, sans dire un seul mot, Paul tourna la tête vers la fenêtre. Seule une lueur blafarde à travers les branches d'un érable dénudé résistait à la nuit qui s'imposait et, comme depuis quelques jours le givre avait envahi le bas des vitres, l'image proposée à Paul ressemblait à une carte de souhaits. Ne manquait qu'une belle neige en lourds flocons pour se croire de retour à Noël.

C'était joli.

Paul tenta donc de se concentrer sur le paysage. Sans succès. Alors, imperceptiblement, juste pour lui, il poussa un long soupir silencieux. Il aurait voulu trouver une réplique, une explication, une justification aux reproches de Marguerite, mais tout ce qui lui venait à l'esprit ne se disait pas.

Les confidences, les motivations, les désirs… Sans compter la sensation de culpabilité ressentie quand il fermait les yeux et que le sourire un peu forcé et triste de sa mère envahissait toutes ses pensées. Avec l'aîné de la famille décédé et sa sœur Anna au couvent, Paul se sentait doublement responsable de la tristesse de ses parents. Ça aurait été à lui de prendre la relève, tant sur la goélette que pour assurer la pérennité des Tremblay. Oui, il aurait dû trouver une épouse pour continuer la lignée de Clovis Tremblay et habiter à la Pointe pour soutenir son père. Marguerite n'avait pas tout à fait tort. Paul le savait fort bien, et pourtant, il n'avait rien tenté pour changer la situation.

Était-ce vraiment un choix ? Aussi éclairé et délibéré qu'il se plaisait à le croire ?

Paul se posait encore parfois la question. La seule réponse qui lui venait était que, pour la goélette, il aurait pu faire des efforts. Ne serait-ce qu'en devenant architecte maritime.

Quant au reste…

Paul reporta les yeux sur ses deux sœurs qui continuaient de parler entre elles. Il aurait tant aimé pouvoir tout dire, tout avouer, mais il n'aurait su trouver les mots.

Alors il se taisait. Autant devant ses sœurs et ses parents que devant qui que ce soit d'autre, d'ailleurs.

Pour lui, la mort de Joseph avait tracé une démarcation indélébile dans sa vie. Depuis, tout ce qu'il ressentait, ce qu'il choisissait, ce qu'il voulait y était rattaché, d'une façon ou d'une autre. À ses yeux, dans le secret de son cœur, la mort de Joseph justifiait tout, mais cela, probablement que personne n'aurait pu vraiment le comprendre.

Et cela faisait si longtemps déjà que Joseph était mort…

Posant les deux mains à plat sur la table, Paul se releva lentement pour se diriger vers la cuisinière. Il souleva la bouilloire qui crachait un long sifflement chuintant et, aussitôt, un agréable silence succéda à ce bruit irritant. Paul prit alors une longue inspiration de soulagement, comme si son tourment venait de s'envoler avec la vapeur sortant du bec de la bouilloire. Puis, s'activant avec aisance, il prépara le thé. Cela faisait bien rire ses sœurs, d'ailleurs, cette facilité et ce plaisir évident qu'il avait à préparer les repas.

— J'ai pas eu le choix de m'y faire, avait-il maintes fois plaidé quand elles se moquaient gentiment de lui. C'était apprendre à cuisiner ou mourir de faim. Quoi que vous en pensiez, les années d'étude n'ont pas toujours été une partie de plaisir, vous savez.

Ce qu'il n'avait jamais avoué, cependant, c'était qu'il aimait vraiment se retrouver aux fourneaux. Peut-être même plus que devant sa table à dessin ! Mais comment le dire sans essuyer de moqueries ? Un homme à la cuisine et par envie, en plus ! À l'exception de quelques grands chefs européens, cela ne se voyait jamais. Encore une fois, sans doute que ses sœurs n'auraient pas compris.

La décision de rester chez Paul pour le souper alla de soi. Chez lui, la nourriture était plus abondante et variée que dans le petit logement en bas de la ville, dans Saint-Roch. Les ressources financières n'étaient pas du tout les mêmes, malgré la générosité de Paul à l'égard de ses sœurs. Ainsi, rares étaient les fois où Justine et Marguerite refusaient une invitation.

Tout comme Rose qui avait toujours dit oui aux invitations de son frère.

— Vous rappelez-vous ? demanda Justine avec une nostalgie qu'on entendait jusque dans sa voix. Rose voulait toujours faire la salade! Elle disait que sa vinaigrette au persil était la meilleure.

— Et elle avait bien raison! approuva Paul avec chaleur. En fait, bien avant que vous arriviez en ville, c'est Rose qui m'a tout appris dans une cuisine. Elle savait y faire quand venait le temps de tourner un bon repas avec trois fois rien!

Cette fois-ci, le silence qui s'abattit sur la pièce était empreint de tristesse et de souvenirs. Puis, d'une voix étranglée, Justine demanda:

— Est-ce que quelqu'un a vu Gérald depuis... depuis que Rose est partie?

— Pas moi, murmura Paul tout en dressant la table. C'est peut-être mieux comme ça. S'il fallait que je le croise dans la rue, je ne sais pas trop ce que je pourrais lui dire.

— Ça vaut pour moi aussi, murmura Justine.

Quant à Marguerite, elle survola la table des yeux pour capter d'abord le regard de Paul, puis celui de Justine avant de se mettre à parler.

— Pensez-vous qu'on aurait dû en parler aux parents? demanda-t-elle finalement, une certaine anxiété dans la voix. Sinon, peut-être qu'on devrait le faire maintenant?

— Pourquoi?

À son tour, du regard, Paul sonda l'opinion de ses sœurs avant de poursuivre.

— Qu'est-ce que ça donnerait de plus qu'ils sachent à propos de Gérald, à part tourner un peu plus le couteau dans la plaie?

— C'est vrai que maman serait pas mal déçue d'apprendre qu'avec un peu de chance, elle aurait été grand-mère dans quelque temps.

— En plus de tout le reste! Non, non... On en a longuement parlé pis notre décision a été la bonne... Enfin, je crois. Comme tu viens de le dire, Marguerite, je pense, non je suis certaine que maman serait encore plus malheureuse si elle apprenait que Rose s'apprêtait à leur présenter son fiancé.

— Ouais... Au lieu d'assister à des funérailles, c'est à un mariage qu'on aurait dû aller, souligna Paul.

— Moyenne différence! précisa alors Marguerite, revenue de son hésitation première. Pis c'est pas plus Justine que moi qui va faire un changement dans la situation.

— Pourquoi pas ?

— Parce que, jusqu'à date, c'est pas les prétendants qui se bousculent à notre porte. Me semble que tu devrais le comprendre sans qu'on soit toujours obligé de mettre les points sur les « i » !

L'amertume de la remarque était perceptible, tant dans la voix de Marguerite que dans celle de Justine, qui répliqua aussitôt:

— Ouais, comme tu dis! Pis c'est pas Anna non plus qui va donner à maman la joie d'être grand-mère! Des trois filles qui leur restent, pour astheure, il y en a pas une qui pourrait faire oublier aux parents la tristesse qui vient de leur tomber dessus avec le décès de notre chère Rose.

À ces mots, les deux sœurs se tournèrent

spontanément vers Paul, qui, pour cacher son embarras, exagéra son haussement d'épaules.

— Qu'est-ce que vous avez à me regarder comme ça ? demanda-t-il en bougonnant. Je vous ferais remarquer que je suis pas plus avancé que vous deux.

Il fit mine de chercher autour de lui.

— J'ai pas ça de caché dans un garde-robe, moi, une amie ou une fiancée, lança-t-il en guise de conclusion, espérant ainsi clore une discussion qui l'agaçait.

— Non, peut-être pas, admit Marguerite, relançant la discussion de plus belle. Pour astheure ! Mais dans l'avenir, dans un avenir pas trop loin, à part de ça, ça pourrait changer, non ?

Devant le silence de Paul qui s'encroûtait, Marguerite reprit comme si son frère avait besoin d'explications.

— Ça pourrait changer plus vite qu'on le pense, parce que t'es un gars pis que pour vous autres, c'est pas mal plus facile de trouver quelqu'un ! Il suffit d'une belle fille à proximité, d'un sourire ou d'un regard… Après tout, c'est aux hommes que ça revient de faire les premiers pas.

— Pis tu penses que c'est facile ?

— Ben… Sûrement plus que pour nous autres. Non ?

— Non !

Paul parlait par-dessus son épaule tout en servant la soupe.

— Si on changeait de sujet de conversation ? dit-il enfin clairement. C'est pas la première fois qu'on en parle, en long pis en large, pis ça n'a rien changé au fait qu'on est encore seuls, tous les trois. Comme le dirait notre père: c'est la vie qui veut ça...

Cette fois-ci, le soupir que Paul poussa fut nettement perceptible.

— Arrêtons donc de nous en faire avec cette situation-là. Le retour de Léopold devrait tout régler! Avec son Augusta qui l'attend toujours, je nous prédis des noces pour l'été prochain. Ça devrait aider les parents à retrouver le sourire... Maintenant, assoyez-vous, j'arrive avec les bols de soupe!

Le repas fut délicieux, comme d'habitude, ce qui permit de détendre l'atmosphère. Un peu plus tard, avec sa délicatesse habituelle et malgré le froid qui s'intensifiait au rythme où la noirceur tombait, et cela sans compter le vent qui venait de se lever, Paul tint à raccompagner ses sœurs.

— Pas question de vous laisser partir toutes seules!

— Ben voyons donc! On est deux pis on marche vite.

— Quand même! Le soir, quand il fait noir comme chez le loup, on sait jamais qui on peut rencontrer. Surtout dans le bas de la ville.

— C'est pour ça que Justine pis moi, on a ben l'intention de déménager dans Limoilou.

Le nom du quartier fit tiquer Paul. Il se tourna prestement vers sa sœur Marguerite qui, tout en parlant, ajoutait un long foulard par-dessus son chapeau pour ne pas avoir à le retenir de la main.

Se mirant dans la glace au tain dépoli, elle tentait de l'ajuster le plus joliment possible tandis que Justine prenait le relais pour expliquer leurs projets à Paul.

— Le 1er mai prochain, on déménage! C'est décidé.

— Dans Limoilou, d'après ce que je peux comprendre... Comme ça, vous n'avez pas retenu ma proposition?

— Celle de venir nous installer ici? Non, Paul! On te l'avait dit de pas trop compter là-dessus. C'est trop loin de notre travail.

— Mais Limoilou aussi, c'est assez loin!

Curieusement, même s'il était soulagé de la tournure des événements, Paul se sentait obligé d'insister. Après tout, il était le frère aîné, celui à qui sa mère avait confié ses deux filles, au moment où il quittait la maison paternelle après le repas de Noël. C'est pourquoi, pour que la mesure soit pleine et qu'il puisse avoir l'esprit serein, il arriva même à mettre une pointe de déception dans sa voix quand il répéta:

— Limoilou, c'est quand même pas à la porte!

— C'est pas si loin que ça! On va peut-être avoir à marcher un peu plus longtemps, c'est vrai, mais c'est pas si pire que ça en a l'air. Je pense que ça vaut la peine d'y penser ben sérieusement. La semaine dernière, Marguerite pis moi, on est allées se promener par là, pis c'est pas mal tentant. Les rues sont larges, ben éclairées, pis il y a des arbres un peu partout. C'est un beau quartier, Paul. Pas de doute là-dessus. Plus beau en tout cas que celui où on reste. On rit plus! C'est toute ben droit, avec des rues pis des avenues, comme à New York. Je l'ai lu dans la gazette, y a pas si longtemps que ça.

— Mais ça, c'est au printemps prochain! Si ça se concrétise.

Plus la conversation avançait et moins Paul avait l'air déçu.

— Si jamais vous vous décidez, comptez sur moi pour vous aider à trouver un logement qui a de l'allure, annonça-t-il finalement sur un ton plus que léger. Pis soyez pas inquiètes: en cas d'urgence, je vous refilerai quelques piastres à la fin du mois. Mais en attendant d'y être, moi, je vous ramène à la maison!

— C'est pas nécessaire!

— Pas de discussion! Habillez-vous chaudement. Au besoin, si jamais vous pensez que vous en avez pas assez, il y a des mitaines et quelques foulards dans l'armoire près de la porte d'entrée, leur indiqua-t-il.

Lui-même s'emmitoufla comme un ours, car ce soir, raccompagner ses sœurs n'était qu'un prétexte pour affronter le froid hivernal. Pour lui, contrairement à Justine et à Marguerite, la soirée ne faisait que commencer.

Ils firent la route bras dessus, bras dessous, se taquinant comme ils l'avaient si souvent fait au temps de leur enfance.

Quand il fut certain que Marguerite et Justine ne le surveillaient plus et qu'elles étaient bien au chaud dans leur petit logement, Paul rebroussa chemin pour tourner le coin de la rue dans la direction opposée à celle d'où ils étaient venus. Il avait l'intention bien arrêtée de ne pas retourner chez lui. Vivre une longue soirée de solitude ne lui faisait aucune envie et c'est ce qui l'attendait chez lui, les conversations de l'après-midi ayant fait renaître, de surcroît, des émotions qu'il préférait habituellement éviter.

Paul remonta alors le col de son manteau et il enfonça les mains dans ses poches. Le vent qu'il affrontait de face était cinglant et la neige durcie crissait sous ses pas.

Lorsqu'il longea la rue Saint-Joseph, Paul fut tenté de s'arrêter dans un petit casse-croûte qui offrait une cuisine familiale réconfortante. Il le savait pour y être allé à quelques reprises.

Un bon café bien chaud et une part de gâteau feraient une halte agréable avant de poursuivre sa route. S'arrêter dans cet endroit était devenu une habitude qu'il avait prise depuis quelque temps déjà et Paul aimait les routines. Ça le sécurisait.

Il tendait déjà la main vers la poignée de la porte peinte en bleu quand son geste avorta brusquement.

La perspective d'une longue conversation avec la propriétaire le faisait hésiter malgré le temps peu clément. Cette femme joviale à la langue bien pendue l'accaparerait durant de longues minutes, pour ne pas dire des heures, Paul s'en doutait bien. Alors il passa tout droit, faisant fi des frissons dans le bas du dos et de ses orteils engourdis. Tant pis pour le café chaud. Après tout, ce n'était pas ce dont il avait envie en ce moment.

Ce n'était surtout pas ce dont il avait besoin pour terminer cette journée faite de souvenirs parfois pénibles.

Depuis l'après-midi, il anticipait les cauchemars qui pourraient survenir au cours de la nuit, lorsqu'il serait seul avec sa peine, et il ne se sentait pas la force de leur faire face.

Depuis le décès de Joseph, Paul avait toujours craint la solitude quand il avait le cœur à la tristesse. Que cette réaction soit normale ou pas, surtout avec les années qui passaient inexorablement, il s'en fichait éperdument. Son frère n'étant plus là pour lui expliquer les choses, le protéger, le réconforter, les événements tragiques prenaient parfois des proportions sans borne. La mort de sa sœur Rose faisait partie de ces moments pénibles qu'il avait dû traverser, seul. Si Joseph avait été là, ça aurait été différent puisqu'il l'aurait consolé, apaisé. C'est toujours ce que Joseph avait fait quand leur père obligeait le jeune Paul à prendre la mer avec lui et que ce dernier paniquait.

— Crains pas, Paul, je suis là, avec toi. J'vas toujours être là pour toi en attendant le jour, quand tu vas être grand, où tu vas dessiner mon bateau, disait régulièrement Joseph, un bras autour des épaules de Paul et le regard fouillant l'horizon. Ce jour-là, papa pourra plus t'obliger à prendre le large avec lui, parce que t'auras plus le temps.

— J'ai hâte.

— Je le sais… En attendant, parle-moi de mon bateau, demandait alors catégoriquement le jeune Joseph qui, lui, depuis toujours, trépignait dans l'attente du jour où il pourrait enfin quitter l'école afin de rejoindre son père, Clovis, sur la goélette. Dis-moi,

Paul, dis-moi comment tu le vois dans ta tête, mon bateau !

Alors, invariablement, le jeune Paul se mettait à raconter comment serait le bateau qu'il construirait pour Joseph. Le jeune garçon qu'il était alors fermait les yeux. Il s'appuyait contre le corps de son grand frère, toujours stable malgré la houle, et il s'amusait à imaginer le bateau. Lentement l'image se précisait et, tout heureux, Paul se lançait dans une longue description.

Assurément, ce serait la plus belle, la plus grande goélette qu'on n'aurait jamais vue à la Pointe !

— Tout le monde va t'envier, tu sais !

C'est ainsi que se passaient la plupart des traversées, Paul oubliant, grâce à Joseph, qu'il avait peur de l'eau trop sombre et des vagues parfois un peu trop grosses.

Jusqu'au jour de l'orage.

Ce jour-là, c'est lui qui aurait dû protéger Joseph. Qui d'autre ? Ils étaient trois à bord de la goélette et leur père était au gouvernail à tenter de garder le bateau à flot.

Alors, s'il avait été à la proue avec Joseph, comme il le lui avait demandé, Paul aurait pu le retenir, il en était convaincu. Mais trop timoré pour rejoindre son frère par un si gros grain, il était resté à l'arrière. Et surtout à l'abri, à cause de la pluie qui s'était mise à tomber. Il était cependant suffisamment proche pour entrevoir l'éclat de surprise, d'abord, puis d'épouvante qui avait obscurci le regard de Joseph quand il avait basculé par-dessus bord.

Joseph était là, à quelques pas seulement, se tenant bien droit, faraud devant l'orage, puis, brusquement, il n'y était plus. Entre les deux, un moment intemporel qui revenait en boucle dans la vie de Paul, parce que lui, Paul Tremblay, le lâche des lâches, était resté figé sur place, sans réagir, sans même crier pour alerter leur père.

C'était dans sa tête et dans son cœur, ce jour-là, qu'il avait crié le nom de son frère à s'en arracher la gorge.

C'était dans sa tête et dans son cœur qu'il continuait parfois de crier le nom de son frère Joseph.

Encore et encore et encore…

Par la suite, Paul s'était jeté dans les études pour oublier avant de demander à ses parents de poursuivre son cours à Québec. Tout et n'importe quoi pour s'éloigner de la Pointe et de son éternel cauchemar.

Mais le cauchemar l'avait suivi jusqu'à la ville.

Avec acharnement, il avait cherché à s'identifier à Québec, déclarant aimer la ville.

— C'est pour suivre mon destin, avait-il expliqué à ses parents quand vint le temps de s'inscrire à l'université. J'aime vivre en ville et quand j'aurai terminé mon cours, j'ai plus de chances d'avoir des contrats à Québec qu'ici, au village.

Paul voulait surtout s'éloigner de la culpabilité qui l'aiguillonnait au moindre prétexte.

Mais la culpabilité aussi l'avait suivi jusqu'en ville.

Puis un jour, il avait rencontré Joachim. Le jeune homme avait sensiblement l'âge que Joseph aurait eu.

Il avait le regard pétillant, le rire facile et les traits anguleux, tout comme Joseph.

Et son bras, quand Joachim le posait nonchalamment sur les épaules de Paul, dans les moments de confidence, ce bras avait la même chaleur, procurait le même réconfort que celui de Joseph.

Paul venait alors d'entrer à l'université.

Il s'était trouvé un ami, un confident, un complice.

Paul venait de retrouver un grand frère.

Alors Paul présenta Joachim à Rose et rendit visite à Anna avec lui.

Ils firent la fête, s'offrirent une virée à Montréal et étudièrent d'arrache-pied. Joachim faisait son droit, tandis que lui découvrait le plaisir de dessiner des plans.

Ce furent, en fin de compte, deux belles années bien remplies où il n'y eut pratiquement pas de cauchemars et où la culpabilité consentit à jeter du lest.

Puis, arrivé au bout de son chemin universitaire, Joachim déclara qu'il rentrait chez lui en Gaspésie.

— Ils ont besoin de notaires, chez nous aussi, et je peux faire ma cléricature chez mon oncle, à Gaspé. Pourquoi est-ce que je resterais ici ?

— En effet…

La tristesse de Paul était palpable. Alors Joachim avait ajouté :

— Et toi, Paul, pourquoi ne viendrais-tu pas nous rejoindre à la fin de tes études ? On construit des maisons et des immeubles chez nous aussi, tu sais. Ma famille serait heureuse de t'accueillir, j'en suis certain.

Le cœur dans l'eau, Paul avait fait mine d'hésiter, par politesse. Uniquement par politesse parce que la Gaspésie, n'est-ce pas, c'était aussi la mer…

— Je ne croirais pas, avait-il avoué finalement, incapable de mentir. Je préfère la ville, je te l'ai déjà dit, il me semble…

Il y avait eu une déception dans l'œil de Joachim. Alors, Paul avait ajouté:

— Mais bon, si tu y tiens, je vais y penser!

Pourtant, c'était déjà tout réfléchi, et ce, depuis fort longtemps.

Le temps des confidences et des rires partagés venait de disparaître une seconde fois dans sa vie et Paul se jura que ça serait bien la dernière. Cela faisait trop mal de perdre un frère.

Ou un ami.

Certes, la tristesse ressentie n'égalait pas celle vécue au décès de Joseph, puisqu'il n'y avait aucun sentiment de culpabilité s'y rattachant. N'empêche que le départ de Joachim avait marqué à sa façon une autre étape dans la vie de Paul.

C'est alors qu'il y avait eu une certaine Germaine, le temps d'un été.

Ces quelques mois avaient été comme un feu de paille dans la vie de Paul. Un embrasement subit, intense, mais éphémère, puisqu'il n'y avait eu ni réconfort, ni sentiment d'abandon comme il l'avait connu avec Joachim. Bien au contraire! On attendait de Paul Tremblay qu'il sache se montrer fort et rassurant comme tous les hommes se devaient de l'être alors que lui, il l'était si peu. C'est pourquoi, lorsque Germaine l'avait quitté, le soulagement avait remplacé adroitement la déception qui aurait dû être la sienne et sans hésitation, Paul avait repris ses anciennes habitudes. Il avait alors recommencé à fréquenter assidûment les quelques tavernes qui donnaient sur le port.

Si Paul détestait toujours autant la proximité de l'eau, il aimait cependant entendre le rire des marins.

Il faut croire qu'il n'était pas le seul, car de nombreux hommes venaient y boire en solitaire, tout comme lui. Parfois certains repartaient à deux, discrètement, et Paul s'en était aperçu.

Où allaient-ils ?

Paul l'ignorait, mais parfois, il se surprenait à les envier, et ce qu'il ressentait à les voir quitter ainsi la taverne ne ressemblait pas aux émotions qui l'avaient jadis uni à son ami Joachim.

C'était autre chose.

Autre chose de plus violent, plus envahissant, plus déconcertant, si bien que Paul mit un certain temps à comprendre.

Puis à accepter, d'abord avec réticence et, enfin, au bout de longs mois de valse-hésitation, avec impatience.

Saurait-il, lui aussi, braver les interdits et repartir avec un autre ?

Malgré sa timidité naturelle, vint le jour où Paul n'eut plus envie de repousser cette sensation perturbante, troublante. Elle était trop attirante dans son intensité pour être écartée.

Alors Paul continua de fréquenter ces quelques tavernes du bas de la ville, le corps en émoi, écartelé entre ce désir exacerbant qui l'envahissait parfois et ce que d'aucuns appelaient la normalité des choses.

Ce fut là, dans une de ces tavernes, après quelques bières prises en solitaire à écouter les conversations autour de lui, que Paul rencontra Edward, un marin anglais de passage à Québec. Un regard entre eux, un seul, et le nom de Germaine fut oublié à tout jamais.

Le nom de toutes les Germaine, possibles et improbables.

Un regard, un seul, et il n'y eut plus aucun doute dans le cœur, la tête et l'âme de Paul. Tant pis pour l'univers entier, il serait de ceux qui vivent dans l'ombre.

Ce soir-là, à son tour comme tant d'autres l'avaient fait auparavant, Paul avait quitté le bar en compagnie d'un homme, la peur et la gêne lui tordant le ventre, certes, mais porté par un désir plus grand que la raison.

Le reste, tout le reste de sa vie avait coulé de source à partir de cette nuit intense, passée dans la cabine d'un paquebot qui avait mouillé dans le port de Québec.

Après Edward, il y avait eu Simon, puis, quelques mois plus tard, il avait rencontré le bel Armand.

Ce fut ce même Armand, après des mois d'une passion dévorante, qui avait été sa première peine d'amour. Une vraie, faite de réclusion, de larmes, de désespoir qui consume et qui donne envie d'en finir.

Mais Raymond l'avait consolé.

Aujourd'hui, et ce depuis quelques mois, il y avait Réginald, et Paul souhaitait avec ferveur qu'il n'y ait plus que lui jusqu'à la fin de sa vie.

Pour la première fois depuis si longtemps, Paul Tremblay était heureux d'un bonheur tout simple, sans complications autres que celles imposées par la société. Seul le souvenir de Joseph arrivait encore à poser de l'ombre sur sa vie à cause de la culpabilité qui y était rattachée.

Comme ce soir, parce qu'une de ses sœurs en avait longuement parlé, soulignant qu'il était mort beaucoup trop jeune.

Alors, pour arriver au repos, pour sombrer dans l'oubli de cette culpabilité maudite qui ne voulait pas lâcher, il n'y avait qu'une seule chose à faire, qu'une seule personne à retrouver, et c'était Réginald. Comme n'importe qui, Paul avait besoin de l'être aimé pour connaître l'apaisement.

Marchant contre le vent, la tête engoncée dans le col de son manteau et les yeux au sol, Paul tourna alors au coin de la rue de la Couronne. Un peu plus loin, au bout de la rue transversale et passé la toute nouvelle, la grandiose Gare du Palais, il connaissait une petite taverne, un petit pub, puisque c'était un Irlandais qui en était le propriétaire et qu'il tenait à cette appellation. C'était un endroit sympathique que Paul prenait plaisir à fréquenter et où il savait trouver la personne qu'il cherchait.

Au pas de course ou presque, Paul franchit les derniers carrefours qui le séparaient de la taverne où il comptait se réfugier, dans l'unique espoir que Réginald ait eu la même idée que lui, les mêmes envies que lui, en ce samedi d'hiver trop glacial pour sortir, mais en même temps trop long pour vouloir rester seul. Malheureusement, certaines conversations ne pouvant se confier au téléphone, car trop d'oreilles indiscrètes en faisaient leurs choux gras, semaine après semaine, Paul ignorait habituellement les intentions de sortie de son ami et ce bar était devenu leur point de rendez-vous.

Trop souvent hélas, les deux amants devaient s'en remettre au hasard pour planifier leurs rencontres, le fleuve entre eux étant le plus puissant des obstacles, puisque Réginald vivait et travaillait à Lévis.

Paul tira le lourd battant de bois sculpté, le cœur battant la chamade. En ce moment, pour lui, le réconfort de l'âme était tout aussi important que celui du corps et il n'y avait qu'au creux des bras de Réginald qu'il pourrait le trouver.

Et il avait peut-être une proposition à lui faire. Une proposition que jamais il n'avait eu l'intention de faire avant ce soir, mais que les circonstances lui avaient présentée sur un plateau d'argent.

Après tout, pourquoi pas ?

Réginald était son phare et son port d'attache, malgré une attitude en apparence frivole, un peu déconcertante, et Paul avait l'intention de le lui faire comprendre.

Le froid sibérien qui sévissait sur la ville le justifiant, il n'y avait que quelques clients dans le bar sombre.

Ainsi, Paul eut tôt fait de constater que Réginald avait probablement boudé l'envie de sortir et il fut déçu. Néanmoins, il n'était pas question de rebrousser chemin pour autant car il était gelé et fatigué. Il préférait, et de loin, vivre sa déception ici, auprès du foyer qui diffusait une bonne chaleur, plutôt qu'en solitaire dans un logement sombre et froid, beaucoup trop grand pour un homme seul.

Paul fit donc quelques pas en avant et, après avoir enlevé ses mitaines, il souffla sur ses doigts pour ensuite se frotter vigoureusement les mains. Il faisait décidément très froid. Une fois les frissons calmés, Paul dressa l'index pour attirer l'attention du propriétaire de l'endroit, le grand Tommy, un Irlandais de souche venu s'établir à Québec de nombreuses années auparavant.

Paul regarda tout autour de lui avec plus d'attention tout en se dirigeant vers sa table habituelle, à l'abri des regards indiscrets, tout là-bas au fond de la salle. Personne de sa connaissance parmi la clientèle. Tant mieux, il n'aurait aucune conversation à entretenir. Alors il tira une chaise vers lui et s'installa à la table minuscule coincée près de la porte de la cuisine qui semblait n'attendre que ce fidèle client.

Aussitôt que Paul fut installé, Tommy sortit de derrière le bar et se dirigea vers lui, tout souriant, un plateau posé en équilibre sur une main. À la blague, Tommy soutenait que ce plateau-là était soudé au bout de ses doigts depuis plus de trente ans !

— C'est le cadeau que la Ville de Québec m'a fait

quand je suis venu m'établir ici ! disait-il à qui voulait l'entendre. Le premier bar rencontré quand je suis débarqué m'a fait signe ! On m'y a engagé, on m'a donné ce plateau, les clients ont ri de mes blagues et, aujourd'hui, c'est moi le patron !

Arrivé rapidement auprès de Paul, Tommy n'attendit pas qu'il passe sa commande. Contrairement à ses habitudes, il prit un verre sur son plateau et le posa d'autorité devant son client.

— Tiens, Paul ! Prends ça ! C'est la tournée du patron.

Tommy avait posé sur la table une coupe en verre lourd, grossier, rempli d'une boisson grenat légèrement fumante.

— Spécialité de la patronne ! annonça-t-il de sa voix de baryton, chaude et profonde, où ne subsistait qu'un très léger accent. Avec un froid pareil, ma bourgeoise a eu l'idée de préparer un cruchon de vin à la cannelle que je garde au chaud en arrière, sur un rond du poêle.

— Bonne idée, approuva Paul après une longue gorgée. Tu diras à ta femme qu'elle avait raison : son petit boire réchauffe le dedans bien mieux qu'une bière.

— Promis, m'en vas y transmettre le message, assura Tommy en donnant machinalement un coup de torchon sur la table. Ça va y faire plaisir… Si t'en veux encore, t'as juste à me faire signe.

Sur ce, Tommy tourna les talons vers de nouveaux clients qui venaient d'entrer, tout aussi transis que Paul l'avait été quelques instants auparavant.

Malheureusement, ce n'était toujours pas Réginald.

Déçu, Paul vida son verre d'un trait, ou presque, et, accrochant l'attention de Tommy au passage, il fit signe de remplir son verre une seconde fois.

À défaut du réconfort de bras aimants, Paul trouverait l'oubli dans le vin à la cannelle de la patronne, comme les clients appelaient affectueusement l'épouse de Tommy quand ils avaient la chance de la croiser, affairée, apportant vivres et plats fumants, venus tout droit de ses fourneaux.

Verre à la main, Paul s'appuya donc confortablement contre le dossier de sa chaise et, fermant les yeux, il se laissa aller à une rêverie éveillée qui l'avait, bien souvent, aidé à traverser de longues soirées solitaires.

Ce fut ainsi que, le temps d'une seconde coupe de vin, il s'imagina propriétaire d'un petit restaurant, un peu à l'image de celui où il se tenait en ce moment. Trop sombre, certes, mais chaleureux en hiver et plus frais en été. C'est là, à l'abri d'éventuelles moqueries puisqu'il serait l'unique patron du bistrot, qu'il pourrait se laisser aller à sa passion première : la cuisine. Jour après jour, Paul Tremblay, tavernier, concocterait de nouveaux plats qu'il offrirait avec fierté à sa clientèle et, le soir venu, quand il mettrait la clé dans la serrure du restaurant, il irait retrouver Réginald dans un petit logement fait expressément pour eux, selon leurs goûts et leurs priorités. Nul doute qu'il y aurait un immense foyer dans le salon et une cuisine à la hauteur de ses envies et de ses talents. Une cuisine bien outillée, avec poêle dernier cri et réfrigérateur électrique, comme il en avait vu un dans une revue. Qui plus est, Réginald et lui vivraient dans une société idyllique où ils n'auraient plus à se cacher. Leur amour serait reconnu, toléré, accepté. Alors, l'été, quand les nuits seraient douces, ils pourraient se promener main dans la main comme tous les amoureux du monde et l'hiver, ils iraient glisser sur une des pentes des Plaines d'Abraham, riant et s'amusant comme des enfants, sans avoir à se cacher, à cacher leur relation.

Voilà le rêve que Paul entretenait depuis les derniers mois, quand le souvenir de Joseph se faisait trop lourd. Il se projetait dans un avenir utopique, impossible, qu'il enjolivait à volonté.

Voilà le rêve qui l'emportait loin de ses tristesses, de ses frustrations et de ses désirs trop souvent inassouvis.

Un rêve qui, malheureusement, se terminait régulièrement sur l'image d'un sourire un peu las, celui de sa mère, quand elle constatait, les bras grand ouverts sur le vide, qu'elle avançait en âge sans être grand-mère.

— Je comprends pas ! disait-elle invariablement dans le rêve de Paul. On avait-tu l'air si malheureux que ça, votre père pis moi ? Si misérables qu'on vous a ôté l'envie d'être parents à votre tour ?

C'était là, sur ce constat auquel Paul ne pourrait jamais répondre franchement sans devoir dire toute la vérité, oui, c'était là, habituellement, qu'il ouvrait les yeux sur la réalité, sur sa réalité bien particulière faite de non-dits, de cachotteries et de fausses impressions mais à laquelle il tenait tant, parce qu'elle portait maintenant le nom de Réginald. Une réalité faite aussi d'acceptation devant le fait qu'il n'aurait jamais de famille bien à lui, car malgré l'attendrissement qu'il ressentait devant un enfant, jamais il ne serait père. Ce serait se mentir et mentir aux autres que d'espérer le devenir, et Paul avait toujours cherché à être un honnête homme. En dépit de cette déception qui mettait un terme à son rêve, Paul y revenait souvent, comme ce soir, parce que parfois, il s'imaginait oser dire la vérité à sa mère et celle-ci lui ouvrait tout grand les bras dans un geste d'accueil, d'approbation et d'amour.

Mais avant d'en arriver à ce point bien précis de sa rêverie, alors que Paul allait ouvrir les yeux, une voix le rejoignit dans son monde onirique. La seule voix, outre celle d'Alexandrine, qu'il tolérait dans ce monde inventé pour réconforter son âme.

— Enfin ! Je pensais jamais arriver !

Grelottant sous une gabardine trop mince pour l'hiver, une fine couche de givre attachée à ses cils et saupoudrant une barbe de quelques jours qu'il gardait ainsi par souci de coquetterie, Réginald Martin se tenait devant lui. Il s'ébrouait et se tapait vigoureusement sur les bras.

— Dieu soit loué, je suis enfin au chaud ! Tu parles d'un froid de canard !

Paul esquissa un sourire de soulagement, de plaisir, tout en se retenant de se lever à la hâte afin de prendre Réginald tout contre lui pour le réchauffer. En public, la retenue n'était pas qu'un geste de politesse, elle était la seule attitude acceptée. Par contre, le pétillement de son regard disait à quel point Paul était heureux de voir Réginald.

— J'ai jamais eu si froid de toute ma vie, articula péniblement ce dernier, prenant place devant Paul tout en continuant de se frictionner les bras du bout des doigts.

L'hiver, quand le pont de glace se formait entre les deux rives, il était relativement facile de passer de Québec à Lévis. Piétons, carrioles et même, plus récemment, quelques automobiles, empruntaient quotidiennement la route tracée sur les eaux gelées. Le soir, ce chemin de fortune était balisé par des feux allumés et entretenus à tous les cinq cents pas. Par contre, le vent y était omniprésent et l'humidité glacée transperçait jusqu'aux vêtements les plus chauds.

Alors, même si Réginald était porté sur les exagérations de toutes sortes, Paul n'eut aucun doute sur la vérité de ses propos. Sous son paletot de laine fine, Réginald devait être complètement frigorifié.

— Si tu voulais laisser la mode de côté aussi ! le gronda Paul avec néanmoins beaucoup d'affection dans la voix. C'est pas un temps pour se pavaner, mon pauvre Réginald, c'est un temps pour s'emmitoufler. Pelure par-dessus pelure, comme un oignon ! Si tu m'écoutais, des fois, t'aurais probablement un peu moins froid.

— Mais j'aurais l'air fou !

— Voir que ça a de l'allure de penser de même, s'impatienta Paul en levant les yeux au plafond. Des plans pour attraper ton coup de mort ! Tommy ! lança-t-il enfin en élevant le ton et en se tournant vers le bar. Deux verres de vin, s'il te plaît. Bien chaud !

Paul laissa Réginald reprendre son souffle sans trop insister. Après de longues minutes, le jeune homme sembla sortir de sa torpeur. Il retira sa gabardine à petits gestes précis et soigneux, avant de la déposer délicatement sur le dossier de sa chaise. La bonne chaleur de l'âtre l'avait enfin réchauffé.

— Pis dire qu'il faut que je traverse dans l'autre sens tantôt, constata-t-il cependant d'une voix navrée, en reprenant sa place.

Réginald regarda autour de lui, fut secoué par un dernier frisson, puis il déclara, sur un ton exaspéré :

— L'hiver devrait pas exister !

— C'est vrai qu'on est mieux en été, je te l'accorde. Mais c'est peut-être justement à cause de l'hiver qu'on sait apprécier l'été à sa juste valeur !

— Oh ! Toi pis tes principes !

Ce fut à ce moment que Tommy arriva avec deux verres qu'il posa sur la table avant de repartir à l'autre bout de la salle où on le réclamait. Le temps d'une gorgée et Paul rétorqua :

— Ils m'ont bien servi jusqu'à maintenant, mes principes.

— Mettons... Mais en attendant, c'est pas toi qui vas devoir retraverser le fleuve pour aller dormir.

L'occasion était trop belle pour ne pas en profiter. Alors Paul proposa :

— Et si tu restais ici ?

Malgré la tentation qui fut immédiate, l'idée, surtout venant de Paul, était tellement saugrenue que Réginald en soupira d'exaspération.

— Tu dis n'importe quoi ! J'ai pas les moyens de me payer une chambre d'hôtel pis tu le sais très bien.

— Et moi, c'est contre mes principes d'en payer une quand j'ai une maison confortable à quelques pas d'ici, ajouta Paul avec une lueur amusée au fond du regard.

Cette lueur eut l'heur d'agacer prodigieusement Réginald. Elle lui rappelait trop de souvenirs cuisants.

— Je le savais, imagine-toi donc, fit-il avec une certaine impatience. C'est pas la première fois que tu me le dis pis moi, j'ai pas l'habitude de parler à travers mon chapeau… Oh ! Pis regarde-moi pas comme ça ! J'ai l'impression que tu te moques de moi pis ça m'agace. N'empêche que j'ai raison à propos de la chambre d'hôtel.

— Pas nécessairement… Il n'y a pas que des hôtels pour dormir… Si tu venais chez moi, à la place ?

— Chez toi ?

Cette fois, Réginald s'agita sur sa chaise, jeta un regard à la dérobée autour de lui. Depuis le temps qu'il rêvait d'une telle invitation, il avait l'impression que Paul l'avait claironnée et que tout le monde les regardait.

— Oui, chez moi, disait justement Paul, sur ce ton de confidence qui était le leur depuis le début de la conversation.

Revenu de ses émotions, croyant que la proposition n'était probablement qu'une blague – allons donc ! Paul le sage, le raisonnable, ne pouvait avoir un tel coup de folie! – Réginald poussa un profond soupir.

— Bon! Une autre niaiserie... Vraiment, j'aurais peut-être mieux fait de rester à Lévis, finalement.

La situation était difficile pour lui. Parler à voix basse quand le moment portait à l'excitation lui était franchement pénible. Extraverti par choix, drôle de nature, facilement cinglant, Réginald aimait parler fort et retenir l'attention d'un public. C'est ainsi qu'il avait appris à susciter les rires plutôt que les remarques désobligeantes. Mais l'occasion ne se prêtait pas vraiment aux grandes déclarations intempestives, alors il dut se forcer pour baisser le ton afin de demander:

— Depuis quand, Paul Tremblay, que t'as plus peur du qu'en-dira-t-on? Que t'as plus peur des commérages? Tes voisins ont subitement disparu?

— Non... Aux dernières nouvelles, ils étaient tous là.

— Ben, c'est quoi, d'abord, ce virage-là?

— Il fait froid.

— Oh! Tu me dis pas! J'avais pas remarqué, rétorqua Réginald, sarcastique. Pis qu'est-ce que ça change au fait que tu dois préserver ta réputation de bon gentleman?

— Ça change rien, en effet, mais ça peut expliquer bien des choses. Comme le fait d'inviter un ami à dormir parce qu'il habite trop loin pour retourner chez lui par un si grand froid. On ne parle pas d'une habitude, ici, on parle d'une exception... en attendant.

— En attendant quoi?

— Que je place une pancarte à louer dans le coin de la fenêtre du salon.

Ce fut comme un coup au cœur de Réginald. Qu'est-ce que c'était que ça, maintenant? Paul voulait un locataire? La perspective était dérangeante. En effet, si Paul avait un locataire, il ne s'ennuierait plus autant, et s'il ne s'ennuyait plus, aurait-il encore envie de le voir aussi souvent, de le fréquenter assidûment, n'ayons pas peur des mots, même si leurs fréquentations, justement, n'étaient pas des plus faciles?

— Tu veux louer ta maison? demanda alors Réginald avec une indifférence difficile à feindre. Tu veux déménager sans vendre ta maison ou quoi?

— Non, je n'ai pas l'intention de vendre ma maison, ni de déménager. Je veux seulement louer une de mes chambres.

— Ah bon! Et on peut savoir pourquoi?

— Parce que c'est trop grand pour moi, cet immense logement de sept pièces et demie. Pratique, oui, étant donné mon bureau situé au rez-de-chaussée, mais définitivement trop grand.

— Ça je le sais, tu m'en as déjà parlé. C'est justement pour cette raison que tu as offert à tes sœurs de le partager avec toi.

— Ce qu'elles ont refusé.

— Ah oui? Drôle d'idée.

Malgré l'espèce de jugement dans le propos, on percevait un certain soulagement dans la voix de Réginald. Paul rétorqua alors sans hésiter:

— Peut-être que ce n'est pas une bonne décision de

leur part, j'en conviens avec toi, mais c'est clair qu'elles ne viendront pas s'installer chez moi. Le ton pour en parler était trop catégorique. D'où cette idée de louer une chambre qui m'a alors traversé l'esprit.

— Louer... C'est une idée. À qui ?

— Si je le savais, mon pauvre Réginald, je ne parlerais pas de mettre une pancarte à la fenêtre de mon salon, n'est-ce pas ? Bien que...

Paul avait l'air de bien s'amuser, au grand dam de Réginald qui détestait, justement, qu'on le fasse à ses dépens. Surtout quand le sujet était aussi grave que celui d'ouvrir sa porte à un inconnu.

À sa défense, il faut cependant dire qu'en présence d'un Réginald plutôt flamboyant, Paul redevenait le garçon primesautier qu'il avait déjà été, alors qu'il n'était qu'un enfant et que la vie de tous les jours, à l'exception des traversées sur la goélette de son père, était encore et toujours une formidable, une joyeuse découverte.

— Pis si je te disais que je n'aime pas ça, cette idée-là ? déclara alors Réginald sur un ton boudeur, décidé à être sincère jusqu'au bout.

— Pourquoi ?

— Comme ça...

Il y avait un trémolo dans la voix de Réginald qui ne jouait plus du tout la comédie. L'homme à l'apparence futile et mondaine que tous connaissaient comme étant un joyeux luron n'était qu'une façade et les propos de Paul, inquiétants à certains égards, venaient de fissurer l'épaisse couche de vernis que

Réginald s'appliquait à conserver intacte.

— S'il fallait que tu rencontres quelqu'un, fit-il en guise d'explication, quelqu'un qui...

— Il n'y aura personne d'autre que toi et tu le sais, l'interrompit Paul avec vivacité malgré la retenue du timbre de sa voix... N'est-ce pas que tu le sais ?

Le cœur de Réginald battait à tout rompre.

— Je... j'ose croire, oui.

Il n'y avait plus aucune trace de frivolité dans la voix du jeune homme. Malgré la différence d'âge entre eux, plus de dix ans, ce n'était pas rien, Réginald était profondément attaché à Paul et le regard qu'il posait maintenant sur son ami était empreint de gravité. Leur vie n'était pas facile, certes, mais leurs sentiments étaient sincères.

N'est-ce pas qu'ils étaient sincères ?

— Et si je te disais que la pancarte n'est qu'un leurre ? expliqua Paul, subitement tout aussi sérieux que Réginald. Une façon de tromper mes voisins, justement ?

À ces mots, Réginald se permit une longue inspiration, faite d'un fond de crainte tenace mêlé à un certain soulagement.

— Je... je ne sais pas trop si je comprends ce que tu essaies de dire, osa-t-il articuler pour être certain que ses impressions étaient les bonnes.

C'est à peine si les mots arrivaient à se faufiler, tant la gorge de Réginald était serrée.

— Et si j'ajoutais, poursuivit Paul, que j'aimerais que ça soit toi, le locataire ?

Réginald retenait son souffle.

— L'idée d'offrir le gîte à mes sœurs, c'était avant que tu entres dans ma vie. Mais maintenant qu'elles ont dit non et que toi, tu es là…

— Tu voudrais que ça soit moi qui…

— Oui, Réginald, coupa Paul avec un empressement touchant, comme s'il craignait que son vis-à-vis s'en aille. C'est toi que je voudrais comme locataire. Qui d'autre ? Un célibataire comme moi ne pourrait jamais offrir de chambre à une femme, n'est-ce pas ?

— C'est sûr. Ça ferait jaser…

Le naturel que Réginald affichait habituellement semblait revenir par petites touches, tandis que ses mains, virevoltant autour de lui, soulignaient chacune de ses paroles. Brusquement, il était soulagé et il se sentait tout léger.

— Curieux d'ailleurs que les gens voient la situation sous cet angle ! constata-t-il. Tu trouves pas, toi ? J'ai bien une logeuse, moi, pis personne n'y trouve à redire.

— C'est vrai. Ridicule, j'en conviens, mais vrai. Comme le dirait mon père : c'est la vie qui veut ça et ni toi ni moi n'allons changer le cours des choses, ce soir ! Alors ? Que dis-tu de ma proposition ?

Pour une des rares fois de sa vie, Réginald était sans voix. Les mots de Paul, le pressant d'accepter, le rejoignaient dans ce qu'il avait de plus intime, de plus sensible, de plus vrai.

Jusqu'à maintenant, la vie ne lui avait pas fait de cadeau. Mal dans son corps de garçon, combien de fois, enfant, Réginald s'était-il caché pour pleurer parce qu'il aurait tant voulu être comme ses sœurs et avoir le droit de parler chiffons avec elles ? Il les enviait, les jalousait, les épiait. Jusqu'au jour où son père l'avait surpris, caché sous le lit de sa sœur aînée, la grande Mariette.

La gifle reçue avait été à la hauteur de la colère de son père, donnée avec la force de sa déception. Il l'avait même traité de petit vicieux.

— Que je te revoie, mon sacrement ! T'as rien à faire dans la chambre de tes sœurs ! Espèce de p'tit cochon !

S'il avait su, peut-être que...

Mais Charles-Émile Martin ne pouvait pas savoir. Pire mais banal, il ne voulait même pas savoir qui était vraiment son fils.

Alors le petit Réginald s'était inventé des amis imaginaires qui, eux, pouvaient partager ses rêves et ses envies sans qu'il risque d'être puni. Néanmoins, ces amis-là ne pouvaient répondre à toutes les questions qui l'empêchaient de dormir certaines nuits.

À seize ans, Réginald avait quitté son village parce qu'il n'en pouvait plus des regards moqueurs ou dédaigneux posés sur lui. Il n'avait pas choisi d'être différent, ça s'était imposé quand il était encore tout petit et cet état de choses avait grandi au même rythme que son corps. Il était délicat, préférait le calme aux jeux bruyants et avait indéniablement une attirance pour les hommes. Au sortir de l'adolescence, Réginald se sentait fort loin de ses amis qui parlaient des filles avec un langage parfois grivois en se trouvant drôles.

Réginald, lui, ne les trouvait pas drôles du tout.

Alors il était parti sans que son père ne cherche à le retenir.

Il voyait la ville comme un paradis où il serait un inconnu parmi tant d'autres. Peut-être bien que là, il trouverait une place, un toit, une maison où il se sentirait enfin chez lui.

Mais la ville ne lui avait pas fait de quartier, elle non plus. Ses petites manies, ses gestes trop délicats lui avaient rapidement attiré les moqueries, les mesquineries, les raclées, parfois. Alors, Réginald s'était forgé une carapace pour survivre et, depuis les dix dernières années, son quotidien n'avait été qu'un tourbillon d'étourdissement, une tragi-comédie où il refusait de s'ouvrir. Il se contentait d'exacerber ce côté féminin jusqu'à devenir une caricature qui faisait rire.

Les rires qu'il provoquait intentionnellement, il pouvait les tolérer.

Les autres rires, ceux que Réginald appelait les blessures à l'âme, avaient été trop douloureux et les coups au corps, trop nombreux. C'est pour cette raison qu'il s'était inventé un personnage. Pour se protéger, se mettre à l'abri. Mais à force de jouer un rôle, d'endosser une image et de porter un masque chaque fois qu'il sortait de sa chambre, il lui arrivait d'y croire vraiment.

Mais pas maintenant, pas devant Paul qui s'ouvrait à lui avec la sincérité naturelle qui était la sienne, lui offrant un paradis comme Réginald n'en avait jamais envisagé.

Le toit chaleureux dont il rêvait depuis l'enfance

était là, à portée de mains, à portée d'intentions.

C'est pourquoi ce soir, Arlequin n'avait pas envie de faire rire son habituel public. Il voulait plutôt déposer son domino et effacer son maquillage.

— Je… je suis ému…, avoua-t-il d'une voix rauque, celle qui touchait Paul jusqu'à l'âme… On dirait presque une demande en mariage…

L'image aurait pu être grotesque si Réginald l'avait suggérée en battant des paupières, en minaudant, ce qu'il aurait probablement fait s'il avait moins bien connu Paul. Au lieu de quoi, il tendit furtivement une main pour la poser sur celle de son ami et la serrer avec affection. Geste à peine esquissé, un peu malhabile, comme un frôlement pudique. Après tout, on était en public. Mais ce fut suffisant pour que Paul comprenne.

— Si je m'attendais à ça en attaquant la traversée du fleuve, avoua enfin Réginald après avoir longuement inspiré, je pense que je serais parti encore plus de bonne heure.

— Est-ce que je dois voir une réponse positive dans ces quelques mots ?

Réginald allait répondre sur le même ton intime quand, du coin de l'œil, il aperçut le grand Tommy qui se dirigeait droit vers eux, son plateau le précédant. Alors se redressant, le jeune homme monta le ton de quelques notes et il lança, de la voix et des mains :

— Tu sais bien que c'est oui, Paul… Qu'est-ce que t'allais penser là, toi ? C'est oui, oui, oui ! Pis pour toute ce que tu viens de dire, à part de ça !

CHAPITRE 5

Avril 1919, sur l'Atlantique, quelque part entre l'Angleterre et le Canada

À l'aller, dans ses moments libres, il s'était tenu bien droit devant l'immensité de l'océan. Nonchalamment appuyé contre le bastingage, le pied sûr et l'esprit curieux, il fixait les flots qui se précipitaient vers le bateau avec la gourmandise et l'arrogance d'un tout jeune homme lorsque la vie s'offre à lui. Ivre d'air marin, de projets et d'ambition, il voyait les mois qui commençaient comme une aventure remplie de découvertes exaltantes avant de revenir à la maison, au printemps suivant, juste à temps pour épouser la belle Augusta qui l'avait regardé partir les yeux pleins de larmes.

Ému sans vouloir le montrer, Léopold s'en était gentiment moqué.

— Allons donc! Mais qu'est-ce que c'est que ce déluge?

— On aurait dû se marier avant!

— Ben voyons donc! Pourquoi changer nos projets?

Après tout, il ne partait que pour quelques mois,

n'est-ce pas ? Le mariage qui était prévu pour le printemps suivant aurait lieu au printemps suivant ! Hier encore, dans le journal d'Halifax qu'il avait péniblement déchiffré avec son lieutenant, on le répétait : cette guerre-là n'allait pas durer.

Alors oui, Léopold serait bientôt de retour pour retrouver la goélette de son père et sa fiancée bien-aimée. Il lui ferait une douzaine d'enfants, au moins, et en compagnie de son père, pour faire vivre sa famille et parce qu'il aimait ça, il sillonnerait le fleuve, allant d'un quai à l'autre, poussant même la goélette jusqu'à Montréal pour élargir leurs horizons d'affaires.

Les ambitions de Léopold n'avaient, à ce moment-là, aucune limite, et le ciel de sa vie était d'un bleu limpide, sans le moindre nuage, comme celui au-dessus de sa tête.

On était alors à l'automne de 1914 et, contre la volonté de sa mère, Alexandrine – après tout, elle n'y connaissait rien, pourquoi l'aurait-il écoutée ? –, Léopold Tremblay, futur capitaine de goélette, venait de s'embarquer en direction de l'Angleterre pour ce qui serait la plus formidable aventure de toute sa vie.

Pour ce qui serait, il n'allait pas tarder à l'apprendre, la plus douloureuse descente aux enfers que l'on puisse connaître.

En quatre ans, il avait tout vu et tout connu. En quatre ans, il avait vécu plus qu'en toute une vie.

De l'exaltation d'une amitié sincère comme seul un fusil peut en faire naître, au déchirement de l'âme devant la mort.

De la faim qui creuse douloureusement le ventre, à l'ivresse de mordre dans une pomme rongée par les vers.

De l'enthousiasme devant l'inconnu, au ressentiment puis au désenchantement devant la réalité.

Oui, Léopold avait l'intime conviction d'avoir tout vu, tout connu.

Aujourd'hui, c'était l'aigreur d'un vieil homme qui le portait vers l'avant puisqu'il n'avait aucune raison de regarder vers l'arrière. Ce qu'il y voyait était soit trop laid, soit trop invitant, car ses blessures, dans son pays, lui interdiraient une vie normale, la vie qu'il aurait voulu mener.

Il avait eu faim, il avait eu soif. Il avait gardé la barbe pour se réchauffer dans les tranchées et il avait partagé ses nuits avec la vermine. Il avait eu peur, mille fois, il avait pleuré tout autant. De l'enfant parti pour la guerre, en riant parce qu'il la voyait comme un jeu, revenait un homme désabusé, blessé, meurtri qui ne savait pas s'il pourrait rire de nouveau.

Mais quand même…

Presque cinq ans plus tard que prévu, Léopold tenait la promesse faite aux deux femmes de sa vie et il revenait enfin chez lui.

Cette fois-ci, il était agrippé au bastingage car il n'avait plus le pied aussi marin. Une cheville entravée par un os mal soudé, il boitait, perdait souvent l'équilibre. Étant donné son bras déchiqueté par le tir d'une mitrailleuse, la manche droite de sa vareuse pendait contre son torse, inutile. Il ne voulait pas l'épingler à l'épaule, comme tant d'autres le faisaient. Ça rendait la blessure encore plus visible, pensait-il, et il ne voulait surtout pas faire pitié.

Il détestait penser à lui-même comme à un estropié, mais c'était devenu une réalité maudite qui le mènerait jusqu'à la mort.

De quoi vivrait-il désormais ? Léopold n'en avait pas la moindre idée.

Ce qu'il connaissait pour gagner sa vie, c'était la mer et la goélette de son père. Ce qu'il aimait, dans la vie, c'était la mer et la goélette de son père.

Toutes deux étaient devenues un rêve inaccessible, un cauchemar de tous les instants.

Cette traversée mettant une démarcation presque tangible entre la vision de l'enfer dont il rêvait encore trop souvent et son village tant aimé serait donc son dernier, son ultime voyage en mer.

Léopold s'en était fait le serment, son regard rempli de larmes fouillant l'horizon.

D'être si malhabile sur le pont qui se dérobait sous ses pieds avait dicté l'impensable: Léopold Tremblay, fils de Clovis Tremblay, capitaine et petit-fils d'Eugène Tremblay, capitaine lui aussi, ne pourrait jamais devenir capitaine à son tour.

La guerre lui avait volé son avenir.

Puisqu'il était blessé et que cette blessure le rendait invalide, Léopold Tremblay avait été démobilisé avant même de s'embarquer pour rentrer au pays. À défaut de devenir capitaine de bateau, il ne pouvait pas plus envisager une carrière militaire, puisqu'il n'était d'aucune utilité à l'armée. Par contre, entre les branches, on parlait d'une médaille pour lui. Sa bravoure était souvent citée en exemple.

Cette médaille, si elle existait vraiment, serait peut-être une dernière fierté pour ses parents, parce qu'après…

Seule Augusta savait ce qui s'était réellement passé. Des blessures de Léopold, elle était l'unique personne du village à connaître la nature et la gravité, car il avait demandé la plus stricte discrétion sur le sujet. « Je connais bien ma mère », avait-il écrit, et je sais à quel point son imagination peut être fertile, par moments. Je veux donc lui éviter des nuits blanches à se faire du tourment pour moi. Sa peine sera bien assez grande quand elle me verra. Pour mon père, c'est sa déception qui me fait peur. Là avec, on verra à ça quand je serai revenu. »

Léopold aurait voulu être capable d'indifférence, de ténacité, de patience; l'angoisse l'en empêchait.

Sa bravoure et son courage étaient restés sur les champs de bataille, entre un trou d'obus et un tir de mitrailleuse et, aujourd'hui, il tremblait devant la vie qui s'offrait à lui.

Si Léopold fermait les yeux, des visions de cadavres, de corps mutilés, de gueules cassées, ainsi qu'on nommait les blessés, faisaient débattre son cœur. S'il gardait les yeux ouverts, c'est la lucidité devant l'avenir qui faisait trembler ses mains.

Ses nuits étaient désormais peuplées de cauchemars et ses propres cris l'éveillaient. Il attendait alors l'aube en se berçant nerveusement comme un vieillard insomniaque, le nom d'anciens camarades encombrant son esprit comme autant de stèles militaires blanches impeccablement alignées.

La traversée lui parut interminable.

Quand il débarqua enfin à Halifax, on lui remit un billet pour le train.

— Direction Québec, Tremblay ! Tu rentres chez vous. Es-tu content ?

Léopold n'avait pas répondu. De la main gauche, il avait soulevé son barda et s'était dirigé vers la gare. Son nom n'étant plus sur les listes de l'armée, à lui de se débrouiller seul, maintenant. On l'avait ramené au pays, comme promis, on n'en ferait pas plus. Si Léopold avait entendu parler de foule en liesse pour accueillir les héros de guerre, de réceptions, de champagne, même, et de remerciements officiels, de toute évidence, la fanfare, ce n'était pas pour lui.

Dans le train, il resta le nez à la fenêtre, évitant la présence des autres soldats.

À Québec, il trouva facilement un colporteur prêt à l'emmener vers Charlevoix.

— Pour un p'tit gars de chez nous qui revient au pays, ça va être gratis, à part de ça.

À peine quelques mots, certes, mais Léopold comprit que son sacrifice ne serait pas tout à fait inutile. Tout là-bas, en France, d'autres mères, d'autres fiancées seraient heureuses de voir revenir leur « p'tit gars ».

Léopold osa croire qu'il y était un peu pour quelque chose.

Peut-être…

La route fut longue mais, au moins, il faisait beau, presque tiède. La chaleur du soleil chauffait le lainage du manteau. L'odeur de la terre mouillée et le cri des corneilles perchées dans les arbres encore dénudés l'accompagnèrent jusqu'aux limites de Pointe-à-la-Truite, juste avant le grand tournant menant à la côte qui descendait en louvoyant vers le cœur du village.

— Ici, ce sera parfait.

Léopold préférait se présenter dans son patelin sans tambour ni trompette. Aucune date n'ayant été précisée, personne ne l'attendait vraiment. Il se rendrait dans un premier temps chez Augusta parce que l'ennui de sa fiancée n'avait jamais faibli, et que ce même ennui l'avait porté jusqu'ici.

Et c'est avec elle qu'il irait frapper à la porte de ses parents.

Avec sa fiancée à son bras, Léopold croyait que la manche vide de sa vareuse attirerait moins l'attention.

Il trouva Augusta au jardin, en train de mettre les draps d'un lit à sécher. Léopold comprit alors qu'à la Pointe, les choses semblaient avoir peu changé: le lundi, d'aussi loin que Léopold se souvienne, on avait toujours fait le lavage.

Cette image de sa fiancée les bras levés dans le soleil de ce bel après-midi fit naître une curieuse émotion qui balaya toutes les angoisses, le temps d'un soupir tremblant.

Le cœur chaviré d'être enfin revenu à la normalité

des choses, si belles, si rassurantes dans leur simplicité, Léopold attendit qu'Augusta se retourne pour lui faire signe parce que la voix lui manquait. Jamais il n'arriverait à lancer son nom avec la force de ce qu'il ressentait pour elle en ce moment.

La jeune femme fixa enfin la dernière épingle de bois et se pencha pour ramasser le panier à ses pieds. Le temps de se redresser, de se retourner et Augusta laissa tomber ce même panier en portant les deux mains à sa bouche comme pour retenir un cri. À tort, Léopold pensa aussitôt que ce cri, si elle l'avait poussé, aurait été un cri d'horreur. En effet, Augusta ne venait-elle pas de comprendre, en le voyant, à quoi ressemblerait leur destinée ?

Après tout, Augusta avait encore le droit de dire non à la vie que Léopold avait à lui proposer, n'est-ce pas ?

Au lieu de quoi, puisqu'elle savait déjà ce qui l'attendait et qu'elle avait eu le temps de se préparer un peu à cette rencontre, elle se précipita vers lui et l'enlaça.

— Merci Seigneur ! Tu es vivant.

Puis, fébrile, Augusta prit le visage de Léopold à deux mains et elle plongea son regard dans le sien.

— On se marie dès que les bans sont publiés, murmura-t-elle avec fermeté, avec une certaine rudesse qui tentait de camoufler l'émotion ressentie. J'ai trop attendu, j'ai trop pleuré. Si on s'était mariés avant ton départ, aussi, comme j'en avais parlé, j'aurais pu bercer ton fils en attendant ton retour.

Si Léopold attendait une réponse qu'il n'avait su lire

entre les lignes des lettres de sa bien-aimée, il venait de l'avoir.

D'autorité, Augusta saisit le barda de celui qu'elle appelait son homme depuis tant d'années déjà et le glissa sur son épaule. Puis délaissant le panier à linge, elle confia sa main à celle de Léopold et elle l'entraîna à sa suite.

— Et maintenant, tu viens voir ma mère, décida-t-elle sans lui demander son avis. Après, on ira chez toi.

En apercevant le jeune homme, ses traits tirés, ses joues creuses et les rides, déjà, au coin des yeux et des lèvres, en apercevant surtout la manche vide et constatant la démarche malhabile, la mère d'Augusta se mit à pleurer et elle versa suffisamment de larmes pour tout le monde. Puis elle se moucha consciencieusement dans un grand carré de lin fin, le glissa dans une des larges poches de son tablier et mit Léopold à la porte, non sans l'avoir serré tout contre elle auparavant.

— Et maintenant, file, mon garçon ! gronda-t-elle en le tançant de l'index. Je connais une mère qui ne se possède plus. Si tu as ton barda avec toi, c'est que tu n'es pas passé par chez vous et que tu ne l'as pas encore vue. Allez, ouste ! Va-t'en ! On reparlera plus tard… si tu as envie de parler.

La route se fit en silence, Augusta et Léopold, étroitement enlacés, réapprenant à ajuster leurs pas.

De son père, Léopold entendit d'abord le bruit et il s'arrêta, tendant l'oreille.

Une hache fendait le bois dont le craquement résonnait dans l'air tiède. L'hiver avait dû être rude puisqu'il fallait faire du bois de chauffage en avril. La réserve devait être épuisée. Amer, Léopold pensa aussitôt que c'était là un de ces gestes du quotidien, banal mais essentiel, qu'il ne pourrait plus faire. On ne fend pas le bois avec un seul bras.

Combien de découvertes, de prises de conscience, de déceptions encore, au fil des jours de cette nouvelle vie qui commençait pour lui ?

Augusta sentit Léopold se raidir tout contre elle. Son bras à elle se fit alors plus lourd contre le sien et ce fut elle qui se remit à marcher, l'entraînant à sa suite.

Arrivés devant la longue allée menant à la modeste demeure des Tremblay, ils aperçurent Clovis à l'instant où lui-même levait la tête.

Si le père fut surpris, décontenancé par la vision qui s'offrait à lui, il n'en laissa rien paraître, sinon que la hache lui glissa des mains pour choir dans les copeaux, entre les billots.

Malgré les cheveux entièrement blancs et les épaules voûtées par le poids de l'âge et du travail, Clovis vint au-devant de son fils en foulant le sol inégal de la cour de son pas long et sûr.

Curieusement, Léopold repensa à toutes les fois où il avait demandé à son père de ralentir l'allure parce que ses jambes d'enfant n'arrivaient pas à suivre le rythme. Aujourd'hui encore, avec sa cheville bloquée, c'est probablement ce qu'il devrait demander quand ils iraient au village ensemble. Devant une telle constatation, Léopold sentit les larmes lui monter aux yeux.

Depuis son retour d'Angleterre, Léopold pleurait

souvent, pour un oui comme pour un non.

Mal à l'aise, il allait détourner la tête, quand Clovis arriva à sa hauteur.

Il y eut d'abord le père et le fils, face à face. Puis, il y eut deux hommes qui se reconnurent à travers les larmes.

Les rides de l'un s'unirent au regard désillusionné de l'autre. Augusta recula d'un pas et Clovis tendit les bras.

Ce fut épaule contre épaule que Clovis et Léopold marchèrent vers la maison, Augusta suivant discrètement à quelques pas derrière, le barda toujours à son bras.

Alexandrine, fidèle à elle-même, inspira bruyamment pour arriver à se ressaisir. Puis elle détailla Léopold de la tête aux pieds, comme seule une mère peut le faire, à l'image de celle qui examine le nouveau-né qu'on vient de mettre dans ses bras.

Alexandrine fut-elle déçue par ce premier examen ? Déstabilisée par la manche vide et la démarche boiteuse ? Elle non plus, elle n'en laissa rien voir et, d'un élan, elle se précipita vers son fils pour le prendre tout contre elle.

— Enfin !

Ce fut là son mot d'accueil et il disait tout.

De l'ennui à l'inquiétude, de la réprobation au plaisir de le revoir, en un mot Alexandrine avait résumé ce que sa vie avait été durant les cinq dernières années.

Sa vie à elle aussi avait fait un petit détour par l'enfer.

Puis elle se tourna vers Augusta.

— Va, ma fille, va chez toi dire à tes parents que je les attends pour le souper. Ce soir, c'est la fête chez les Tremblay, mais je pense qu'il y a juste vous autres que j'ai envie d'inviter. Mon fils revient de loin, pis je pense qu'il est fatigué.

Augusta avait à peine fermé la porte derrière elle que le souper devint le prétexte à ne pas pleurer, à exagérer la bonne humeur.

— Si je me souviens bien, toi, c'est des patates pilées pis du jambon que t'aimais le plus, non ?

Alors Alexandrine décrocha un jambon qui séchait depuis des mois pendu à une poutre de la cuisine d'été puis, sans attendre, elle le mit à bouillir dans une grande quantité d'eau additionnée de sirop d'érable.

— Comme j'en ai fait un à Pâques... C'était ben bon. Je te l'avais-tu écrit que ton frère Paul pis tes deux sœurs étaient venus nous voir à Pâques ? Paul avait même amené son nouveau pensionnaire... Ça, je pense que je te l'avais écrit, hein, que ton frère a décidé de louer une de ses chambres ? C'est vrai que sa maison est ben grande pis que ça devait être ennuyant par bouttes, tout seul là-dedans... Tout ça pour te dire que son pensionnaire s'appelle Réginald. Réginald Martin. Selon ce que Paul nous a dit, il est seul dans la vie. Pas de famille, pas de fiancée, pas trop d'amis non plus... Pourtant, c'est un gentil garçon, un ben gentil garçon. C'est pour ça que Paul a eu l'idée de nous le présenter. Tu vas sûrement avoir l'occasion de le rencontrer un de ces jours... Pis en parlant de tes sœurs ! C'est

Justine qui va être contente de te revoir! Elle me disait justement, l'autre jour, que…

Alexandrine cuisinait et parlait; défripait du plat de la main sa plus belle nappe et parlait; sortait les couverts et parlait; retirait le gâteau du four et parlait; mettait la table et parlait; vérifiait la cuisson du jambon et parlait.

Puis, à bout de souffle et de mots, elle se tourna vers Léopold.

— M'entends-tu aller? C'est tout juste si t'as répondu deux mots! Astheure que j'ai fait l'inventaire de la famille pis du canton, va à l'étage pour te reposer un brin. Tu dois être fatigué sans bon sens avec le voyage qui t'a ramené depuis les vieux pays. Ta chambre t'attend toujours pis ton lit avec. Va t'allonger un peu. Essaye de dormir. M'en vas aller te chercher quand ta promise pis ses parents vont arriver.

Durant la longue heure qu'Alexandrine passa seule à la cuisine à finaliser le repas, elle réussit à contenir ses larmes.

Puis durant tout le temps où Augusta et sa famille se joignirent à eux, elle n'eut pas le temps d'y penser, occupée qu'elle était à voir au bien-être de ses invités.

— Assoyez-vous! C'est sans prétention, la visite est arrivée à l'improviste!

Elle se voulait drôle pour détendre l'atmosphère; on sourit par politesse.

Tout comme Alexandrine l'avait fait durant l'après-midi, les convives parlèrent de tout et de rien jusqu'au moment du départ, comme s'ils avaient peur d'entendre les histoires que Léopold aurait pu avoir envie de raconter. Pourtant, il n'avait pas tellement l'air d'avoir envie de parler, le beau Léopold, assis avec Augusta à l'autre bout de la table. Ils étaient plutôt occupés à se dévorer des yeux et, comme les parents comprenaient qu'ils avaient cinq longues années à rattraper...

Ce qui fit qu'Alexandrine arriva à se contenir de la soupe au dessert et même après, jusqu'au moment où elle retrouva enfin l'intimité de sa chambre et le réconfort des bras de Clovis.

— Pourquoi, Clovis ?

Les larmes inondaient enfin les joues d'Alexandrine, coulaient le long de son menton pour venir fleurir le devant de sa robe de nuit en coton rêche, un peu jaunâtre d'avoir été trop souvent lavée. Clovis se contenta de caresser son dos à longs mouvements calmes, le temps qu'elle se ressaisisse.

— Pourquoi avoir été blessé à la dernière minute ? demanda enfin Alexandrine dans un dernier sanglot. Parce que c'est ce qui est arrivé, non ? Notre fils a été blessé à peine une semaine avant la fin de la guerre ! C'est injuste !

— Au moins il est vivant. Pour une fois, le Bon Dieu a écouté nos prières...

À ces mots, Alexandrine posa les deux mains sur la poitrine de Clovis et s'écarta suffisamment de lui pour le fixer droit dans les yeux, un certain ressentiment se mêlant étrangement à son chagrin.

— Ben voyons donc ! Comment est-ce que tu peux

parler comme ça ? Moi, c'est pas ça que j'avais demandé au Bon Dieu. Pas ça pantoute ! Encore une fois, Il a écouté juste à moitié, Clovis ! Juste à moitié... Pauvre Léopold... Comment c'est qu'il va gagner sa vie, astheure, notre fils ? Comment il va faire pour élever une famille ?

— C'est vrai que ça va être moins facile.

— Moins facile ?

Cette fois-ci, Alexandrine abandonna pour de bon le réconfort des bras de son mari. Les deux poings sur les hanches, elle regardait Clovis comme on regarde un enfant têtu ou un peu borné.

— Ma parole ! On dirait que tu comprends pas ! Moins facile ? C'est pas facile pantoute que tu devrais dire... J'espère juste qu'Augusta va avoir le courage d'aller jusqu'au bout avec lui...

— À mon tour de dire que c'est toi qui comprends pas ! Juste à voir, on voit ben !

— Encore ! Toi pis tes manières de dire que je comprends pas toujours... Qu'est-ce que t'entends par là, toi ?

— C'est pas compliqué ! Je disais juste que le regard que la belle Augusta posait sur notre garçon était celui d'une femme amoureuse.

— Ah ça...

Tout en parlant, Alexandrine s'était retournée vers le lit et elle repliait soigneusement la courtepointe qu'elle avait cousue l'année précédente. Cette magnifique couverture colorée garnissait leur lit depuis qu'un matelas de guenilles avait remplacé la vieille paillasse. C'est ainsi qu'Alexandrine se faisait un devoir de bien tendre leurs draps et couvertures tous les matins et de les replier avec soin tous les soirs.

— Moi aussi, j'ai remarqué qu'ils se lâchaient pas des yeux, imagine-toi donc ! Pis je peux comprendre. Même blessé, notre Léopold est toujours un bel homme. Il a peut-être vieilli de toute une vie en cinq ans, avec les rides pis toute, mais ça change rien au fait que c'est un beau garçon. C'est juste normal qu'Augusta soye sensible à ça. Mais c'est pas ce qui se passe dans la chambre à coucher qui met du pain sur la table, Clovis Tremblay, tu devrais le savoir ! Comment il va faire pour travailler, notre Léopold, astheure qu'il lui manque un bras ? Augusta doit ben y penser, elle avec, non ? S'il fallait qu'elle change d'idée, qu'elle soye épouvantée par l'avenir... Tout ce qu'il connaît, Léopold, c'est ton fichu bateau pis...

— Justement.

La voix de Clovis, même très calme, était à la fois catégorique et convaincante quand il interrompit Alexandrine.

— Le bateau est toujours là, j'y ai vu.

— Ça, je le sais... Je me suis assez ennuyée ces dernières années, toute seule ici dedans, pour pas l'oublier. Mais si la goélette est encore là pis en bon état, notre fils, lui, est juste à moitié là pis en mauvais état.

Clovis entendait la colère sourdre de chacune des paroles d'Alexandrine.

— Comment peux-tu t'imaginer que Léopold va

réussir à naviguer dans le sens du monde, amanché comme il est ?

— Il va faire comme tant d'autres ont fait avant lui.

Curieusement, Clovis n'avait vraiment pas l'air de s'en faire, ce qui était loin de calmer, de réconforter Alexandrine. Bien au contraire, cette attitude qu'elle jugeait nonchalante attisait son impatience. Elle se glissa sans hésitation sous les couvertures, qu'elle remonta jusqu'à ses épaules, tout en tournant le dos à Clovis qui finissait calmement de boutonner son pyjama, un cadeau venu de la ville et offert par ses enfants lors du dernier Noël.

— Léopold sera pas le premier à prendre la mer avec juste un bras, expliqua Clovis en se couchant à son tour. Rappelle-toi d'Odilon Gamache pis de mon cousin Ovide Tremblay... Il y a pas seulement la guerre pour briser une vie, tu sais. La mer aussi peut parfois se montrer ben cruelle.

— Comme si je le savais pas, murmura Alexandrine, ramenée encore une fois aux pires douleurs ayant traversé sa vie. N'empêche que cette fois-ci on aurait pu s'en passer. Nous autres comme Léopold. T'as beau dire avec tes exemples d'Odilon pis Ovide, moi, je vois pas notre garçon se retrouver tout seul à bord, avec une grosse mer d'orage, à essayer de mener sa barque avec juste un bras.

— Qui dit qu'il va être obligé d'être tout seul à bord de la goélette ? Pour astheure, je pense qu'il a encore un père assez solide pour le seconder.

À ces mots, Alexandrine s'assit carrément dans le lit.

— Toi, Clovis ? Toi, sur le bateau avec Léopold ? Ben là, je te comprends plus. C'est pas toi qui disais, pas plus tard que la semaine dernière, combien t'espérais que Léopold revienne avant la saison pour pouvoir prendre ça plus facilement ?

— Ouais, c'est moi qui disais ça. Pis ? Que notre fils aye un bras ou ben deux, ça change rien à ce que j'ai dit, pis à ce que je sais de la saison qui s'en vient. Penses-tu que j'aurais laissé Léopold partir tout seul, même avec deux bras ?

La colère d'Alexandrine tomba aussi vite qu'elle était montée.

— Ouais... C'est vrai que ça fait longtemps que Léopold a pas navigué.

— Pas juste ça... En cinq ans, ben des choses ont changé. Il va y avoir des décisions à prendre, des routines à modifier. Ça s'improvise pas comme ça, une saison sur le fleuve.

— T'as raison, Clovis. J'aurais dû y penser, moi aussi. Après toute, c'est pas le premier été qui s'amène avec son lot de problèmes pis de décisions à prendre. Même que ça doit faire une bonne quarantaine d'années que ça se répète... Je pense que le choc que j'ai eu en voyant notre fils nous arriver pas mal plus blessé que je le pensais a tout faite dérailler dans ma tête... Mais toi, Clovis ? C'est ben beau toute ce que tu viens de me dire, mais c'est pas comme ça que tu voyais l'avenir. Parti comme c'est là, c'est pas demain la veille que tu vas arrêter de naviguer. Viens pas dire le contraire.

— Ça se peut, acquiesça Clovis en haussant les épaules avec indifférence. Qu'est-ce que tu veux que je te réponde d'autre ? De toute façon, c'est pas à ça que ça sert, un père ? À essayer de mener ses enfants à bon port ? Ben, c'est ce que j'vas faire avec Léopold. J'ai toujours pensé qu'on était pas là pour nos enfants juste par temps clair. En ce moment, il y a peut-être quelques nuages sur l'horizon, c'est vrai, mais c'est pas ça qui va m'empêcher de faire ce que je dois faire. Léopold a besoin de moi. Il va avoir besoin de moi encore plus que je le pensais, pas de doute là-dessus. Je l'ai vu dans ses yeux. Il a peur, notre gars, peur de pas mal d'affaires, à part de ça, c'est ben clair. Mais il peut compter sur moi. Tu vois, Alex, l'important pour moi, c'est que mon fils soye revenu. Pour ça, juste pour ça, j'ai l'impression de m'être un petit peu raccommodé avec le Bon Dieu pis ça me fait du bien… Après toute ce qu'on a vécu, ouais, ça me fait du bien. Ça fait que le reste, les bouttes qui manquent pis le courage à rebâtir, ça m'importe peu. On va travailler fort, lui pis moi, c'est sûr, mais on va y arriver.

Tandis que Clovis parlait, Alexandrine s'était recouchée et, tout doucement, elle s'était rapprochée de son mari. Quand il se tut, elle était blottie tout contre lui, un bras autour de sa taille et la tête sur son épaule.

Comme souvent entre eux, il y eut un long, un très long silence. Alexandrine se répétait tout ce que Clovis venait de lui dire, elle entendait les battements de son cœur et elle se sentait bien, rassurée. C'était son homme, celui qu'elle avait jadis choisi pour partager sa vie et jamais, malgré les bourrasques et les tempêtes, jamais elle ne l'avait regretté.

Alexandrine se souleva alors sur un coude et prolongea ce moment de silence en regardant intensément Clovis.

Longtemps, longtemps...

Jusqu'à ce que le son d'une toux vienne déranger le silence.

Léopold...

Dormait-il ou au contraire, avait-il les yeux grand ouverts sur la nuit tout en pensant à Augusta ?

Alexandrine esquissa l'ombre d'un sourire, le cœur gonflé d'allégresse.

Son fils était revenu !

Oui, Clovis avait raison : l'essentiel était que Léopold soit de retour, bien vivant, et que lui, son père, soit prêt à l'accompagner dans ce retour qui s'annonçait plus difficile que prévu.

Comme le disait si justement Clovis : le reste avait bien peu d'importance.

Alexandrine se recoucha, la tête posée sur la poitrine de son homme.

— Il y a de ça ben des années, je t'ai choisi pour être le père de mes enfants, fit-elle de façon un peu imprévue, la voix sourde.

— Oui... Pis ? Pourquoi tu me dis ça là, maintenant ?

— Comme ça. On dirait que le fait d'avoir vu Léopold en chair et en os m'a rappelé plein de choses de notre vie à tous les deux... La naissance des enfants, leur enfance, les malheurs… Je sais pas trop comment le dire, mais je voulais que tu saches que t'avoir choisi toi et pas un autre, quand j'étais encore une toute jeune femme, c'est probablement la meilleure décision que j'ai prise dans toute ma vie.

Le bras de Clovis se resserra autour des épaules d'Alexandrine, preuve qu'elle venait de toucher un point sensible.

— Je t'aime, Clovis, ajouta-t-elle dans un souffle. Pis j'aurais jamais pu souhaiter un meilleur père pour mes enfants. J'espère juste que tu le sais, que tu l'as toujours su.

DEUXIÈME PARTIE

Automne 1919 ~ Printemps 1922

CHAPITRE 6

Septembre 1919, sur la Côte-du-Sud, dans la chambre à coucher de Prudence et Matthieu

Le soleil venait tout juste de se lever, glissant quelques rayons obliques sur le plancher recouvert d'un prélart à grosses fleurs, jadis d'un beau rouge vif mais aujourd'hui un peu fanées. Tout en se préparant pour la journée, Matthieu et Prudence parlaient à voix feutrée, même s'ils savaient que Mamie ne pouvait les entendre. Malgré cela, avec les enfants qui dormaient dans une des chambres à côté, valait mieux être prudent si on voulait un peu de discrétion.

— … C'est comme ça que j'ai su la date de naissance de Mamie ! C'est le 3 octobre 1819. Te rends-tu compte, Matthieu ? Notre bonne vieille Mamie va avoir cent ans dans quelques semaines. On n'a pas le choix, faut faire quelque chose pour souligner ça !

Bien que d'accord en principe, Matthieu fixa Prudence avec, dans le regard, un bon mélange de scepticisme, d'agacement et de curiosité.

— T'es ben certaine de toi ? demanda-t-il finalement, en ajustant les bretelles de son pantalon qui émirent un petit claquement sec contre la rondeur de son ventre. Me semble que c'est vieux en s'il vous plaît, cent ans !

— Je viens de te dire que j'ai eu sa date de naissance, rétorqua Prudence sur un ton offusqué. À force de la voir biffer les journées sur le calendrier, je me suis douté que quelque chose s'en venait. On aurait dit qu'elle voulait me passer un message. Pis pour une vieille comme elle, qu'est-ce que tu veux que ça soit d'autre qu'une fête importante ? C'est comme ça que j'en ai parlé au curé pour avoir la date exacte de sa naissance, pis c'est là qu'il m'a assuré que Mamie était pas née dans la paroisse parce que son nom apparaissait nulle part dans ses registres... Par contre, il connaissait son vrai nom. Savais-tu ça, toi, qu'elle s'appelle Marie-Anna Cloutier ?

— Oui, ça, je le savais, commenta Matthieu en redressant les épaules comme s'il y avait là matière à être fier. Je le sais rapport que c'est écrit dans les papiers que le notaire a préparés pour moi quand j'ai acheté la ferme... Pis en parlant du notaire, me semble que c'est à lui que t'aurais dû t'informer. Il sait toute, cet homme-là !

— C'est ce que j'ai fait, aussi.

Cette fois, la susceptibilité s'entendait dans la réplique de Prudence.

— Pour qui tu me prends ? Je suis capable de réfléchir sans toi, tu sauras... Bon, tout ça pour dire qu'après le curé qui pouvait rien me dire pour faire avancer mes affaires, c'est au notaire que j'ai parlé. Pis c'est là que j'ai su que notre Mamie a été baptisée à l'église Notre-Dame-des-Victoires à Québec, pis qu'elle a vécu son enfance dans le bas du fleuve, dans un village un peu passé Rimouski. Elle est arrivée à l'Anse vers l'âge de seize ans pour servir de bonne au curé du temps. C'est de même qu'elle a rencontré son mari. Elle s'est installée ici, sur la ferme de son mari, en 1840, quelques jours après son mariage. Depuis ce jour-là, elle a pas bougé d'ici ! Sauf son voyage à la Pointe, ben entendu. Ça en fait-tu des journées, ça, à voir le même paysage !

— Faut croire qu'il est à son goût parce qu'elle continue de l'admirer. Y a pas une journée qui passe sans qu'elle s'installe dans sa chaise juste devant la fenêtre pour nous dire, au bout de quelques minutes, combien elle trouve ça beau, les champs d'avoine pis les pâturages.

— C'est vrai que c'est beau, approuva Prudence en rabattant les draps sur le lit. Surtout quand on va au bout de la terre pis qu'on a le fleuve à nos pieds, à perte de vue, juste en bas de la colline.

— Ouais… J'appelle ça mon bout du monde…

En complément à ce qui venait de se dire dans la chambre, Matthieu laissa voguer son regard par la fenêtre durant un court moment. Les champs d'avoine blonds, contrastant avec le bleu délavé du ciel, le firent soupirer de contentement. Soulignant l'horizon, un ruban scintillant, comme un trait élancé tracé à la plume, laissait deviner la présence du fleuve. Matthieu non plus ne se lassait pas d'admirer le paysage. Son paysage bien à lui, puisqu'il l'avait payé à la sueur de son front, un cent à la fois, durant de très nombreuses années.

Le temps d'un second soupir devant la vie qui avait passé trop vite malgré tout, puis il se tourna vers Prudence.

— Bon, c'est ben beau tout ça, mais qu'est-ce que t'as l'intention de faire pour Mamie ? Comme je te connais, tu me parles pas comme ça, sur un ton de messe basse, au saut du lit, juste pour me donner la date de naissance de la vieille. Tu dois ben manigancer quelque chose, non ?

Prudence esquissa un sourire malicieux.

— C'est ben certain...

Quelques taloches adroites sur les sacs de jute remplis de plumes qui servaient d'oreillers pour leur redonner la forme et prendre le temps de soupeser ses mots et Prudence levait les yeux vers Matthieu.

— J'en ai parlé à Marie, à Hortense, pis à Matilde, énuméra-t-elle d'une voix ferme, établissant ainsi qu'elle avait déjà quelques alliées. On est toutes d'accord qu'on devrait organiser un gros pique-nique pour souligner le centenaire de Mamie. En octobre, comme c'est le mois de sa fête, ça serait ben beau. Je dirais même que ça serait parfait si on pouvait s'installer dans le verger quand les couleurs sont à leur mieux pis que les pommes sont ben rouges. Pas besoin de mettre des décorations, la nature va le faire pour nous autres.

— Pis s'il pleut ?

— On fera ça dans la maison.

— T'es-tu malade, toi ?

Effaré, Matthieu regarda autour de lui comme si la paroisse entière allait subitement se regrouper dans sa chambre.

— Ici ? demanda-t-il encore. Tu voudrais organiser ça ici ?

— Où c'est que tu veux qu'on aille ?

— Ouais...

Matthieu semblait hésitant. Ce qui ne dura pas car son imagination, de nature peu fertile, ne pouvait concevoir de solution de rechange à son salon. De toute façon, Prudence avait raison : s'il pleuvait, ils devraient se rabattre sur la maison. En effet, où s'installer pour une fête ailleurs que dans son salon ? Sûrement pas dans l'étable, entre les vaches et le taureau ! À cette idée, Matthieu esquissa un sourire en détournant la tête pour ne pas avoir à s'expliquer.

Comme souvent, pour ne pas dire tout le temps, il lui faudrait s'en remettre à Prudence pour tout planifier. Pour lui, toutes ces choses de la vie sociale et familiale étaient un peu comme un mystère insondable. Il aimait y participer, de loin, avec la fierté un peu complaisante de celui qui a ouvert les goussets pour permettre la réalisation de l'événement, mais il n'avait aucune espèce d'idée pour organiser quoi que ce soit.

— Ça va être comme pour la veillée qu'on a déjà préparée, les filles pis moi.

Devant le silence de Matthieu, Prudence s'enflammait. Qui ne dit mot consent, n'est-ce pas ? Alors le ton montait, joyeux, enthousiaste.

— T'avais rien vu aller quand on a fait une veillée, rappela-t-elle à Matthieu, au cas où il aurait besoin de se faire rafraîchir la mémoire. T'avais rien dit pis rien fait, sauf peut-être que tu trouvais qu'on faisait trop à manger. Mais l'un dans l'autre, pis c'est toi-même qui me l'avais avoué, t'avais ben aimé ça, cette belle soirée-là.

— C'est vrai, admit Matthieu du bout des lèvres, comprenant que s'il montrait trop d'enthousiasme, il risquait de se retrouver avec un bal sur les bras.

Et dans son salon, en plus!

Matthieu ferma les yeux d'épouvante, espérant que Prudence achevait son long monologue préparatoire à la fête. Cette dernière, n'ayant rien remarqué de spécial dans l'attitude de Matthieu, qui de prime abord commençait toujours par être contre à peu près tout, continuait de plus belle.

— Bon, tu vois! On peut pas dire que j'exagère. Au fil des années, on a fait juste une veillée chez nous. On reçoit jamais, à part la famille quand vient le temps des fêtes. Mais là, je pense que ça s'impose. Célébrer ses cent ans, ça arrive pas à tout le monde. Je dirais même que c'est pas mal rare.

— C'est sûr… C'est en plein ce que je t'ai dit t'à l'heure.

— Ça fait que si je comprends bien, t'es d'accord avec mon idée?

— Ben…

Acculé au mur comme seule Prudence arrivait à l'y pousser, Matthieu savait qu'il valait mieux obtempérer s'il voulait avoir la paix.

— Ouais, on pourrait dire ça comme ça. N'empêche qu'il faudrait pas tomber dans les exagérations, par exemple.

— C'est ben sûr.

— Pis faudrait pas, non plus, inviter la paroisse au grand complet.

— Ça aussi, c'est ben certain. Le salon est pas assez grand, de toute façon, au cas où on aurait du mauvais temps. À part monsieur le curé, comme de raison, pis le notaire qui s'occupe des petites affaires de Mamie, pis peut-être aussi le docteur Ferron qui passe la voir de temps en temps, je vois juste du monde de notre famille.

— Comme ? demanda Matthieu, suspicieux.

— Comme… Ben voyons donc ! Tu le sais comme moi… Comme les enfants pis les p'tits-enfants. Comme aussi Jean-Baptiste, le…

— Tu veux inviter le marchand général ? interrompit Matthieu, haussant dangereusement le ton, sans se soucier le moins du monde que le reste de la famille l'entende. Depuis quand Jean-Baptiste fait partie de notre famille ?

— Depuis que ta fille Marie a marié son garçon Romuald pis qu'Antonin a marié sa fille Annette en juin dernier.

— C'est ben que trop vrai… Bonyenne d'affaire…

Matthieu avait l'air catastrophé.

— Ça va nous amener ben du monde, tous ces mariages-là.

— Un peu oui ! Mais on n'a pas le choix. Tu

voudrais pas déclencher une chicane de famille en oubliant quelqu'un, hein ?

— C'est sûr que des chicanes, des chicanes de famille en plus, y a pas personne de sensé qui veut ça.

— Je suis contente de te l'entendre dire... Astheure, vérifie avec moi, Matthieu. On va faire le décompte des invités. Après, on pourra aller déjeuner. Pis plus tard dans la journée, quand je serai toute seule dans la cuisine, j'en profiterai pour faire la liste de ceux qu'on a décidé d'inviter, toi pis moi. M'en vas faire ça par écrit pour être certaine de pas oublier qui que ce soit. Si jamais je pensais à quelqu'un d'autre, je te le dirai avant de l'écrire sur la liste. Ça va-tu comme ça ?

— Ça a plein d'allure.

C'est ainsi que de la chambre d'à côté, celle qui donnait vers le sud, Célestin put suivre la conversation qui se déroulait chez les parents, comme il en avait pris l'habitude depuis le début de l'été.

Depuis le mariage de son frère.

En effet, le mariage d'Antonin avait été un gros moment dans sa vie, sinon le plus gros, le plus important, le plus intense. Quand il avait vu son frère marcher au bras d'Annette, après la cérémonie, alors qu'ils étaient tous en direction de la maison des parents de la mariée pour le repas des noces, il avait eu de la difficulté à contenir ses larmes.

Jusqu'à maintenant, quand les jumeaux étaient ensemble, ils marchaient ensemble. Ça avait commencé au premier jour d'école et ça s'était poursuivi de façon tellement naturelle que Célestin avait tenu pour acquis qu'où allait Antonin, il allait aussi.

Sauf depuis les derniers mois, alors qu'Antonin avait pris l'habitude de s'éloigner de la maison sans lui. Oh! Célestin avait vite compris ce qu'Antonin vivait parce que ce n'était pas trop difficile à comprendre: son frère était en amour. Prudence lui en avait parlé et ensuite Antonin avait confirmé: il était bel et bien amoureux et, quand on a une fiancée, il est normal de vouloir être seul avec elle. Célestin l'avait très bien compris et très bien accepté. Pourvu qu'Antonin revienne s'asseoir près de lui pour les repas et s'installe pour dormir dans la même chambre que lui, Célestin ne voyait aucun inconvénient au fait que son frère soit en amour.

Jusque-là, ça allait.

Ça allait même très bien puisque Célestin avait aidé Prudence à préparer des fleurs en papier pour décorer la salle à manger des parents d'Annette. Le mariage d'Antonin serait une belle fête!

Effectivement, ça avait été une belle fête pour presque tout le monde.

Le soleil était au rendez-vous, Antonin avait demandé à son frère de tenir les alliances en attendant la célébration et les cloches avaient sonné à toute volée, ce que Célestin avait toujours trouvé beau et réjouissant, particulièrement ce jour-là puisque cette fois-ci, elles sonnaient pour lui, pour sa famille.

C'était au moment du repas qu'il avait commencé à déchanter vraiment, quand on lui avait montré une chaise à l'autre bout de la table d'honneur pour qu'il s'y installe.

— C'est ton père qui doit s'asseoir près d'Antonin. Ton père pis Prudence. C'est comme ça que ça se passe dans une noce. C'est les convenances.

La mort dans l'âme, Célestin avait repoussé la chaise qu'il avait déjà tirée vers lui et il s'était traîné les pieds jusqu'au bout de la table en se disant que si Gilberte avait été là, elle n'aurait pas toléré qu'il se fasse parler sur ce ton.

Convenances ou pas !

Parce qu'en plus, Gilberte n'était pas là !

« C'est trop loin, avait-elle écrit en réponse à la carte d'invitation que Célestin avait lui-même dessinée sous la surveillance de Prudence. Trop loin pour nous car Germain est beaucoup trop petit pour un tel voyage. »

Germain était trop petit ? Encore ?

Célestin s'était alors demandé jusqu'à quel âge Germain serait encore petit. Après tout, ça faisait quand même bien des années que Gilberte était partie avec le bébé.

N'empêche que la réponse de sa sœur avait clos la discussion et fait taire toutes les spéculations concernant son éventuelle présence à la cérémonie.

Dommage, mais Gilberte ne serait pas là.

Si Antonin avait été déçu, il n'en avait rien laissé voir. Pour cette raison, Célestin avait fait de même et il avait caché ses larmes sous l'oreiller pour que personne ne sache à quel point il était déçu. Mais en ce matin de réjouissances où tout le monde semblait s'amuser sauf lui, l'absence de sa grande sœur était lourde à porter.

Puis il y avait eu la première nuit, seul dans la chambre des jumeaux.

Célestin n'avait jamais dormi seul. Même qu'à la naissance des bébés, leur mère, Emma, les avait couchés dans le même berceau, Antonin et lui.

C'est Gilberte qui le lui avait raconté.

Ainsi, oui, lors de cette première nuit que Célestin avait passée tout seul, épiant les bruits du dehors et sursautant aux ombres sur le mur, il n'avait pas tellement bien dormi.

Heureusement, le surlendemain, Antonin était arrivé très tôt, suffisamment tôt pour prendre le déjeuner avec eux avant d'attaquer la journée d'ouvrage et, cette fois-là, Célestin s'était assis tout à côté de lui, comme ils en avaient l'habitude.

De voir son frère, tout heureux de son mariage parce qu'il avait les yeux brillants de joie, avait vraiment fait plaisir à Célestin.

Si Antonin était heureux à ce point, lui aussi se devait de l'être.

C'est ainsi que pour pallier le manque d'écoute, Célestin s'était mis à se parler à lui-même, marmonnant dans sa barbe, comme le disait Prudence, se moquant gentiment de lui quand elle le surprenait à chuchoter avec conviction, voire avec vivacité, comme s'il répondait effectivement à un interlocuteur.

Et quand il était dans sa chambre, pour compenser la solitude qui lui faisait toujours un peu peur, Célestin s'était mis à épier toutes les conversations de la maison, celles qui le rejoignaient jusque dans cette chambre qu'il trouvait bien trop grande pour lui tout seul. Se concentrant sur les discussions, les échanges plus musclés ou les simples causeries, Célestin oubliait ainsi qu'Antonin n'était plus là, l'obligeant à un silence qu'il détestait.

C'est donc comme ça que ce matin, il avait commencé par se réjouir quand il avait entendu le mot « fête » ; qu'il avait ensuite froncé les sourcils quand on avait parlé des cent ans de Mamie, parce que cent ans, ça se pouvait quasiment pas ; et qu'il avait finalement soupiré de mécontentement quand il avait compris que la discussion était terminée et que les noms de Lionel et Gilberte n'avaient pas été prononcés.

— Ben voyons donc !

Lionel, Célestin s'en fichait pas mal. Après tout, il ne gardait de lui aucun souvenir probant et comme on n'en parlait jamais à la maison, Célestin se disait depuis longtemps que Lionel n'avait plus d'importance dans leur famille. On pouvait donc célébrer sans lui.

— Mais Gilberte, par exemple, grommela-t-il en sortant de sous les draps, c'est pas pareil. Oh non monsieur, c'est pas pareil pantoute !

Une fête sans Gilberte ce serait comme pour les noces d'Antonin : ça serait une fête ratée, tout simplement !

— Pis moi, ça me tente pas pantoute d'avoir une autre fête de gâchée parce que Gilberte est pas avec moi.

Célestin se doutait bien que même s'il s'appliquait de toutes ses forces à faire une carte encore plus jolie, Gilberte risquait de refuser l'invitation comme elle avait refusé celle des noces d'Antonin. En quelques mois à peine, le petit Germain n'avait pas tellement vieilli, et Gilberte et lui habitaient toujours aussi loin. Ça devait être pour toutes ces raisons que Prudence n'en avait pas parlé avec son père. Ça aurait été une vraie perte de temps de discuter de Gilberte, et Célestin savait combien son père détestait perdre son temps !

— Mais ça se passera pas comme ça !

Célestin était déjà habillé.

Tant pis pour les remontrances, ce matin il n'avait pas la tête à faire son lit et il quitta sa chambre sans plus de façon.

Il descendit rapidement à la cuisine qu'il traversa au pas de course en direction des bécosses dans le fond de la cour.

Comme tous les matins.

Quand il en revint, Célestin était affamé et sa décision était prise.

Face à face avec lui, sans se cacher derrière des mots écrits sur un papier, Gilberte n'oserait pas dire non à une aussi importante invitation.

Les cent ans de Mamie, c'était autre chose qu'un simple mariage. Des mariages, il y en avait souvent à l'église de la paroisse. Pas toutes les semaines mais presque. Célestin le savait à cause des cloches qu'il entendait sonner à la volée, les samedis matin. Tandis que fêter les cent ans de quelqu'un…

— C'est la première fois que j'entends parler de ça !

— Qu'est-ce que t'as à marmonner comme ça, mon Célestin ?

— Rien… J'ai rien. Juste la journée qui s'en vient…

Ne restait plus qu'à trouver la bonne manière pour se rendre là où habitaient Gilberte et le petit Germain qui ne devait plus être si petit que ça !

Célestin attaqua son assiettée d'œufs brouillés au jambon avec une lueur perplexe au fond du regard.

Les idées entourant son escapade lui vinrent lentement, une à la fois, comme le chemin que l'on doit débroussailler dans une forêt dense. Il se souvenait fort bien du départ de sa sœur, de nombreuses années auparavant, et c'était par bateau que Gilberte avait dit qu'elle quitterait l'Anse-aux-Morilles.

Célestin ferait donc de même.

Il se souvenait aussi qu'avant de partir, durant les quelques jours passés à la maison paternelle en compagnie du bébé de Marie, celui qu'on appelait déjà l'idiot, Gilberte avait dit à Prudence qu'elle voulait parler à Lionel.

Célestin pourrait donc, lui aussi, parler à Lionel. Après tout, Lionel était son frère même s'il ne gardait aucun souvenir de lui.

À partir de là, il improviserait, selon ce que Lionel aurait à lui dire.

— Ouais, m'en vas improviser, murmura Célestin en regagnant le dernier champ à vider de son avoine, alors qu'il marchait à grandes enjambées, loin devant le groupe formé par son père et ses frères.

Improviser…

C'est Prudence qui lui avait expliqué ce mot, il y avait de cela bien longtemps.

— Quand tu vois plus rien dans ta tête, avait-elle dit, c'est peut-être que tu peux rien voir en avance.

— Ça arrive, ça ?

— Oui, ça arrive. Tout ce que tu peux faire, dans ce temps-là, c'est attendre d'être rendu au bon moment pis de décider à la dernière minute.

— J'aime pas ça, moi, pas savoir à l'avance. Non monsieur ! J'aime donc pas ça décider à la dernière minute. J'ai peur de me tromper.

— Personne aime ça, Célestin.

— Ah non ? Je suis pas tout seul à penser de même ?

— Mais non, voyons ! C'est plus rassurant de savoir exactement ce qui nous attend, c'est ben clair. Pis c'est normal, aussi. Pour tout le monde ! Mais c'est pas toujours possible. Alors, on improvise une fois qu'on est rendu au bon moment là où, avant, on ne voyait rien pantoute dans notre tête.

— Eh ben…

Depuis ce jour, Célestin essayait le plus souvent possible de ne pas avoir à improviser. Même s'il savait que c'était normal, que tout le monde passait par là un jour ou l'autre en ressentant le même inconfort que lui devant l'inconnu, ce n'était pas une raison suffisante pour rechercher volontairement les occasions d'improviser.

Mais quand on n'avait pas le choix…

Cela prit trois matins pour que la rencontre ait enfin lieu sans que personne, à la maison, ne s'étonne de le voir partir pour le village de si bonne heure. Il était vrai, cependant, que depuis le mariage d'Antonin, quand il n'y avait pas trop d'ouvrage à la ferme, Célestin était un peu plus libre dans ses promenades. Après tout, il était un homme, comme l'avait si bien souligné Prudence, un soir que le sujet des promenades de Célestin avait été amené sur le tapis.

— Voyons donc, Matthieu ! Célestin n'est plus un enfant.

— C'est vrai... J'ai trop souvent tendance à l'oublier.

Ce fut ainsi que Célestin gagna en liberté, question que le mariage d'Antonin n'ait pas été tout à fait inutile pour lui.

Donc, comme toutes les récoltes de l'année étaient terminées, à l'exception du potager, et que personne à la maison ne se souciait vraiment des allées et venues de Célestin, il pourrait mener son projet à terme.

Après deux jours d'attente sur le quai de l'Anse-aux-Morilles, ce fut par une matinée venteuse et fraîche que Célestin identifia enfin le mât de la goélette de Clovis. Il la reconnaissait entre toutes pour être venu à l'occasion avec son père rencontrer Clovis. Célestin dut se retenir pour ne pas battre des mains tellement il était content.

Surtout, ne pas susciter de questions qui feraient tomber son plan à l'eau !

Célestin fut surpris de constater que Clovis n'était pas seul à bord du bateau. Mais en cherchant bien dans sa mémoire, après quelques efforts soutenus, il se souvint d'avoir déjà vu cet homme-là et qu'il s'appelait Léopold. C'était lui qui accompagnait régulièrement Clovis avant de partir pour la guerre. Célestin se sentit soulagé car il détestait rencontrer des étrangers. Maintenant, c'était clair dans ses souvenirs : son père avait parlé de ce Léopold qui partait pour la guerre.

Célestin le dévisagea.

Il aurait bien voulu lui poser des questions sur cette guerre dont on avait tant discuté autour de la table, à la maison, mais il n'osa pas. Le visage de Léopold était trop sérieux, comme s'il était en colère. De plus, Léopold boitait et il lui manquait un bras. Selon Célestin, c'était bien assez pour ne pas être de très bonne humeur. Il en fut aussitôt tout intimidé. Par contre, Clovis, lui, était tout souriant, et c'est avec plaisir, du moins lui sembla-t-il, qu'il permit à Célestin de monter à bord.

— Eh ben ! Tu veux voir Lionel ?

C'était la raison donnée par Célestin pour demander un passage vers l'autre rive.

— Ouais. C'est mon grand frère pis je le connais pas ben ben, avait-il expliqué en opinant vigoureusement du bonnet. Ça fait que j'ai décidé de traverser pour le rencontrer.

Célestin n'avait surtout pas l'intention d'aller plus loin dans ses explications. S'il fallait que quelqu'un lui mette des bâtons dans les roues, il risquait fort de se fâcher. C'est toujours ce qui arrivait quand il était trop contrarié, et il savait que ses colères ne lui avaient jamais rien apporté de bon.

Bien au contraire, il avait toujours été puni quand il se fâchait vraiment !

— Ouais, c'est ça que je veux faire, répéta-t-il avec

toute la conviction dont il était capable. Je veux aller rencontrer mon grand frère!

Heureusement, Clovis se contenta de cette réponse et il aida Célestin à monter à bord car celui-ci, s'il était d'une force hors du commun, n'était pas tellement doué quand venait le temps de faire preuve d'équilibre.

— T'es trop grand pis trop gros pour essayer de te tenir juste sur une patte, lui avait gentiment expliqué Antonin qui, lui, était agile et rapide comme un siffleux. T'as grandi tellement vite que l'équilibre a pas suivi. Comme une grosse marmotte.

Célestin avait bien ri de cette explication-là!

Si Antonin le disait, ça devait être vrai, non?

Alors ce matin, un peu craintif, mal à l'aise à cause de la houle qui lui donnait l'impression d'avoir les pieds ronds, Célestin s'était installé dans la cabine, bien déterminé à n'en bouger qu'une fois le fleuve traversé.

— Donne-nous le temps de charger des poches d'avoine dans la cale et on repart.

Pour passer le temps, Célestin observa donc Clovis et son fils Léopold de tous ses yeux, un peu surpris que les deux hommes semblent si bien s'entendre sans avoir à échanger de paroles. Dans les champs, son père donnait tout le temps des ordres pour que ça aille rondement, disait-il. Ici, à bord de la goélette, nul besoin de parler pour que ça aille rondement. À preuve, sans un seul mot échangé, les poches d'avoine avaient été chargées et le bateau venait de quitter le quai de l'Anse-aux-Morilles. Malgré un pied tordu qui le faisait boiter, Léopold se déplaçait aisément du mât aux cordages puis, une fois le bateau bien lancé, il rejoignit son père dans la cabine et ce fut lui qui prit le gouvernail. D'une seule main, Léopold arriva à garder le cap, ce qui impressionna grandement Célestin.

Si par la taille, ce Léopold ressemblait à Antonin, manifestement, il avait la force d'un Célestin.

Celui-ci se dit alors que si la houle n'existait pas, il aimerait peut-être travailler sur un bateau. S'il s'ennuyait de ses discussions avec Antonin, Célestin préférait nettement ne pas avoir à discuter parce que les mots ne suivaient pas toujours sa pensée et, sur un bateau, de toute évidence, on n'avait pas vraiment besoin de parler.

Ce fut ainsi que, d'une réflexion à une autre, Célestin ne vit pas le temps passer et c'est tout surpris qu'il constata que la goélette était en train d'accoster. Clovis avait repris le gouvernail et Léopold était sur le pont, à lancer les cordages aux quelques hommes qui attendaient sur le quai.

— On est rendus, Célestin… Toi, c'est bien Célestin, n'est-ce pas ?

— Ouais, c'est en plein ça !

Célestin avait l'air tout heureux que l'on connaisse son nom. Il offrit un grand sourire à Clovis et pour faire bonne mesure, il ajouta :

— Pis mon frère jumeau s'appelle Antonin. Antonin Bouchard. Astheure, m'en vas descendre du bateau pis j'vas aller voir mon frère Lionel Bouchard.

— Sais-tu au moins où il demeure, ton frère Lionel ?

Sans attendre de réponse, au simple regard troublé que Célestin lui renvoya, Clovis enchaîna rapidement :

— C'est facile à trouver, tu vas voir ! Tu suis la rue principale du village, tu passes devant l'église, devant le magasin général pis l'hôtel, pis un peu plus loin, sur ta gauche, tu vas voir une maison jaune. Tu peux pas la rater, elle est vraiment jaune. C'est là qu'il habite, ton frère Lionel. T'auras juste à frapper. Si lui est parti, sa femme, Victoire, va t'ouvrir. T'as rien à craindre, c'est une gentille femme et elle va sûrement te permettre d'attendre Lionel dans sa cuisine.

— Ben si c'est de même, je pars tout de suite. J'ai hâte de le voir, mon frère. Ben hâte. Merci, là, pour le voyagement depuis l'Anse. C'est ben pratique un bateau pour venir voir mon frère Lionel.

— Pis si t'as besoin d'un autre voyagement, comme tu dis, d'un transport pour retourner chez vous, t'auras juste à demander à Lionel de me le faire savoir. On s'organisera.

Clovis suivit Célestin du regard jusqu'à ce qu'il disparaisse au bout du cimetière, tournant à droite dans la bonne direction. Il avait vite deviné qu'il était celui des enfants de Matthieu dont il avait déjà dit : « Il est fort comme un taureau, mais il a la cervelle d'un p'tit garçon. Par contre, c'est un bon travaillant, dur à l'ouvrage, pis ben persévérant. Surtout, il a bon cœur ! »

Le temps de se demander, un peu curieux, ce que Célestin pouvait bien vouloir dire à son frère Lionel qu'il n'avait pas vu depuis tant d'années, et Clovis quitta la cabine à son tour. Léopold, aidé des quelques passants qui flânaient régulièrement sur le quai, avait déjà commencé à vider la cale.

Clovis lui jeta un regard rempli de fierté.

Il n'avait peut-être qu'un bras mais il était débrouillard, son fils Léopold. Débrouillard et déterminé.

Il était surtout bien vivant.

Clovis inspira profondément, soulagé, reconnaissant envers ce Dieu qu'il n'avait peut-être pas suffisamment prié tout au long de sa vie.

La belle Augusta qui vivait sous leur toit, depuis les noces célébrées en juin dernier, devait y être pour quelque chose, elle aussi, dans cette résolution, dans ce courage devant la vie, devant l'avenir. Toujours de bonne humeur, patiente et de bon conseil, la jeune femme influençait indéniablement Léopold dans le bon sens. Ainsi, soulagé et heureux, Clovis voyait son fils se transformer peu à peu. De taciturne et troublé qu'il leur était revenu de la guerre, le jeune homme redevenait lentement celui qu'il avait été avant son départ. Bien sûr, il y avait une lueur de douleur au fond de son regard, certains souvenirs refusant de s'effacer, comme Léopold l'avait déjà dit dans un souffle, alors que Clovis s'était enhardi à le questionner.

— Cherche pas à savoir, papa, avait-il ordonné calmement. Perds pas ton temps à poser des questions inutiles, c'est trop laid pour être raconté.

Clovis n'avait donc pas insisté, mais le respect qu'il ressentait pour son fils avait grandi ce jour-là et il s'était alors promis d'être patient avec lui.

À force d'être aimé, Léopold finirait peut-être par

oublier toutes les abominations qu'il semblait avoir vues, tous les drames humains qu'il avait sûrement vécus.

En attendant, Clovis l'aidait de toutes ses forces à reprendre pied dans leur réalité de marins. Contre toute attente, et malgré les appréhensions bien légitimes de Léopold, le métier lui revenait avec une certaine facilité.

— Me semblait aussi, l'avait un jour encouragé Clovis, me semblait que tu pouvais pas avoir toute oublié.

— J'ai rien oublié, papa…

Léopold était tout hésitant. Puis, comprenant que son père avait droit à quelques explications, il avait ajouté sur un ton réticent:

— Je pensais tellement au fleuve pis au bateau quand j'étais là-bas que je pouvais pas oublier. C'est ça qui m'a gardé en vie, je pense ben. Ça pis Augusta… Astheure, donne-moi la poche d'avoine que tu tiens à bout de bras depuis tantôt… On a trop d'ouvrage pour prendre le temps de placoter.

Encore une fois, Clovis n'avait pas insisté, mais d'un mot échappé à un regard tourmenté, il finissait par avoir une idée assez claire de l'horreur que son fils avait traversée. Cependant, Clovis gardait ses réflexions pour lui, se disant que dans la vie, il y a certaines choses, certaines vérités, qu'on n'a pas envie de partager, même avec ceux que l'on aime.

Surtout avec ceux que l'on aime parce qu'on a le devoir de les protéger.

Alexandrine faisait définitivement partie de ces gens-là.

N'empêche qu'à partir du mois de mai, d'un jour à l'autre, petit à petit, la vie avait repris un cours plus paisible sous le toit de Clovis Tremblay, et il avait recommencé à prier avec une certaine ferveur.

Aujourd'hui, en ce mois de septembre 1919, il s'apprêtait à remiser la goélette après la meilleure saison qu'il ait vécue depuis fort longtemps.

Ainsi, sur cette pensée, Clovis rejoignit enfin son fils et les quelques voisins plus âgés qui, désœuvrés, venaient fréquemment aider les marins qui rentraient à la Pointe. Clovis eut une dernière pensée pour Célestin, se demanda s'il avait trouvé la maison de Lionel, puis il leva joyeusement un bras.

— Salut la compagnie ! J'arrive pour vous aider !

En fait, la maison de Victoire et Lionel était d'un tel jaune flamboyant que même un Célestin intimidé par ce qu'il s'apprêtait à faire ne pouvait la rater.

S'il hésita un instant avant de frapper à la porte, son malaise fut cependant de courte durée. À peine eut-il cogné deux fois sur le battant que la porte s'ouvrait déjà sur un des fameux sourires de Victoire, si engageant, si contagieux que Célestin ne put y résister. Il esquissa un pâle sourire à son tour et, parce que c'était ce qu'on lui avait montré, le grand gaillard baragouina son nom, triturant nerveusement sa vieille casquette grise qu'il tenait à deux mains.

— Tu t'appelles Célestin, c'est bien ça ? vérifia Victoire qui avait mal compris le nom.

— C'est en plein ce que je viens de dire, madame, répéta patiemment Célestin. Je m'appelle Célestin Bouchard. Pis mon frère, lui, c'est Antonin Bou…

— Ben là, coupa gaiement Victoire, tu dois être le frère de mon Lionel ! Je connais pas tellement bien sa famille, c'est vrai pis c'est dommage, mais si t'es un Bouchard, c'est que tu es de la famille de mon mari donc de ma famille à moi aussi ! Entre, Célestin ! Je suis très heureuse de t'accueillir chez nous… Lionel n'est pas là pour le moment mais si ça te tente, tu peux me suivre dans la cuisine. On va l'attendre ensemble pendant que je prépare quelques gâteaux pour le Manoir.

— Des gâteaux ?

Que dire de mieux pour accueillir Célestin ? Sans plus d'explications, il emboîta le pas à Victoire sans hésiter.

Quand Lionel revint pour le repas du midi, il trouva Célestin attablé avec son fils Julien et tous les deux semblaient en grande conversation. De toute évidence, la forge de James O'Connor était au cœur de leur discussion et Julien, tout juste âgé de dix ans, en vantait les mérites à Célestin qui l'écoutait avec attention pour ne rien perdre de tous ces mots qu'il entendait pour la première fois et que son jeune interlocuteur débitait à toute allure.

— Il n'y a pas de forge, chez nous à l'Anse-aux-Morilles, réussit enfin à glisser Célestin, tout étourdi par le verbiage de ce neveu qu'il venait tout juste de connaître. Pour mettre des fers aux pattes de nos chevaux, ceux qui en ont besoin, faut aller au village d'à côté pis moi, je suis jamais allé jusque-là.

— Ben, faut que tu viennes voir ça avec moi, d'abord ! J'ai passé tout l'été à travailler avec monsieur James, tu sais ! J'ai hâte de plus être obligé d'aller à l'école pour pouvoir travailler avec lui tout le temps...

Ces derniers mots furent lancés avec une œillade de reproche en direction de Victoire qui servait le ragoût. Même l'apparition de Lionel dans l'embrasure de la porte ne fit pas tarir le jeune Julien qui repartit de plus belle à chanter les mérites de la forge.

Un seul regard vers Célestin qui était dos à lui et Lionel reconnut son frère. La ressemblance avec leur père était si frappante qu'il ne pouvait se tromper. Cette carrure des épaules, ces larges mains, ce cou trapu...

Puis, aux quelques mots entendus, Lionel en conclut que Célestin était resté fidèle à lui-même : souriant, serviable, sans aucun doute, mais un peu simple d'esprit.

N'empêche que cet homme-là était son frère et Lionel fut ému de le savoir chez lui, assis à sa table en train d'écouter son fils raconter son boniment habituel sur la forge de James O'Connor.

Pour l'instant, la raison qui avait amené Célestin chez lui n'avait que peu d'importance, les souvenirs accaparant toutes ses pensées.

La dernière fois que Lionel avait vu les jumeaux, ils avaient tout juste cinq ans.

Étourdi par le passage des années, Lionel ferma les yeux une fraction de seconde.

Oui, Antonin et Célestin venaient d'avoir cinq ans et ils étaient blottis contre leur sœur Gilberte, tous les trois assis à même le plancher dans le corridor des chambres de la maison des Bouchard et de l'autre côté de la porte fermée devant eux, leur mère, Emma, était en train de mourir.

Voilà l'image indélébile que Lionel avait gardée de la maison paternelle et de ses jeunes années: une famille en larmes traversant douloureusement la nuit où leur mère allait mourir. Pour le reste ou presque, c'était plutôt vague faute d'y avoir souvent pensé depuis les dernières années.

Lionel secoua la tête en ouvrant soudainement les yeux. Le souvenir qu'il gardait de sa mère avait toujours été douloureux et de voir son jeune frère, là devant lui, venait de raviver cette douleur, malgré la joie qu'il ressentait en ce moment.

Lionel fit un pas vers la table.

— Célestin ? C'est bien toi, n'est-ce pas ?

Le solide gaillard qui ne l'avait pas entendu entrer se tourna aussitôt vers Lionel. Le temps d'ajuster ses souvenirs à son tour, tout en fronçant les sourcils pour aider la mémoire, et Célestin se détendit pour afficher rapidement un sourire sincère.

Bien sûr qu'il se souvenait de Lionel !

C'était lui, en compagnie de Mamie, qui avait fabriqué une chaise longue pour que leur mère puisse se reposer dans la cuisine en leur compagnie ou encore sur la galerie quand le temps le permettait ! Et si Célestin se souvenait de ce détail avec autant de précision, c'est qu'Emma lui demandait souvent de venir s'installer avec elle sur la chaise. À lui et aussi à Antonin.

— Pour que je me sente moins seule, leur disait-elle avec un petit clin d'œil.

C'était là un des rares souvenirs que Célestin avait gardé de sa mère, d'ailleurs.

Il était déjà debout et il tendait la main à Lionel.

— C'est ben ça, articula-t-il finalement. Je suis Célestin. Tu te rappelles de moi ?

— C'est sûr. Je me souviens d'Antonin aussi.

La mention du nom de son frère et le fait que Lionel ne les ait pas oubliés fit sourire Célestin.

— Il est marié, Antonin, ajouta-t-il avec une visible fierté comme si c'était lui qui venait de convoler en justes noces. Avec Annette, la fille de Jean-Baptiste. Pis Gilberte est pas venue au mariage. C'est pour ça que je suis ici.

Lionel fronça les sourcils devant cet emballement un peu enfantin qui, au final, ne disait pas grand-chose.

Néanmoins, il esquissa un sourire indulgent.

— Et si tu reprenais tout ça depuis le début, mon Célestin ? Pour que je comprenne ce qui t'amène ici.

Instinctivement, Lionel avait pris le ton qu'il employait avec les enfants trop jeunes pour comprendre ce qu'il avait à leur dire pour aussitôt se reprendre. Pour être venu tout seul jusqu'ici, Célestin n'était pas tout à fait un enfant.

— Si je comprends bien, ajouta Lionel, voyant que Célestin cherchait péniblement ses mots, si je comprends bien, c'est Gilberte qui t'amène ici. Tu veux la rencontrer, c'est bien ça ?

Le soulagement de Célestin fut instantané quand il comprit que Lionel avait réussi à suivre sa pensée et le sourire qu'il eut fut à l'avenant.

— C'est en plein ça ! Je veux voir Gilberte. Depuis le temps qu'elle est partie, je m'ennuie.

— C'est vrai que ça fait quelques années qu'elle est partie.

— Ouais, pas mal d'années, tu veux dire. Elle écrit des lettres, elle fait des belles cartes pour Noël, mais je m'ennuie pareil. Pis là, ça serait important qu'elle vienne à la maison. Pour Mamie.

Une lueur d'inquiétude traversa le regard de Lionel qui s'était installé à la table, devant Célestin. Fourchette en suspens devant lui, il fixait son frère.

— Qu'est-ce qu'elle a, Mamie ? Elle est malade ?

— Ben non ! Elle entend pas grand-chose pis faut crier pour qu'elle comprenne, mais elle est jamais malade, Mamie. Même qu'elle va avoir cent ans.

— Cent ans ?

— En plein ça. C'est à cause de ça qu'il faut que je voye Gilberte. Elle a dit non pour venir au mariage d'Antonin mais il faut qu'elle soye là pour la fête de Mamie. C'est trop rare pis important, cent ans ! Ouais... c'est ben important une fête comme ça.

Habitué avec ses patients à deviner les choses à travers quelques mots malhabiles, Lionel commençait à entrevoir le projet et à comprendre la présence de Célestin.

— Et c'est à toi qu'on a demandé d'aller prévenir Gilberte, c'est bien ça ?

— Euh... Non...

Célestin secouait la tête, le regard fixe. Lionel allait-il le gronder pour avoir décidé tout seul de se rendre jusqu'à Gilberte ? Il hésita, tritura un coin de la nappe que Victoire avait cru bon de mettre puisqu'ils avaient de la visite et il leva enfin un regard inquiet, bien qu'il fût déterminé à dire la vérité, car c'était là ce que Prudence lui conseillait toujours de faire : dire la vérité.

— Non, c'est pas ça...

Encouragé par la douceur et la patience que dégageait Lionel, Célestin se redressa et sa voix se raffermit.

— Je pense que papa pis Prudence avaient décidé de pas inviter Gilberte, expliqua-t-il, les sourcils froncés sur sa réflexion... Ouais, je pense comme ça, rapport que papa pis Prudence ont pas prononcé le nom de Gilberte quand ils ont faite la liste des invités, tout seuls dans leur chambre, l'autre matin. Mais moi, je les entendais, rapport que ma chambre est juste à côté. Pis si Prudence a pas dit le nom de Gilberte, c'est parce qu'elle a refusé l'invitation pour les noces d'Antonin. Je suis sûr de ça, moi. C'est trop loin, que Gilberte a écrit dans sa lettre qui disait non à l'invitation. Trop loin, pis le petit Germain est trop jeune encore pour un long voyage. Ça fait que, cette fois-ci, Prudence a décidé de pas l'inviter.

Une ombre passa sur le visage de Lionel même s'il n'avait jamais été invité à aucune réjouissance chez les

Bouchard depuis le jour où il avait claqué la porte, choisissant les études plutôt que d'aider son père. La déception fut cependant de courte durée. La vie qu'il menait, il l'avait délibérément choisie et il ne regrettait rien. Son attention revint alors à Célestin. Malgré le message légèrement tarabiscoté de son jeune frère, Lionel voyait de plus en plus clairement la situation.

— Mais pourquoi aller voir Gilberte au lieu de lui écrire comme pour le mariage d'Antonin ? demanda-t-il entre deux bouchées. Il me semble que ça aurait été plus simple.

— Parce que c'est plus dur de dire non quand on a quelqu'un dans notre face... C'est ça que je pense, moi, pis c'est pour ça que je veux aller voir Gilberte. Elle a pas le droit de dire non pour la fête de Mamie. Cent ans, c'est trop rare pis trop important.

Maintenant, tout était clair. Lionel esquissa un sourire. Par contre, ça n'expliquait pas la présence de Célestin chez lui. C'est pourquoi, il demanda :

— C'est vrai que cent ans, c'est pas banal... Tu as raison, Célestin. Mais pourquoi venir me voir, moi ?

Cette fois, la question était si facile que Célestin se détendit vraiment. Il essuya les quelques gouttes de sueur qui perlaient à son front parce que la conversation jusqu'à maintenant lui avait demandé de gros efforts et il déclara d'un ton assuré :

— C'est parce que je sais pas où elle demeure, Gilberte. Mais toi, tu dois le savoir, rapport que c'est ici qu'elle a dit qu'elle s'en venait quand elle est partie de la maison avec le petit Germain. Pis elle est jamais revenue. Tu le sais-tu où elle demeure Gilberte ?

— Oui.

Tout en répondant, Lionel avait levé les yeux vers Victoire qui le regardait en souriant puis il revint à Célestin qui, à la suite de sa dernière réponse, avait aussitôt eu un sourire de vainqueur.

— Oui, je sais où elle habite, Gilberte, répéta Lionel.

Pour ensuite préciser :

— Même qu'on va la voir assez souvent, Victoire et moi.

— Ah oui ? Comment ça, tu peux voir Gilberte souvent comme ça ? C'est pas trop loin pour toi ?

— Pas vraiment. En hiver, c'est plus difficile à cause de la neige sur les routes, mais durant l'été, on en profite pour faire des pique-niques.

— Chanceux. Moi j'aime ça, les pique-niques, avec des sandwiches pis de l'orangeade que Prudence achète au magasin général. Pis j'aimerais ça aussi voir Gilberte souvent. Comme toi.

— Et Prudence, elle ?

— Quoi Prudence ? Elle, je la vois tous les jours, argumenta Célestin qui ne saisissait pas du tout où Lionel voulait en venir avec sa question.

— Ça, je m'en doute un peu et ce n'est pas ce que je veux savoir.

— C'est quoi, d'abord ?

— Ce que je veux savoir, c'est comment Prudence va accepter le fait que tu invites Gilberte sans lui en avoir parlé.

— Ah ça ! Pas de trouble avec Prudence. Je suis sûr

qu'elle va être contente. Prudence aussi, elle s'ennuie de Gilberte. Elle le dit souvent.

— Mais est-ce que Prudence sait au moins que tu es ici ?

— Ben…

Une question banale, pourtant le regard de Célestin s'était éteint.

— Non, elle le sait pas, avoua-t-il en baissant les yeux.

Brusquement, à cause du questionnement en règle de son frère, Célestin avait l'impression d'avoir fait une grosse bêtise et il détestait cette sensation. Pourtant, il ne voulait rien faire de mal. Bien au contraire ! En fait, tout ce qu'il avait espéré en quittant son village, ce matin en compagnie de Clovis, c'était faire une surprise à Mamie. À ses yeux, la présence de Gilberte à l'occasion de sa fête serait un peu son cadeau à lui. Un vrai beau cadeau parce que Mamie aimait beaucoup Gilberte.

— Je veux juste faire une belle surprise à Mamie, expliqua-t-il enfin. Mais ça va faire comme une surprise pour Prudence aussi. C'est ça que je pense, moi. Pis c'est pour ça que je suis parti sans le dire à personne.

— Si c'est comme ça… On va y aller, voir Gilberte !

Le soulagement de Célestin fut si visible qu'il attira Victoire comme un aimant. Malgré sa simplicité, son nouveau beau-frère lui plaisait vraiment. Délaissant ses chaudrons, elle vint s'asseoir auprès de Lionel au moment où le grand gaillard poussait un long soupir de soulagement avant de lancer, tout heureux:

— Ah oui? On va voir Gilberte? Wow! Là, je suis content, Lionel! Ben ben content. On y va tout de suite?

— Non, j'ai du travail. Mais dimanche, on pourrait faire un pique-nique.

— C'est quand dimanche?

— Dans deux jours.

— Ah...

Encore une fois le regard de Célestin se troubla. Il repoussa son assiette et ce fut comme une déception pour Lionel.

— T'as l'air déçu?

— Non, c'est pas ça...

— C'est quoi?

— C'est juste que je pensais revenir à la maison pas plus tard que demain... J'ai peur que Prudence soye inquiète. Pis si Prudence est inquiète à cause de moi, c'est sûr que papa va se fâcher.

— T'en fais pas, Célestin! On va téléphoner et...

Un grand éclat de rire interrompit Lionel.

— Téléphoner?

Célestin avait envie de se taper sur la cuisse tellement la blague de son frère Lionel était bonne.

— Ben voyons donc! On a pas ça un téléphone chez les Bouchard. C'est bon pour les curés pis les marchands générals, un téléphone.

— Ça, vois-tu, je m'en doute un peu. Même moi, je n'ai pas le téléphone, fit Lionel en montrant la pièce d'un large mouvement du bras. Mais tu l'as dit: c'est bon pour les marchands. Alors, on va aller chez le marchand général, monsieur Laprise, on va demander une ligne et on va appeler Jean-Baptiste à l'Anse-aux-Morilles. Est-ce que c'est encore lui qui est le marchand de l'Anse ?

— Ouais... Des fois, c'est lui, mais d'autres fois, c'est Romuald. Lui, c'est son garçon, pis c'est aussi mon beau-frère parce qu'il a marié Marie.

— Alors on va demander Jean-Baptiste ou Romuald. Quand on va l'avoir au bout de la ligne, on aura juste à lui demander de prévenir Prudence.

— Ça se peut, ça ?

— Tout à fait ! Allez ! Finis ton repas, Célestin, et on va y aller ensemble avant que je fasse mes visites de l'après-midi.

Célestin qui sentait l'appétit lui revenir au rythme où les choses semblaient se placer, avait déjà sa fourchette en main.

— Pis on va faire un pique-nique dimanche ? demanda-t-il, la bouche pleine, au risque de se faire réprimander.

Célestin voulait être bien certain d'avoir tout compris.

— Promis !

La réponse de Lionel, articulée sur un ton décisif et accompagnée d'un hochement de tête de la part de Victoire, ne pouvait être plus claire.

Le temps d'avaler sa bouchée et Célestin fit un très large sourire, tant à Lionel qu'à Victoire.

— Ben là, je suis vraiment content ! répéta-t-il tout

joyeux en s'essuyant la bouche du revers de la manche de son chandail. Personne va s'inquiéter chez nous, papa va pas se choquer après moi, j'vas voir enfin Gilberte, pis j'vas faire un pique-nique... Tout ça en même temps! C'est plein d'agrément de venir de l'autre côté du fleuve. Ouais... Pis toi, Lionel, t'es un frère pas mal fin. C'est juste plate qu'Antonin soye pas là... Ouais, ben plate.

Tout en parlant, Célestin secoua la tête énergiquement tandis que son regard se portait machinalement vers la fenêtre comme s'il allait apercevoir Antonin aussi loin que de l'autre côté du fleuve. Puis il haussa les épaules et reporta les yeux vers Lionel pour expliquer tout aussi résolument:

— Mais c'est pas de sa faute s'il est pas là, mon frère. Non, monsieur! C'est juste qu'il est marié, astheure.

La promenade jusqu'à Baie-Saint-Paul fut un pur enchantement pour Célestin. Non seulement la perspective de voir enfin sa sœur le rendait-il fébrile au point d'avoir de la difficulté à rester en place, mais l'idée d'un pique-nique en sa compagnie ajoutait au plaisir du moment. Un panier bien garni reposait sur le banc entre Julien et lui, et comme Célestin avait aidé Victoire à le préparer, l'impatience était à son comble. En effet, en plus des habituels sandwiches de toutes sortes, quelques gâteaux bien tentants n'attendaient que l'appétit des promeneurs! Vraiment, il garderait un excellent souvenir de son bref séjour à Pointe-à-la-Truite.

Hier, en compagnie de Victoire, il avait passé un

moment au cimetière pour prier sur la tombe de sa mère.

— T'es ben sûre qu'elle est là, ma mère ?

Célestin regardait la terre tassée par de nombreux hivers d'un air sceptique. N'ayant jamais assisté à une mise en terre, il entretenait quelques doutes.

— Sûre et certaine, avait répliqué Victoire. Tu sais lire, non ?

— Ben oui... J'ai été longtemps à l'école au bout du rang, tu sais. C'est là que j'ai appris à lire pis Antonin m'a aidé quand c'était trop difficile.

— Alors regarde sur la croix en bois. Le nom de ta mère est inscrit.

Célestin s'était alors penché et avec une certaine difficulté, car après tout, il n'avait pas vraiment l'occasion de pratiquer la lecture depuis qu'il avait quitté l'école, il avait fini par déchiffrer les lettres.

— Emma Lavoie, épouse de Matthieu Bouchard, avait-il lu lentement.

Puis, sans tenir compte des chiffres qui suivaient puisqu'ils étaient trop gros pour lui, il avait observé d'une voix troublée, sans se redresser :

— Pas sûr d'avoir bien lu, moi là !

Il s'était alors redressé. Une ride zébrant son front, il avait dévisagé Victoire durant un court moment avant de demander :

— Je reconnais le nom de ma mère, ça oui, mais je comprends pas pourquoi le nom de mon père est écrit, lui aussi. Quand je suis parti, hier, il était pas mort.

Avec une patience infinie, Victoire avait donné les

explications qui s'imposaient puis elle avait conduit Célestin à l'autre bout de la paroisse, là où vivaient encore ses grands-parents maternels.

— Va falloir parler fort parce que ton grand-père n'entend plus très bien, avait-elle expliqué au moment où elle s'apprêtait à frapper à la porte.

— Pas de problème avec ça, avait répliqué Célestin en opinant vigoureusement de la tête. Avec Mamie aussi, faut crier pas mal fort. Je suis assez habitué !

La rencontre s'était somme toute bien passée, même si sa grand-mère maternelle avait une physionomie plutôt sévère – s'il avait connu le mot, Célestin aurait dit « revêche » ! – qui l'avait passablement intimidé.

Et aujourd'hui, il était en route vers la maison de Gilberte.

Finalement, que du beau et du bon depuis qu'il était à la Pointe !

Célestin poussa un long soupir de contentement. Ne restait plus qu'à découvrir cette fichue maison où restait Gilberte et il pourrait enfin se détendre complètement.

En effet, Lionel avait eu beau lui expliquer qu'elle habitait dans un hôpital, Célestin n'en démordait pas : personne ne pouvait ou ne voulait demeurer dans un hôpital à moins d'être malade. Or, aux dernières nouvelles, Gilberte n'était pas malade et le petit Germain non plus.

— Sinon, Gilberte nous l'aurait écrit, avait-il rétorqué sur un ton boudeur.

Après deux tentatives infructueuses pour expliquer

la situation, Victoire avait signifié à Lionel, d'un regard impératif, qu'il ne servait à rien d'insister. Célestin verrait bien par lui-même de quoi il retournait quand il serait sur place.

Ce qu'il fit en écarquillant les yeux quand il comprit que Lionel arrêtait sa calèche dans la cour d'un immense bâtiment de pierres grises qui, quelle coïncidence ! avait justement des allures d'hôpital, du moins comme ceux que Célestin avait déjà observés sur certaines images dans le journal de la ville que son frère Antonin apportait parfois à Prudence.

— Quelle bonne idée, s'était-elle exclamée, la première fois qu'Antonin lui avait tendu un quotidien venu de Québec. Comme j'ai déjà habité en ville, ça va me faire plaisir d'en avoir des nouvelles de temps en temps.

Ce fut ainsi que l'habitude de voir traîner un journal dans la maison de Matthieu Bouchard avait commencé.

Célestin regarda autour de lui, curieux, tandis que Julien, en vieil habitué de l'endroit, sautait déjà en bas de la calèche.

L'endroit était plutôt joli, Célestin en convint sans hésitation. Il savait apprécier un beau paysage et l'air sentait bon.

Célestin détourna la tête. Entre deux maisons, plus loin sur la rue, il apercevait le fleuve qui scintillait sous le soleil d'automne et de gros arbres en ombrelle dessinaient des ombres mouvantes sur un grand jardin à moitié dépouillé de ses légumes, juste devant lui au bout de la cour. N'empêche qu'en se retournant,

Célestin tombait nez à nez avec une bâtisse plutôt terne qui n'avait rien de bien accueillant et cela le fit se renfrogner de plus belle. Gilberte ne pouvait habiter une telle demeure avec plaisir.

— C'est là ? demanda-t-il, sceptique, tout en cherchant Lionel des yeux.

— C'est là !

Réponse laconique qui fit soupirer Célestin de plus belle.

À son tour, Lionel avait sauté en bas de la calèche et il tendait la main à Victoire pour qu'elle puisse le rejoindre.

— Viens, Célestin ! On va passer par la porte de côté.

À bout de ressources verbales, Célestin se leva pour descendre de la calèche et suivre son frère, mais c'était uniquement parce qu'il avait terriblement envie de voir Gilberte et que, visiblement, ça serait ici que tout allait se passer. Mais s'il suivit Lionel et Victoire, il le fit en se traînant les pieds, comme toujours lorsqu'il était déçu ou décontenancé, et un nuage de poussière brunâtre l'accompagna jusqu'à la porte.

N'empêche que la plus décontenancée des deux fut Gilberte.

Elle était à la cuisine en train d'aider quelques religieuses à la préparation des repas du midi qui ne tarderaient pas à être servis.

Son premier réflexe fut de sourire de plaisir quand elle reconnut la voix de Lionel qui l'interpellait depuis la porte. C'était toujours un moment de grâce pour elle quand Lionel et Victoire lui rendaient visite.

De plus, étant donné l'heure où ils arrivaient, probablement qu'il y aurait un pique-nique au programme ! Le petit Germain serait fou de joie, lui qui s'extasiait pour un oui et pour un non et qui adorait son oncle Lionel !

C'est donc toute souriante que Gilberte se retourna vers son frère et sa belle-sœur en repoussant sa chaise pour se relever.

C'est alors que Gilberte aperçut Célestin. Son sourire fondit aussitôt et elle laissa tomber le petit couteau qu'elle tenait à la main pour la plaquer aussitôt contre sa bouche comme si elle voulait retenir un cri.

Un regard sur son frère, un seul, et Gilberte avait pris conscience à quel point, en cinq ans, elle s'était ennuyée de sa famille, ennuyée de tous ses frères et sœurs qu'elle avait élevés même si elle n'était guère plus âgée qu'eux. Indéniablement, ils étaient sa famille, le seraient toujours et, d'une certaine façon, ils étaient aussi les enfants qu'elle n'avait jamais eus et qu'elle n'aurait probablement jamais, surtout en vivant ici, enfermée, cloîtrée comme une nonne !

« Loin du monde et de ses tentations », comme elle y songeait parfois avec une pointe d'amertume ironique brouillant la logique habituelle de ses pensées.

Ce fut plus fort qu'elle et Gilberte jeta un rapide coup d'œil tout autour d'elle.

La pièce était grise et sombre, à l'image de la petite chambre qu'elle occupait chaque nuit, des couloirs qu'elle longeait jour après jour, des salles communes qu'elle nettoyait du matin au soir quand elle n'était pas avec Germain.

Gilberte ferma les yeux une fraction de seconde, le temps de se demander ce qu'elle faisait là au lieu d'être avec les siens. L'immensité du sacrifice consenti durant toutes ces années pesa de tout son poids sur ses épaules qui se courbèrent involontairement tandis qu'elle s'était mise à fixer Célestin, les yeux écarquillés.

C'est alors que le nom de Germain revint, s'imposant bien au-dessus de la farandole de ses pensées sombres et négatives, les balayant à grands coups de tendresse et d'amour.

Y aurait-il eu une autre solution pour préserver à la fois la chèvre et le chou ? Pour aider le petit Germain tout en permettant à Marie d'être heureuse ?

Gilberte y avait longuement pensé durant les nuits et les semaines qui avaient suivi cette décision prise sur un coup de tête sans jamais arriver à trouver une réponse concluante, définitive.

Puis le tourbillon du quotidien l'avait emportée et quand venait l'heure du repos, elle était désormais trop épuisée pour prendre le temps de réfléchir.

C'est ainsi que les années avaient passé.

Ce fut le jour où elle avait reçu la carte d'invitation pour le mariage d'Antonin que Gilberte avait repensé sérieusement à la vie qu'elle menait.

Était-ce là ce qu'elle attendait de l'existence ? Une routine implacable entrecoupée, à l'occasion, de quelques visites trop courtes ?

Pas vraiment.

Aurait-elle pu trouver autre chose ?

Peut-être bien.

Même si à tous égards, c'était son beau-frère Romuald qui avait enclenché le processus en lui confiant le petit Germain, la rendant en quelque sorte responsable de son destin, Gilberte n'était pas heureuse.

— Je te confie mon fils et tes décisions seront les miennes, avait-il affirmé quand Gilberte avait quitté la chambre où sa sœur Marie dormait après la naissance de Germain.

Gilberte s'en souviendrait toujours : elle avait quitté la pièce comme une voleuse, le nouveau-né pressé contre sa poitrine comme un gredin cache contre lui le butin dérobé et tout le reste avait découlé des quelques mots de Romuald. La traversée vers la Pointe, la rencontre avec Lionel, son diagnostic, la décision qu'elle avait prise, la réclusion ou presque…

Puis, plusieurs années plus tard, il y avait eu la carte d'invitation.

Gilberte gardait une image très précise du matin où elle avait reçu cette carte. Elle était restée immobile durant de longues minutes, la carte d'invitation maladroitement dessinée par Célestin tenue du bout des doigts et de grosses larmes soulignaient les creux de son visage étroit et anguleux.

Si sa vie avait pu être tout autre, et de cela Gilberte n'était pas du tout convaincue, il était certain qu'aujourd'hui, il était trop tard pour en changer.

Revenir à la maison pour les noces d'Antonin était donc impossible.

À cause de Marie.

Depuis qu'elle vivait ici, Gilberte ne lui avait jamais écrit, ignorant les mots à dire et la façon de les dire. Seul Romuald envoyait une lettre qui ne demandait aucune réponse et un peu d'argent chaque année, lors de l'anniversaire de Germain, argent que Gilberte mettait scrupuleusement de côté. Sait-on jamais ce que l'avenir pouvait leur réserver ! Alors, à ses yeux, l'éventualité de se retrouver face à face avec Marie était impensable. Si elle ou Romuald avaient voulu avoir des nouvelles de Germain, ils l'auraient fait savoir, non ?

Alors, dans de telles circonstances, Gilberte aurait-elle pu changer quoi que ce soit à ses décisions ?

Aujourd'hui, elle savait que non, et sachant cela, le sacrifice n'en était plus vraiment un.

Puis, brusquement, elle s'inquiéta.

— Toujours ben pas un malheur, murmura-t-elle d'une voix étranglée, son regard passant convulsivement de Lionel à Célestin.

Pourtant, tout le monde semblait détendu.

— Bien au contraire, confirma aussitôt Lionel. Viens Célestin, approche un peu et dis à Gilberte pourquoi tu es ici.

Célestin n'eut pas le temps d'ouvrir la bouche que Gilberte, maintenant rassurée, se précipitait vers lui en s'essuyant les mains sur son tablier.

— Mon sacripant, toi ! Viens ici que je t'embrasse !

Célestin détestait les poignées de main, les embrassades, les étreintes en tous genres. De tous les gens qu'il côtoyait, il n'acceptait les accolades que de son frère Antonin.

Et de Gilberte aussi, bien entendu. Comment avait-il pu l'oublier ?

Maintenant que sa sœur le serrait tout contre elle, Célestin se le rappelait fort bien: Gilberte avait beau être minuscule, auprès d'elle Célestin redevenait tout petit et il aimait ça. « Pas mal ça ! » aurait-il dit en toute candeur.

Durant quelques instants, il ferma les yeux sur cette sensation toute simple de bonheur à saveur d'enfance qui venait subitement de l'envahir et il poussa un long soupir de contentement. Tout d'un coup, il n'était plus du tout intimidé. Ni par la pièce pas très accueillante, ni par les deux religieuses qui l'avaient dévisagé intensément quand il était entré, ni par rien du tout.

Gilberte était là, à côté de lui, et c'est tout ce qui comptait.

Jusqu'à ce qu'il repense à ce qui l'avait amené jusqu'ici. Il ouvrit alors précipitamment les yeux.

— Gilberte, lança-t-il en se dégageant de l'étreinte de sa sœur, faut que je te parle. C'est ben important.

Gilberte glissa un regard amusé vers Victoire et Lionel, puis elle revint à Célestin qui avait pris sa mine grave, celle des moments sérieux, les sourcils tellement froncés qu'ils recouvraient pratiquement ses yeux.

À peine quelques mots, quelques instants d'une intensité peu commune, et Gilberte reconnaissait les manies et les usages de ce petit frère peu banal qu'elle avait appris à aimer comme un fils. Elle en fut tout de suite émue.

— Vas-y, mon Célestin, encouragea-t-elle d'une voix douce. Je t'écoute.

— C'est Mamie.

— Qu'est-ce qu'elle a, Mamie ? Elle est malade ?

À ces mots, Célestin poussa un soupir d'exaspération en tapant du pied.

— Ben non, voyons ! C'est quoi votre idée à tout le monde ici de penser que Mamie est malade ? Elle est pas malade, Mamie, elle va avoir cent ans !

— Cent ans ?

— Ben oui, cent ans ! C'est pas croyable, hein ?

— C'est vrai que c'est difficile à croire, approuva Gilberte en souriant.

De toute évidence, Célestin était fier de l'effet de surprise qu'il avait provoqué. Son visage un peu rougeaud avait retrouvé toute sa sérénité.

— Ben c'est ça ! lança-t-il vivement, comme s'il avait peur d'oublier certains mots s'il prenait tout son temps. Prudence a cherché ben comme faut pour savoir la vérité, pis c'est vrai : Mamie va avoir cent ans. Ça fait qu'il faut que tu viennes chez nous ! Pour fêter la fête à Mamie.

— Oh !

Pour une seconde fois en quelques instants à peine, Célestin inspira bruyamment en tapant du pied, signe que son calme apparent était mis à mal. Il avait les narines dilatées, toutes gonflées d'impatience.

— Je te vois venir avec ton « oh ! », lâcha-t-il en

braquant les yeux sur sa sœur. Quand tu dis ça, Gilberte, c'est que tu vas dire non. C'est toujours comme ça quand tu vas dire non à quelque chose. Ça, tu vois, je l'avais pas oublié. Pas pantoute! Pis ça me fait pas plaisir de t'entendre dire ça.

— Ah oui? Je suis comme ça, moi? demanda candidement Gilberte pour retarder le moment où, en effet, elle serait obligée de dire non.

— Ben oui. Essaye pas de faire ta maligne avec moi, Gilberte, ta fin finaude, comme tu dis des fois. Je te connais, tu sais. Pis moi, je veux pas que tu dises non. C'est pour ça que Clovis m'a amené sur son bateau.

— Clovis maintenant…

— Ouais, Clovis… Comment c'est que tu veux que je vienne jusqu'ici? Toujours ben pas en nageant. Non monsieur! Ici, c'est ben trop loin de l'Anse pis quand les pommes sont arrivées dans les arbres, l'eau est trop froide pour se baigner. C'est Prudence qui le dit. Mais c'est pas ça l'important. C'est la fête à Mamie qui est l'important.

— D'accord avec toi, Célestin. La fête de Mamie est très importante. Mais je vois pas comment je pourrais laisser Germain tout seul ici pour aller…

— Non, Gilberte! coupa Célestin avec une certaine brusquerie dans la voix, ses larges mains s'ouvrant et se fermant spasmodiquement le long de ses cuisses. T'as pas le droit de dire non. Pas devant ma face comme ça.

Les yeux de Célestin étaient tout brillants des larmes qu'il tentait bien maladroitement de retenir. Il n'avait toujours pas fait tout ce chemin-là, toutes ces démarches-là, pour retourner chez lui bredouille.

Et que deviendrait son cadeau pour Mamie si Gilberte s'obstinait à dire non ?

— Tu peux pas dire non, Gilberte, implora-t-il, alors. Personne peut dire non comme ça, drette dans la face du monde. C'est pour ça que je t'ai pas faite de carte d'invitation. Pour que t'ayes pas la chance de dire non comme tu l'as faite pour le mariage d'Antonin en écrivant des mots sur un papier.

— C'est pas que je voulais dire non, Célestin! Surtout pour le mariage d'Antonin. Comprends-moi bien. C'est juste que j'avais pas le choix.

— C'est pas vrai, ça! Je te crois pas. Le petit Germain est pas si petit que tu l'as écrit sur ton papier. Ça se peut pas. Même s'il grandit pas aussi vite que notre avoine, comme Antonin l'a expliqué, ça fait quand même longtemps qu'il est né. Il doit sûrement avoir grandi plus qu'un peu, parce que ça fait ben des étés que t'es partie avec lui. Ça fait que le petit Germain, il est pas si petit que ça, pis c'est pas une vraie raison pour dire non. C'est ça que je pense, moi, pis personne va changer mon idée. Non monsieur!

Déconcertée par une si longue envolée de la part de Célestin, Gilberte jeta un regard interdit à Lionel. Il savait, lui, la véritable raison qui la retenait ici, peut-être pourrait-il l'expliquer à leur jeune frère ? Comme il ne répondait pas, lui aussi visiblement embarrassé, Gilberte se tourna alors vers Victoire qui saisit tout de suite son appel à l'aide.

— Et si nous parlions de tout ça en mangeant ? proposa-t-elle en glissant un certain entrain dans sa voix. As-tu oublié, Célestin, qu'un bon pique-nique nous attend dans la calèche ? Regarde Julien ! Il fait le pied de grue sur le bord de la porte ! Je crois qu'il a faim et qu'il s'impatiente.

Le regard de Célestin avait suivi les paroles de Victoire et il fixa le jeune Julien durant un instant. Malheureusement, voir son jeune neveu lui faire une grimace polissonne ne fut pas suffisant pour engendrer un rire. Ni même un sourire.

— Ben moi, j'ai pas faim, soupira-t-il en se détournant. Pis ça me tente plus tellement de faire un pique-nique. C'est quand on est content qu'on fait un pique-nique. Pis là, je suis pas vraiment content.

— Bien moi, je connais quelqu'un qui adore les pique-niques pis je m'en vas le chercher tout de suite, s'entêta Gilberte sans tenir compte des derniers propos de Célestin.

Pas question pour elle de priver Germain de cette petite douceur, lui qui en avait si peu. Ce serait à Célestin de plier.

— En plus, il fait vraiment beau, poursuivit-elle en revenant sur ses pas pour ramasser le couteau tombé et le déposer sur la table. C'est peut-être la dernière chance qu'on a de manger sur l'herbe. Si vous êtes d'adon, ça serait ben agréable de s'installer dans le verger de monsieur Gamache. Il demeure dans le rang Saint-Antoine pis de chez eux, on voit le fleuve pis l'Isle-aux-Coudres. C'est ben beau.

Le temps d'une discussion et elle avait renoué avec d'anciennes habitudes. Mettre Célestin devant un fait accompli était une façon d'agir qui avait souvent fait ses preuves. Même s'il était lent, Célestin comprenait la logique de certaines choses sans difficulté.

— Comme Germain est le plus jeune ici, conclut-elle en se tournant vers son frère, je pense ben que c'est lui qui devrait décider si on va en pique-nique ou pas. Es-tu d'accord avec ça, Célestin ?

Le grand gaillard se dandina un instant.

— Ouais... si on veut.

— Parfait ! Attendez-moi ici, tout le monde, je reviens dans quelques minutes.

Et sans plus attendre, Gilberte quitta la cuisine d'un pas résolu.

Quand elle revint, quelques minutes plus tard, un petit garçon trottinait à ses côtés et ce fut au tour de Célestin de tourner un regard interloqué vers Lionel puis, après, vers Victoire.

Pourquoi n'avaient-ils rien dit ?

Décontenancé par la surprise, Célestin revint à Gilberte et au petit Germain qui se tenaient ensemble dans l'embrasure de la porte.

Effectivement, le petit Germain, comme s'entêtait à l'écrire Gilberte, était encore petit, bien plus que tout ce que Célestin s'était imaginé.

De plus, il avait les jambes torses et le bambin semblait avoir de la difficulté à garder son équilibre. Célestin se dit que c'était probablement pour ça qu'il s'agrippait ainsi à la main de Gilberte. À bien regarder, la main aussi avait une allure déconcertante, avec ses doigts tout petits et ronds, écartés les uns des autres comme lorsque lui-même devait compter.

Tout à coup, Célestin se sentit mal à l'aise devant cet enfant particulier qui le dévisageait, bien à l'abri derrière un pan de la jupe de Gilberte. Avec son visage aplati, comme jamais Célestin n'avait eu l'occasion d'en voir un, le petit Germain n'était pas très beau non plus. Moins beau en tous cas que tous les autres enfants de l'Anse, ceux que Célestin connaissait et côtoyait régulièrement puisque c'était lui, maintenant, qui faisait les courses au village, quand Prudence en avait besoin.

C'était donc pour ça que Gilberte vivait dans un hôpital ? Parce que le petit Germain avait une maladie en plus d'être un idiot ? Parce qu'il fallait sûrement être malade pour avoir les jambes tellement tordues que ça paraissait même sous un pantalon et un visage aussi différent du sien.

Célestin se tourna alors vers Lionel.

— Pourquoi tu l'as pas dit, qu'être idiot c'était une maladie ? demanda-t-il d'une voix hésitante, sans savoir s'il était triste à pleurer ou en colère parce qu'il avait l'impression qu'on s'était moqué de lui. C'est pas fin d'avoir rien dit, Lionel. Ça fait comme une mauvaise nouvelle pis moi, j'aime pas ça, les mauvaises nouvelles.

— Je n'ai rien voulu te cacher, Célestin. Pour nous, expliqua Lionel en pointant sa poitrine avant de montrer du doigt Victoire et Julien, Germain est comme il est. Il est né comme ça et on l'aime comme ça. Je… je m'excuse, mais je ne pensais pas que ça serait une mauvaise nouvelle pour toi, puisque ce n'est pas une mauvaise chose pour nous.

— Ah non ?

À défaut d'une chaise berçante pour soutenir sa pensée, Célestin s'était mis à se balancer sur place, portant lourdement son poids d'un pied à l'autre.

— C'est pas une mauvaise chose d'être comme Germain ?

— Non. Même que ce petit garçon-là dépasse, et de loin, tout ce que moi j'avais prédit pour lui.

— Pourquoi d'abord, il vit dans un hôpital ? Je comprends pas.

— Parce que c'est ici que Gilberte a trouvé une maison pour lui et pour elle. Et comme Germain n'aime pas vraiment le changement, elle a…

— Ben ça, je comprends, interrompit Célestin en fixant Germain qui était toujours agrippé à la main de Gilberte. Moi non plus, j'aime pas ça quand les choses changent… Ça me fait un peu peur. Comme quand Antonin a dit qu'il avait une amoureuse.

— Tu vois !

— Ben non ! Je vois rien… sauf que Germain est pas comme les autres enfants que je connais, pis je sais pas si…

Célestin n'eut pas le temps de compléter sa pensée que Germain lâchait la main de Gilberte. D'une démarche mal assurée, semblable à celle des canards quand ils sortaient de la mare derrière chez lui, il se précipita vers Célestin et, d'un élan, comme s'il avait peur de tomber, le petit garçon entoura sa cuisse de ses deux bras avant de lever vers lui un sourire radieux.

Interdit, Célestin n'osa bouger. En fait, c'est tout juste s'il osait respirer.

C'était la première fois qu'un enfant venait à lui aussi spontanément, venait à lui, tout simplement.

D'habitude, Célestin Bouchard faisait peur aux enfants de l'Anse avec sa voix un peu rauque, sa stature imposante et ses mains aussi larges que le fléau qu'on employait encore parfois pour battre le grain. Même que certaines mères sans scrupule brandissaient son nom comme un épouvantail malfaisant quand la marmaille était trop agitée.

Pourtant, lui, Célestin Bouchard, il aimait bien les enfants et jamais il n'aurait eu l'idée de leur faire du mal.

C'est pourquoi, malgré l'intimité du geste de Germain qui entourait sa cuisse de ses deux bras, Célestin ne bougeait pas.

Par contre, il leva les yeux vers Gilberte qui perçut aussitôt un reflet de panique dans son regard.

— Pourquoi il fait ça, le petit Germain ? demanda Célestin d'une voix apeurée. Je le connais pas vraiment, moi. Non monsieur, je le connais pas !

— Je sais, Célestin. Et je sais aussi que t'aimes pas vraiment ça qu'on soye trop proche de toi, qu'on te touche.

— Tu t'en rappelles ?

— C'est sûr que je m'en rappelle. Mais Germain, lui, il le sait pas.

— Ouais… C'est vrai…

Célestin jeta un regard inquisiteur teinté d'appréhension sur le gamin qui se cramponnait à lui.

— On se connaît pas, lui pis moi, ça c'est pas mal vrai, marmonna-t-il. Mais ça me dit pas pourquoi il fait ça, par exemple !

— C'est sa façon à lui de dire qu'il t'aime.

— Ah ouais ?

Le regard de Célestin se promena de Gilberte à Germain, puis encore à Gilberte qui ajouta d'une voix très douce, émue :

— Je vis avec Germain depuis qu'il est au monde, tu sais, et si je dis qu'il t'aime, c'est que c'est vrai. Tu dois pas en douter, mon Célestin. Quand Germain va voir quelqu'un comme il fait maintenant avec toi, c'est parce qu'il l'aime. Et ça lui arrive vraiment pas souvent.

— Le petit Germain m'aime ?

La voix de Célestin était empreinte de doute mais aussi d'une grande attente. Cela n'arrivait pas souvent que quelqu'un lui dise l'aimer. Pourtant, Célestin l'avait toujours espéré, d'autant plus maintenant qu'Antonin était amoureux et avait quitté la maison. Depuis le jour des noces, plus personne ne lui disait « je t'aime ».

S'il y avait quelqu'un de sensible à ce genre d'émotion, c'était bien Gilberte, elle qui vivait sa solitude avec beaucoup de mélancolie par moments. Alors, quand elle poursuivit, sa voix n'avait rien perdu de sa douceur et un trémolo se glissa dans ses mots.

— Oui, c'est sûr que Germain t'aime beaucoup, expliqua-t-elle encore une fois, après une longue inspiration. Parce que sinon, il resterait tout près de moi et il pourrait même se mettre à crier si tu t'approchais trop de lui.

— Eh ben…

La voix de Célestin, habituellement fort grave, parut presque éthérée, comme si elle venait de très loin.

— Alors ? demanda Gilberte toujours sur le même ton, ne voulant surtout pas brusquer son frère. Qu'est-ce que tu dirais de partir pour le pique-nique, maintenant ?

Célestin ne répondit pas. Il était trop difficile d'avoir deux choses en tête en même temps et, pour l'instant, ce grand gaillard de six pieds trois pouces et deux cent quarante livres n'avait d'yeux que pour ce petit enfant qui s'était curieusement agrippé à lui. Il le dévisagea longtemps, très longtemps et, lentement, dans un léger tremblement, il esquissa un sourire à son tour. Subitement, il avait l'impression d'être immense à côté de son jeune neveu et cette sensation le laissait médusé, même s'il la trouvait curieusement confortable.

Célestin prit une profonde inspiration, comme s'il venait de réaliser un bon coup !

Pour la première fois de sa vie, à l'exception des quelques incidents qui l'avaient amené à défendre Antonin quand ils étaient plus jeunes, Célestin avait la certitude qu'ici aussi, il y avait peut-être quelqu'un à protéger parce que, en ce moment, dans la cuisine trop sombre d'un hôpital pas très beau, ce n'était plus lui l'enfant. Il n'était plus celui à qui l'on disait que l'heure d'aller au lit était venue, de ne pas oublier d'enlever ses chaussures quand il revenait des champs ou de changer de vêtements parce que ceux qu'il portait étaient franchement trop sales.

Non, ici, en ce moment, c'était lui, Célestin Bouchard, qui était le plus grand, le plus fort, et, comble de stupeur, il sentait même son cœur battre la chamade quand il regardait le petit Germain qui n'avait toujours pas cessé de lui sourire.

Tout doucement, peut-être parce qu'il sentait la fragilité du petit garçon agrippé à son pantalon, Célestin posa sa grosse main sur sa tête et, maladroitement, du geste de celui qui n'en a pas l'habitude, il ébouriffa les cheveux blonds, un peu filasse.

— Il est gentil le petit Germain, dit-il finalement en reportant les yeux sur Gilberte. Lui, il me fait pas peur. Non monsieur ! Je pense même que moi aussi, je l'aime beaucoup… Ouais, beaucoup.

En disant cela, Célestin regarda l'enfant avant de revenir à Gilberte.

— Je pense aussi que je commence à avoir faim, pas mal faim, même. Alors ? On y va-tu en pique-nique, oui ou non ?

CHAPITRE 7

Un mois plus tard, au village de Pointe-à-la-Truite, dans la forge de James O'Connor, en octobre 1919

Même s'il était normal que les saisons se suivent inexorablement, depuis quelques années, malheureusement, elles commençaient à se ressembler un peu trop. Du moins au goût de James, car la clientèle se faisait de plus en plus rare et ce qui avait semblé une bonne affaire au moment de l'achat, quelque seize ans auparavant, ressemblait de plus en plus à un boulet à la cheville dont il ne pourrait plus se débarrasser.

Pire ! Il ne pourrait même pas laisser la forge en héritage à son fils, même si ce dernier montrait un intérêt certain pour le travail du fer.

Une vraie catastrophe, cet achat !

Voilà ce que James O'Connor pensait de la forge depuis ces derniers mois. L'été s'était terminé et l'automne avait montré ses premières feuilles d'or et de cuivre sans que James ne change sa perception des choses. Si les touristes avaient repris leurs bonnes habitudes et se présentaient à la Pointe de plus en plus nombreux depuis la fin de la guerre, surtout maintenant que l'épidémie de grippe n'était plus qu'un mauvais moment que tous voulaient oublier, sans être au bord de la faillite, la forge faisait tout juste ses frais, leur permettant, à James et sa famille, de vivre à peine décemment. Comment, alors, voir l'avenir avec optimisme ?

— C'est pas des farces, le nouveau garage de La Malbaie attire déjà plus de monde que ma forge, avait-il expliqué récemment à Lysbeth qui, lasse de voir son mari se morfondre, l'avait pressé de questions. Quand j'entends que les autos sont là pour rester, j'ai bien l'impression que ça pourrait être vrai, malgré tout ce qu'on a pu en penser à leur apparition. C'est rien pour aider nos affaires et c'est pas comme ça que notre fils va pouvoir penser à fonder une famille.

— Et à son âge, ça serait normal d'y penser, avait laissé échapper Lysbeth bien malgré elle et sur un ton un peu sec.

À ces mots, James avait jeté un regard noir à sa femme. Lui aussi, il y pensait. Son fils John, que plus personne n'appelait Johnny Boy sauf Lysbeth et lui, parfois, dans l'intimité de leur foyer, courtisait une jeune fille du village depuis quelques années déjà. Une gentille fille qui, cela va sans dire, serait un jour une bonne épouse pour lui. Mais comment songer à s'établir dans la vie quand la forge, de toute évidence, ne suffirait pas à faire vivre deux familles ? Une bouche de plus à nourrir, avant que ça ne devienne deux ou trois, et ce serait problématique.

En effet, cet été, certains touristes de Québec étaient

venus jusqu'ici en voiture et le besoin en essence, en réparation de pneus, en changements de courroies était plus pressant que celui d'un fer à cheval que l'on devait remplacer ou celui de la remise en état d'une calèche ! Quant aux Américains et aux Canadiens plus éloignés, ils venaient toujours par bateau et les moyens de transport terrestre ne les intéressaient pas, sauf pour louer les services d'un chauffeur qui, eux aussi, optaient de plus en plus pour les automobiles.

— Ça attire la clientèle, la chance de se déplacer en auto !

D'où le visible ralentissement du travail à la forge.

C'est ainsi que James, n'ayant jamais vraiment aimé le froid et l'hiver, se surprenait à attendre la fin de l'automne avec impatience. Avec la neige, les carrioles ressortiraient inévitablement des hangars ou du fond des granges, parce que les routes enneigées ne permettaient pas le passage des automobiles, et qui disait carriole, disait aussi patins à limer, à réparer, à solidifier et chevaux à ferrer. La forge reprendrait peut-être du service de façon plus régulière, James pourrait ainsi espérer certains profits et par la suite permettre à son fils de poursuivre quelques études à Québec, question de se trouver un bon métier. Que pouvait-il lui offrir d'autre dans les circonstances actuelles ? Et c'était sans compter le petit Julien qui ne jurait que par la forge ! Comment lui dire de regarder ailleurs parce qu'il n'y avait plus d'avenir à travailler le fer ?

James poussa un soupir de découragement, n'ayant pas le cœur de faire le point avec qui que ce soit.

Si durant quelques années, James avait entretenu le rêve de voir son fils et Julien s'associer pour mener à bien les destinées de la forge, il n'y croyait plus du tout. Ça aurait été bien mal aimer ces deux garçons que de leur proposer de prendre sa relève.

Pourtant, Dieu lui était témoin qu'il en avait assez de travailler de l'aube au crépuscule sans répit, les heures d'attente à ne rien faire étant encore bien pires à supporter que celles mises à travailler réellement.

— Si au moins Lysbeth avait recouvré complètement la santé, murmura-t-il en finissant de ranger ses outils avant de regagner la maison, on pourrait penser à retourner en ville… Peut-être.

James regarda tout autour de lui, accablé, déçu de voir que ce projet auquel il tenait tant n'avait pas donné les résultats escomptés.

En effet, s'il avait choisi un jour de s'installer ici, c'était en grande partie pour Lysbeth qu'il l'avait fait, rempli d'espoir. Il l'avait fait aussi pour John, ne l'oublions pas, parce que le gamin qu'il était à cette époque-là avait appris à aimer la vie à la campagne.

Pourtant, à l'arrivée de Johnny Boy à la Pointe, rien ne laissait présager l'éventualité d'un tel changement.

— Le temps que mommy se remette, avait promis James à son fils, alors que le petit garçon était éperdu de chagrin de savoir sa mère malade et inquiet de se voir relégué si loin de leur maison et de tout ce qui était sa vie.

Le sachant, James avait alors ajouté, se voulant rassurant :

— Quelques semaines, pas plus !

Hélas, malgré la promesse et en dépit de toutes leurs attentes, le séjour s'était prolongé !

Mais comme on le dit : à quelque chose malheur est bon ! Ce fut ainsi qu'en quelques mois à peine, le jeune Johnny avait changé son fusil d'épaule. De nouveaux amis, Lionel, Albert et Victoire s'occupant de lui avec affection, avaient suffi ! Désormais, il ne jurait plus que par la campagne.

— Et tant pis pour les images qui bougent, avait-il fort sérieusement déclaré à James, faisant ainsi référence aux cinémas qui commençaient à apparaître dans les villes, au grand désespoir des curés qui y voyaient une occasion supplémentaire de péchés. On ira voir les p'tites vues quand ça adonnera. En attendant, ici aussi, tu sais, il y a plein de choses qui bougent.

Du bras, l'enfant avait alors montré le fleuve et le ballet incessant des bateaux. Puis, un peu plus tard ce même jour, il avait ajouté pour convaincre son père que la vie à la campagne avait aussi plein d'agréments :

— Ici, daddy, ça sent meilleur qu'à Montréal, avait-il souligné, alors que tous deux marchaient le long de l'avenue principale du village. Il n'y en a pas, des chats morts dans les ruelles !

Que dire de plus ? La décision de rester à la Pointe s'était prise ce jour-là.

Il avait fallu plus d'un an pour que Lysbeth soit déclarée en rémission et c'était bien parce qu'elle partait pour la campagne que le médecin avait accepté de la libérer du sanatorium où elle était hospitalisée. Une lettre du docteur Lionel Bouchard avait grandement aidé en ce sens.

Lysbeth avait eu des larmes de bonheur dans les yeux en apprenant la nouvelle de son départ pour Pointe-à-la-Truite; le jeune John avait poussé des cris de joie quand il avait compris qu'il resterait définitivement au village; et James avait troqué, un peu perplexe, un métier de débardeur qu'il aimait vraiment contre celui de forgeron et maréchal-ferrant qu'il ne connaissait pas.

Mais que n'aurait-il pas fait pour que sa famille soit à nouveau réunie? Et soyons francs: lors de son premier séjour à la Pointe, la forge d'Albert Lajoie avait fait renaître en lui quelques souvenirs de son enfance en Irlande, des souvenirs de sa famille disparue trop vite, autant d'images particulièrement heureuses. Alors, voyant le local mis en vente et s'imaginant en être l'unique propriétaire, cela l'avait aidé à faire germer l'idée de s'installer à la Pointe. Une idée somme toute plutôt séduisante!

Comme James était vif, costaud et que le travail ne lui avait jamais fait peur, en quelques mois à peine, il connaissait déjà pas mal de ficelles du métier. Peu de temps après, Albert Lajoie décédait et ce fut ainsi que James O'Connor avait définitivement pris sa place à titre de forgeron de Pointe-à-la-Truite.

Et sa place tout court dans le village, s'y faisant rapidement de bons amis.

N'empêche que c'est avec un pincement au cœur que James avait quitté ses compagnons de travail et autres amis de Montréal, tous ceux qu'il considérait comme étant sa famille, puisqu'il était orphelin depuis l'âge de cinq ans.

— Promis, je reviens vous voir régulièrement ! avait-il juré, au matin de son départ définitif, confiant à Donovan la vente de la maison de Lysbeth. Et vous pourrez nous rendre visite durant l'été ! C'est un très beau village, vous savez !

Malheureusement, les promesses de se revoir étaient restées lettre morte, personne n'ayant ni le temps ni l'argent pour entreprendre un tel voyage. Hormis un séjour éclair pour signer l'acte de vente de la maison chez un notaire, James n'était jamais retourné à la ville.

Plusieurs années plus tard, quand il avait appris le décès de Ruth, l'épouse de son grand ami Donovan, elle était déjà en terre depuis de nombreux mois, victime elle aussi de la grippe espagnole qui sévissait.

La déception de James, ce jour-là, avait été à la hauteur de son chagrin. À peine le temps de lire la lettre que, fébrile, il cherchait déjà son vieux sac de voyage.

Puis la sagesse et le bon sens avaient repris leur place. Même si James avait appris la nouvelle plus tôt, même s'il avait eu une fortune à sa disposition pour voyager rapidement, jamais il n'aurait pu se rendre à Montréal, car la grippe espagnole faisait toujours ravage, tuant les gens par centaines, chaque semaine.

James avait cependant pleuré le décès de Ruth comme on pleure la perte d'une grande sœur.

Puis la vie avait continué.

Aujourd'hui, même s'il ne regrettait rien, il lui arrivait de plus en plus souvent d'avoir la nostalgie d'une vie un peu plus trépidante, dans une métropole comme Montréal.

Il avait repris sa vieille habitude de dévorer le journal du samedi matin parce qu'il venait de la ville ; il rêvait de cinéma et de théâtre, comme on en trouvait en ville ; et il se demandait si la cuisine de la taverne de Joe Beef était toujours aussi bonne.

Mais que pouvait-il faire d'autre que ce qu'il faisait déjà ? Ne restait, en fait, qu'à travailler pour améliorer leur sort et espérer peut-être s'en sortir un jour.

Pourvu que la clientèle lui revienne avec une certaine fidélité, ce serait peut-être envisageable parce que, autrement, les économies qu'il avait réussi à accumuler du temps où il était débardeur au port de Montréal n'étaient plus que le vague souvenir d'une époque plus facile, celle où Lysbeth n'était pas encore malade. Quant à l'argent de la vente de la maison de cette dernière, un petit cottage situé à Griffintown dans l'ouest de l'île de Montréal, il avait servi jusqu'au dernier sou pour acheter la demeure d'Ernestine, la mère de Victoire, chez qui ils habitaient depuis quelques années au moment de son décès. En agissant ainsi, ils avaient évité bien des tracas car, en plus de Victoire, Ernestine avait laissé de nombreux fils, donc de nombreux héritiers.

Néanmoins, aujourd'hui, James se demandait s'ils avaient bien fait d'acheter cette maison. Depuis quelques mois, c'était cet éternel questionnement qui l'accompagnait, alors qu'il retournait chez lui à la fin de la journée. Un questionnement qui virait régulièrement au tourment à l'instant où il arrivait devant la vaste demeure.

James s'arrêta un moment avant de descendre la petite côte en gravier qui menait à la longue galerie ceinturant la maison.

Cette maison, bien qu'en excellent état, était beaucoup trop grande pour leurs modestes besoins à Lysbeth, John et lui. Et même si son fils s'y installait avec sa femme un jour, ça resterait trop grand.

Des familles de dix-huit enfants, il y en avait de moins en moins !

Pourquoi alors avoir acheté cette bâtisse et avoir ainsi dilapidé le bon argent qu'il leur restait encore à ce moment-là ?

James l'ignorait.

Avoir connu l'avenir, avoir su à quel point il s'assombrirait, il aurait plutôt envisagé une location à long terme, ce qui l'aurait mis à l'abri des tracasseries au moment du décès d'Ernestine, et maintenant, il serait plus libre.

En effet, si la santé de Lysbeth laissait toujours à désirer, nécessitant repos, bonne alimentation et grand air, James osait croire qu'ils pourraient tout de même envisager un déménagement.

Montréal ne serait peut-être pas la solution rêvée, d'accord, à cause de sa population de plus en plus dense et de la promiscuité qui y régnait, mais pourquoi pas Québec ? C'était une ville charmante, à entendre ceux qui la connaissaient et selon le souvenir que James en gardait. De plus, on y trouvait de vastes parcs et du grand air à revendre.

Exactement ce dont Lysbeth avait besoin.

C'était aussi une ville suffisamment importante pour que James s'y trouve un emploi. N'importe quoi, il n'était pas capricieux, et bien que l'âge l'ait rattrapé lui aussi, ses cheveux blancs comme neige en faisaient foi, il était toujours en excellente santé et il n'avait rien perdu de la force physique de ses jeunes années. Le marteau et l'enclume, même à petites doses, avaient fort bien entretenu ses muscles ! De toute façon, pour le bien-être de Lysbeth et l'avenir de John, James était prêt à bien des sacrifices et, à ses yeux, ces quelques sacrifices se résumaient à un certain nombre d'années supplémentaires à travailler comme un forcené. Ce qui, finalement, ne serait pas grand-chose s'il avait la chance de vivre tout ça en ville !

La ville !

James en rêvait, le jour comme la nuit ! Il alignait consciencieusement les raisons de partir et les projets envisageables, les envies de sortie et les perspectives de travail. Il s'amusait même parfois à tout mettre sur papier, s'apercevant, au bout du compte, qu'il n'aurait pas le choix de revenir à la case départ : pour rejoindre la ville, il devrait vendre ce qu'il avait ici.

Et qui, grands dieux, avait besoin aujourd'hui d'une maison aussi grande que la sienne et d'une forge qui faisait tout juste ses frais ?

Il y avait fort loin de la coupe aux lèvres, James en

était conscient, et tant qu'il serait propriétaire de la forge et de la maison, il n'aurait d'autre choix que de remiser ses aspirations et ses bouts de papier !

James reprit sa marche en direction de la maison, les yeux au sol et les épaules voûtées. Pourtant, lorsqu'il arriva devant la porte, il se redressa par habitude et tout aussi machinalement, il esquissa un sourire pour que Lysbeth ne se doute de rien. Partager avec elle le fait que les temps étaient difficiles, c'était une chose normale pour le couple uni qu'ils avaient toujours été. Savoir que lui-même en avait assez, qu'il se sentait prisonnier d'une situation qu'il avait malheureusement façonnée de ses propres mains, c'était tout autre chose.

Une autre chose qu'il n'était pas encore prêt à partager avec qui que ce soit.

Et il espérait sincèrement qu'il n'aurait jamais à le faire.

— Lysbeth ! Je suis de retour, lança-t-il comme il le faisait tous les soirs, secouant bruyamment ses pieds sur la catalogne de l'entrée… Ça sent pas mal bon, ici ! Qu'est-ce que tu nous as préparé pour souper ?

Ce que James ignorait, cependant, c'était que le jeune John en était arrivé au même point que son père. Il n'était pas aveugle, loin de là, et il était conscient que la forge rapportait de moins en moins, malgré l'affluence des touristes qui avait repris, surtout l'été dernier où ils avaient déambulé, nombreux, dans les rues du village. À entendre la mère Catherine, toujours au poste malgré son grand âge, la saison qui s'achevait avait été l'une des meilleures.

— C'est pas mêlant, j'ai jamais vu autant de monde en si peu de semaines ! Une vraie folie, ma parole !

Pourquoi, alors, en allait-il autrement pour la forge ?

Cela avait déclenché tout un processus de réflexion chez John. Mais contrairement à celle de James, la philosophie du jeune homme était faite d'optimisme : si les chevaux étaient appelés à disparaître, il fallait s'adapter !

Avait-il le choix ?

Le monde changeait, les habitudes aussi et il ne restait plus qu'à suivre la parade si on voulait survivre !

Par contre, et contrairement à son père, le jeune homme ne voyait pas la forge comme un boulet. Bien au contraire ! Il aimait y travailler et, tout comme James, il se plaisait dans l'atmosphère lourde et chaude qui y régnait. Il avait donc la ferme intention d'y gagner sa vie.

De surcroît, de fort bien y gagner sa vie.

Ainsi, le jour où John O'Connor se présenterait devant le père de Léontine pour demander sa main, et Dieu sait qu'il avait hâte, il le ferait la tête haute car il aurait l'assurance que leur famille en devenir ne manquerait jamais de rien.

Ce fut ainsi que l'idée germa, à regarder les touristes, à analyser leurs demandes parfois farfelues, à découvrir de toutes nouvelles habitudes.

C'est en les voyant passer tout droit devant la forge, sans s'arrêter, les bras chargés de couvertures de laine, de petites sculptures en bois, de courtepointes, de poteries colorées et quoi encore, que l'idée lui était venue.

Il l'avait attrapée au vol, analysée sous toutes ses coutures, décortiquée dans les moindres détails et finalement, il l'avait retenue.

Oui, John O'Connor avait sa petite idée sur la façon de rentabiliser la forge, mais pour cela, il lui fallait convaincre son père de lui laisser toute latitude durant l'hiver qui commencerait bientôt. Tout comme il l'avait fait à ses débuts, alors que Johnny Boy était trop jeune pour aider efficacement son père, James devrait voir au roulement de la forge tout seul. Pendant ce temps, et sans vraiment savoir s'il avait raison de penser de la sorte, John préparerait à sa façon la prochaine saison touristique.

Girouettes, ustensiles et objets de décoration... Les touristes semblaient vouloir à tout prix repartir avec des souvenirs ?

Alors, pourquoi pas des souvenirs en fer forgé ?

En attendant la prochaine saison touristique, John ne chômerait pas, loin de là. Il lui fallait une multitude d'objets à offrir, tous plus attirants les uns que les autres. Cependant, seul l'avenir pourrait répondre pertinemment à toutes les interrogations qui s'imposaient impitoyablement à lui et ainsi arriver à calmer les inquiétudes qui engendraient, trop souvent hélas, de longues nuits d'insomnie.

Oui, seul l'avenir pourrait dire si John avait passé des mois à travailler en vain ou s'il avait eu raison de croire en sa vision. S'il avait vu juste en fonçant droit devant, oubliant le passé et misant tout sur ce qui n'était pour l'instant qu'un simple mirage.

Par la suite, dans quelques années, si tout se passait comme John l'espérait, Julien pourrait enfin se joindre à lui et la forge deviendrait un incontournable pour tous les touristes de passage.

On en parlerait jusqu'en ville, rien de moins!

De Québec à Montréal, en faisant un détour par New York, Boston, Providence, tous les touristes de passage voudraient venir à la forge de Pointe-à-la-Truite!

Voilà ce dont discutaient James et Julien quand l'occasion se présentait et qu'ils étaient seuls tous les deux.

En effet, malgré la différence d'âge entre l'homme et le jeune garçon, soit plus de quinze ans, il leur arrivait souvent de discuter de l'avenir, la forge que James avait achetée étant le lien qui les unissait depuis tant d'années. Puisqu'elle avait déjà appartenu au premier mari de Victoire, c'est à ce titre que Julien se sentait concerné. Mais aussi et surtout parce qu'il aimait beaucoup l'endroit.

Voilà pourquoi Julien espérait s'associer à John.

Bien sûr, à onze ans, il avait encore le temps de changer d'idée. N'empêche qu'il y croyait, à cette association, et la vision qu'il avait de son avenir passait nécessairement par celui de John O'Connor.

Dans un premier temps, bien sûr, John devait faire la preuve que la forge était là pour rester. Ce serait important aux yeux des parents de Julien. Victoire et Lionel n'entendaient pas à rire quand la discussion des études de Julien se retrouvait sur le tapis. Les rendements de la forge seraient même de la toute première importance, si Julien voulait que ses parents prêtent une oreille attentive à ses projets, car tous les deux, ils tenaient mordicus à ce que leur fils fasse de grandes études.

Ce qui, en contrepartie, le laissait assez froid, il faut l'avouer.

Par contre, une fois le sort de la forge scellé dans des perspectives intéressantes, et Julien croyait fermement que ce jour-là finirait par arriver et peut-être plus vite qu'on l'espérait, il devrait pouvoir joindre ses efforts à ceux de John sans trop de problèmes. Mis devant le fait, ses parents accepteraient probablement qu'il laisse tomber les études car, à leurs yeux, et ils l'avaient souvent répété: dans la vie, il était important, voire essentiel, de faire un métier qui nous plaisait.

Et ce qui plaisait à Julien, c'était justement la forge!

CHAPITRE 8

Quelques mois plus tard, sur la Côte-du-Sud, chez les Bouchard, en mars 1922

Mamie s'était éteinte deux ans après la célébration de son centenaire, événement de grande magnificence, s'il en fut un dans les annales de l'Anse-aux-Morilles. Une journée d'exception, aux dires de tous, où la vieille dame, tout en beauté dans sa robe bordeaux des grandes occasions, avait rayonné comme une reine au milieu de tous ses sujets.

Un soleil digne de l'été, une brise rappelant le printemps et le flamboiement d'une journée d'automne remarquable avaient tissé la trame de cette occasion mémorable où le village au grand complet s'était égaillé sous les pommiers lourds de fruits bien rouges, comme des sapins décorés à l'avance.

En effet, au grand dam de Matthieu, d'une presque parenté à un voisin trop proche pour être mis à l'écart, d'une connaissance de longue date à un arrière-petit-neveu qu'on ne doit pas oublier, la liste des invités s'était allongée jusqu'à couvrir deux feuilles de papier et, finalement, toutes les brebis de la paroisse du curé

Ferland, à l'exception de quelques rares personnes récemment établies dans la région, avaient fait les frais d'une tenue de circonstance pour venir célébrer les cent ans de Mamie dans le verger des Bouchard du troisième rang.

— Te rends-tu compte, Prudence ? s'était exclamé Matthieu, effaré et complètement dépassé par l'ampleur que prenait l'événement, te rends-tu compte qu'on va être pas mal plus que cent têtes de pipe à piétiner mon verger ?

Les yeux exorbités, il regardait les deux feuilles couvertes des noms soigneusement colligés par Prudence.

Cette dernière, qui s'y était faite petit à petit, et qui, avouons-le franchement, s'y attendait un peu, n'avait même pas tourné la tête vers lui pour rétorquer :

— Oui. Pis après ?

— Comment ça, pis après ? Ça a pas d'allure de penser de même ! C'est juste ça que j'ai à te répondre, ma pauvre femme. Comment c'est qu'on va faire astheure pour nourrir tout ce monde-là ? J'ai pas les moyens de…

— Arrête de t'inquiéter, tout est sous contrôle. Trouve-moi juste assez de planches pis de trépieds pour faire des tables de fortune pis je m'occupe de tout le reste.

— Tout le reste, tout le reste…

Dépassé par une situation qui n'aurait jamais dû déraper à ce point, choqué de voir que ses avertissements n'avaient servi à rien, Matthieu voulait au moins avoir le dernier mot dans cette conversation.

— Pis les chaises, elles ? avait-il demandé de cette voix grave un peu menaçante qui précédait habituellement ses colères. Qu'est-ce qu'on va faire pour assire tout le monde ?

— Chacun va apporter sa chaise.

— Ah ouais ?

Matthieu avait de la difficulté à se figurer que tout un chacun se promènerait le long des rangs avec une chaise sur le dos ou à imaginer une procession de charrettes bringuebalantes, transportant des gens debout à côté de leurs chaises de cuisine, mais bon, puisque Prudence le disait…

— Pis pour le manger ? avait-il répété, se croyant habile en faisant ainsi dévier la discussion. Comment tu vas réussir à…

— Tout le monde fait sa part, avait tranché Prudence sans même relever les yeux vers son mari.

Matthieu avait eu, à ce moment-là, la sensation fort désagréable que la situation était en train de lui échapper complètement, si jamais elle lui avait un tant soit peu appartenu.

— Pis s'il pleut ? avait-il ajouté dans un de ses rares éclairs d'imagination que seule l'impatience arrivait parfois à lui donner.

— On remet ça au lendemain, avait nonchalamment répliqué Prudence.

— Pis s'il pleut le lendemain ? s'était entêté Matthieu.

Cette fois, Prudence avait senti la moutarde lui monter au nez. Elle avait bien assez de voir à la gestion de cette réception gigantesque sans avoir en plus à négocier avec Matthieu qui n'y connaissait rien en matière d'organisation. Pour planifier le roulement d'une ferme, d'accord, on pouvait compter sur lui, mais pour le reste…

— On va s'installer dans la grande salle de l'école du village, avait-elle alors rétorqué sèchement.

Et, prévoyant la question suivante, elle avait ajouté sur le même ton:

— Pis c'est déjà arrangé avec les marguilliers pis les commissaires d'école, au cas où tu te poserais la question. Mais tu t'en fais pour rien, il pleuvra pas une goutte…

— On dit ça, ouais…

— Tout est sous contrôle, que je te dis. Maintenant, ouste, sors de ma cuisine, j'ai pas de temps à gaspiller en placotage inutile. Occupe-toi des tables pis moi, avec Marie, Hortense pis les jumelles, je m'occupe de tout le reste.

Quand Prudence prenait cette voix un peu trop haute, celle qui montait impatiemment dans les aigus, Matthieu savait pertinemment qu'il ne devait pas insister. Il avait donc quitté la cuisine sans demander son reste, en grommelant, et malheureux comme les pierres, car il voyait en pensée son petit pécule, son minuscule pécule d'économies, fondre comme neige au chaud soleil de mars.

Prudence avait beau dire, il était persuadé qu'il n'y échapperait pas: une bonne centaine de personnes, ça devait manger en s'il vous plaît!

Heureusement, ses inquiétudes furent tout à fait inutiles, car sa petite fortune resta bien à l'abri dans une poche d'avoine sous son matelas. En fait, ce fut Mamie elle-même qui délia les cordons de sa bourse, car, puisque la fête prenait une envergure hors du commun, elle avait été mise au courant de ce qui s'en venait.

— Je voudrais surtout pas que la pauvre vieille nous pique une crise d'apoplexie juste à voir tout le monde qui va être là. Aussi ben la prévenir, avait jugé Prudence qui trouvait que la vieille dame semblait de plus en plus fragile.

Ce fut ainsi que Mamie, une fois mise au fait de ce qui se préparait pour elle, avait décidé d'intervenir.

— Je le vois ben, chère, comment c'est que tu te démènes pour moi, avait-elle décrété, un matin que les deux femmes étaient seules à la cuisine. T'as pas en plus à faire les frais de cette fête-là ! C'est déjà ben assez fin d'avoir pensé à organiser quelque chose. Tiens prends ça, pis je veux pas d'ostination !

Mamie avait alors tendu son petit sac de velours noir, tout élimé, dans lequel elle gardait ce qu'elle appelait sa menue monnaie. Un petit sac que Prudence avait souvent vu, car il suivait la vieille dame un peu partout dans la poche de son tablier.

Émue, Prudence n'avait pu que tendre la main pour le recueillir avec un certain respect. Elle savait fort bien que Mamie y tenait comme à la prunelle de ses yeux.

— Merci.

Devant ce mot de gratitude, la presque centenaire

avait épousseté l'air devant elle du bout des doigts, comme si le fait de confier son précieux sac était là un geste banal, puis, elle avait précisé :

— Pis tu pourras le garder, mon p'tit sac ! J'en aurai plus besoin, chère !

Ce fut à ce moment-là que Prudence avait pris conscience à quel point Mamie était devenue une très vieille personne, et elle s'était rapidement détournée pour que celle-ci n'aperçoive pas les larmes qui perlaient à ses cils.

Rassuré par cette bonne intention qu'il qualifia de normale dans les circonstances, Matthieu avait donc accepté la fête avec un peu plus d'indulgence et finalement avec une certaine fierté quand il avait vu l'ambiance festive et détendue qui régnait chez lui en ce samedi idyllique et mémorable.

Parce que bien entendu, comme l'avait prédit Prudence, il faisait un temps splendide et tout ce beau monde s'était retrouvé chez lui ! À croire que sa deuxième épouse avait une connexion directe et personnelle avec le paradis !

En fait, ne manquaient à l'appel que Lionel et Gilberte.

Le premier, c'est à peine si on avait entendu son prénom. Prudence l'avait prononcé comme par inadvertance, mais avait aussitôt jugé plus sage de ne pas le répéter quand Matthieu avait levé les yeux vers elle.

Jamais colère n'avait été aussi visible sans qu'aucun mot ne soit prononcé.

Quant à Gilberte, sa réponse avait été amenée

jusqu'à la ferme par un Célestin déçu, certes, mais compréhensif et qui en avait long à raconter.

— C'est à cause de Germain, avait-il expliqué, après avoir narré par le menu détail le voyage qui l'avait mené depuis l'Anse-aux-Morilles jusqu'à Baie-Saint-Paul. C'est vrai que Germain est encore pas mal petit. Même que Gilberte a dit qu'il serait petit durant toute sa vie... Ouais, c'est de même qu'elle a dit ça: Germain va rester un p'tit garçon durant toute sa vie! C'est ça, sa maladie, à Germain, rester p'tit. Pis comme il va y avoir plein de monde pour la fête de Mamie, ça pourrait y faire peur, à Germain. Oui monsieur! C'est mieux qu'il vienne pas.

Par contre, quelques jours avant le fameux samedi, Mamie avait reçu une jolie carte faite par Gilberte où elle lui écrivait qu'elle serait présente en pensée et, en guise de présent, elle joignait à la missive une belle image de la Vierge Marie entourée de ses anges et tenant dans ses bras un Enfant Jésus tout joufflu.

— C'est ben assez pour me réjouir, avait souligné Mamie avec ferveur, tout en appliquant la carte et l'image sur son cœur. Pis j'ai jamais vu une belle image de même. Jamais! M'en vas la garder dans ma poche, tiens! Ça va me porter bonheur.

Était-ce grâce à cette image que Mamie avait eu le temps de célébrer ses cent deux ans et que, quelques jours plus tard, elle s'était éteinte durant son sommeil, tout doucement et sans la moindre souffrance? Prudence osa croire que oui et, malgré une tristesse de bon aloi, elle ne put s'empêcher de penser qu'à cet âge vénérable, la pauvre vieille dame n'avait plus grand-chose à attendre de la vie.

Comme Mamie l'avait elle-même répété à quelques reprises, ces derniers temps: ne manquait plus que la présence de son défunt mari pour que son bonheur soit complet.

— Surtout après une belle fête comme ça, n'avait-elle pas oublié de rajouter la dernière fois qu'elle en avait parlé, les yeux brillants de tous les souvenirs qu'elle en gardait, même deux ans plus tard. Après le jour de mes noces, cette fête-là a été le plus beau jour de ma vie, je pense ben. Pis ça, chère, c'est grâce à toi!

Le lendemain matin, surprise de voir que Mamie n'était pas déjà à la cuisine quand elle était descendue, Prudence s'était dirigée vers sa chambre située au pied de l'escalier. C'est là qu'elle avait trouvé la vieille dame, endormie pour toujours, l'image pieuse offerte par Gilberte glissée sous son oreiller.

Les funérailles avaient probablement attiré autant de gens qu'il y en avait eu à sa fête. Ce fut donc entourée de tous ceux qu'elle avait côtoyés et aimés tout au long de sa vie que celle que le curé Ferland s'était entêté à appeler Marie-Anna Cloutier tout au long du sermon avait rejoint sa dernière demeure. Comme l'automne se faisait proche parent de l'hiver au moment du décès, le cercueil avait été déposé dans le caveau du cimetière en attendant le printemps. Quand la terre serait de nouveau meuble, Mamie rejoindrait enfin son cher mari lors d'une brève cérémonie qui se déroulerait en toute intimité.

Elle avait bien vécu, elle avait été heureuse et la mort ne lui faisait pas peur, Mamie l'avait elle-même souligné à plusieurs reprises. Alors, au soir de ses funérailles, le repas n'avait pas été particulièrement larmoyant. Juste un peu triste. On se disait qu'en mai prochain, on aurait l'occasion de parler d'elle encore une fois.

Ce que les Bouchard ne savaient pas, par contre, c'est qu'au printemps suivant, ce serait quatre cercueils qu'ils mettraient en terre en même temps. Matthieu se verrait donc dans l'obligation d'acheter un lot au cimetière, un lot suffisamment grand pour que ses nombreux fils et leurs épouses, ainsi que Gilberte, toujours célibataire, puissent avoir droit, eux aussi, au repos éternel, non loin les uns des autres.

En effet, comme Emma avait été enterrée à la Pointe, dans le lot familial de ses parents à elle, Matthieu n'avait jamais senti le besoin de se procurer un espace au cimetière paroissial de l'Anse-aux-Morilles. Il y pensait, certes, mais reportait toujours la corvée à plus tard. Après tout, ils étaient tous en bonne santé.

Un accident mit un terme à cette négligence.

À quelques jours de Noël, en 1921, à quarante-quatre ans et alors qu'il était marié depuis moins d'un an, Louis Bouchard, quatrième fils de Matthieu Bouchard, revenant du magasin général, fut, au cœur du village, piétiné à mort par un cheval qui s'était affolé par ce jour de grand vent. Ce fut même sous les yeux affolés de son frère Antonin qu'il rendit l'âme.

Matthieu, accompagné de Prudence, n'avait eu

d'autre possibilité que de se présenter au presbytère afin d'y rencontrer le curé Ferland pour discuter avec lui de l'achat d'un lot.

— Et ça serait bien de penser à une pierre tombale de belle dimension, avait suggéré le vieil homme. Sinon, avec la famille que vous avez, on finirait pas ne plus s'y retrouver.

— Pour le moment, on parle toujours ben juste d'un de mes garçons, avait ronchonné Matthieu, beaucoup plus bouleversé qu'il ne voulait le laisser paraître et peu disposé à trop dilapider ses avoirs.

Matthieu avait bien assez de son chagrin pour occuper ses pensées et il n'avait surtout pas l'intention de s'encombrer l'esprit de tracasseries monétaires.

— Pour astheure, avait-il ajouté en guise de conclusion, avec juste un mort, on risque pas de se tromper. Une croix en bois avec notre nom de famille dessus, ça devrait suffire. Ça fait que pour la pierre tombale, on verra plus tard.

Malheureusement, ce plus tard arriva nettement plus tôt que tout ce que Matthieu aurait pu imaginer ou souhaiter.

Noël était à peine passé et la tristesse de la mort de Louis à peine estompée quand leur parvint un télégramme envoyé depuis Rimouski. Clotilde Bouchard, enseignante à l'école de rang de Neigette, était décédée dans l'incendie qui avait ravagé la petite école dont elle était responsable. Le froid sibérien avait probablement poussé l'institutrice à trop charger le poêle à bois de la classe avant de monter dormir dans son petit appartement à l'étage de l'école. À première vue, un feu de cheminée avait embrasé le toit avant d'atteindre tout le bâtiment. Faible réconfort, tant pour la famille que pour les élèves: de toute évidence, mademoiselle Clotilde dormait profondément au moment du sinistre, elle n'avait donc pas souffert.

La plus éplorée, dans ce drame, fut sans nul doute sa sœur jumelle, Matilde. Ce fut même une vraie pitié de la voir s'étouffer dans ses sanglots au matin des funérailles.

Sans en venir aux larmes, car monsieur le curé n'arrêtait pas de dire que la vie après la mort était plus belle que celle sur la Terre, Célestin n'en fut pas moins bouleversé par ce décès. En effet, voyant le cercueil de sa sœur être glissé dans le caveau tout à côté de celui de son frère Louis, Célestin avait compris qu'Antonin, même s'il était son jumeau et qu'il lui avait juré une fidélité à toute épreuve, pourrait, lui aussi, partir bien avant lui.

Dans une telle éventualité, la perspective d'une vie meilleure pour son frère ne suffirait pas à le consoler, Célestin en était convaincu.

Cette prise de conscience rendit Célestin songeur durant de nombreux jours. Il revendiqua l'usage exclusif de la berceuse abandonnée par Mamie et, du matin au soir, il se berça.

Pour une fois, Matthieu laissa faire et ne haussa pas le ton. On était en plein hiver et le travail était moins lourd. Célestin pouvait donc se bercer autant qu'il le voulait!

Le chagrin avait probablement rendu Matthieu beaucoup plus tolérant, même si personne ne l'avait vu verser de larmes. Pas plus Prudence que les autres, d'ailleurs.

Le coup de grâce fut donné à Matthieu au début du mois de mars quand, sans avertissement aucun, Marie rendit l'âme à son tour.

Pourtant rien ne laissait présager qu'elle fût malade. Cette mère de famille nombreuse était à préparer le repas, selon les dires de son mari qui ne travaillait pas ce jour-là puisqu'on était dimanche, quand elle annonça qu'elle ne se sentait pas très bien. Elle eut tout juste le temps de glisser un dernier regard vers son mari avant de s'effondrer lourdement sur le plancher de bois verni, foudroyée par ce que le médecin appellerait plus tard une embolie.

— C'est traître, cette maladie-là. On ne la voit jamais venir!

Marie Bouchard avait à peine quarante et un ans et n'avait jamais été malade auparavant. Elle laissait pour la pleurer un mari éploré et treize enfants désemparés, dont le petit Germain qui ne l'avait jamais connue.

Tout comme aux décès de Louis et Clotilde, Matthieu resta stoïque aux yeux de tous. Pas de larmes, pas de sautes d'humeur, pas d'esclandres. Il se contenta d'afficher une austérité qui lui ressemblait. Quand donc avait-on vu Matthieu Bouchard sortir de sa réserve sinon pour piquer une bonne colère souvent justifiée?

Pourtant, à quelques années de là, Prudence dirait que si un jour dans leur vie tout avait basculé, ç'avait été celui où son mari avait appris le décès de sa fille Marie. Pourquoi elle plus que les autres ? Prudence n'en avait pas la moindre idée, mais une chose était sûre, cependant: à partir du moment où Matthieu Bouchard avait appris le décès de sa fille Marie, il n'avait plus jamais été le même.

Néanmoins, au quotidien et pour le travail de la ferme, tout était identique. Le printemps serait bientôt là, les animaux commençaient à mettre bas et il fallait remettre en état les outils et les instruments aratoires. Matthieu, tout comme les autres, ne faiblissait pas à la tâche. Avec une paire de bras en moins, ceux de Louis, il ne pouvait ralentir la cadence malgré les soixante-dix ans qu'il accusait, une démarche plus lourde, une chevelure clairsemée et des doigts noueux le proclamant éloquemment.

Par contre, et fort curieusement d'ailleurs, quand vint le temps de monter jusqu'à l'érablière, il exigea d'y aller seul.

— C'est pas trop dur comme ouvrage, expliqua-t-il à Marius qui s'offrait à l'accompagner, pis ici, il y en a assez à faire pour toutes vous accaparer, toi pis tes frères.

Occupée à se changer les idées avec le journal qu'Antonin lui avait apporté, et Dieu sait qu'il y avait un tas de mauvaises nouvelles sur lesquelles s'apitoyer en ce samedi après-midi, comme cet autre incendie venu frapper la ville de Montréal, rasant l'hôpital des Invalides, à deux semaines à peine de celui qui avait détruit l'hôtel de ville, Prudence ne s'était pas immiscée dans la conversation entre Marius et son père.

En fait, c'est à peine si le bruit des voix la rejoignit tant elle était concentrée sur sa lecture. Pourtant, elle aurait dû s'inquiéter de ce désir de solitude, surtout pour le travail. Ça ne ressemblait pas à Matthieu, une telle envie de réclusion, tout comme elle aurait dû être alarmée par le manque de réaction de Matthieu lors des différents décès survenus récemment. Trois en quelques mois, si on faisait abstraction de Mamie, c'était du jamais vu à l'Anse. Au village, Prudence avait même entendu le mot «châtiment» dans la bouche d'un paroissien qui parlait justement de la famille Bouchard.

— À croire que le Bon Dieu leur en veut personnellement, avait ajouté cet impudent. Je sais pas trop ce qu'ils ont fait pour mériter d'être punis comme ça...

L'ayant entendu par inadvertance parce qu'elle était cachée derrière une étagère de conserves, Prudence avait dû se pincer les lèvres pour ne pas répliquer.

Alors, oui, devant tous ces faits, Prudence aurait dû être plus vigilante. Un homme ne perd pas trois de ses enfants en si peu de temps sans en subir le contrecoup.

Mais Prudence ne l'avait pas fait. Non par manque de compassion, ni d'amour, car elle était encore très attachée à son mari, mais bien par habitude. Matthieu détestait que l'on se mêle de ses affaires, n'est-ce pas ? Prudence l'avait compris et accepté depuis fort longtemps. Alors, elle n'avait rien dit parce qu'elle n'avait pas cru bon de dire quoi que ce soit.

Puis, à bien y penser, chacun avait le droit bien légitime de vivre sa peine comme il l'entendait.

Ce ne serait que beaucoup plus tard, alors que Prudence aurait la certitude que les malheurs étaient enfin derrière eux et que la vie recommencerait à se faire plus douce, oui, ce serait ce jour-là que le souvenir de ces événements en apparence inoffensifs la frapperait de plein fouet.

TROISIÈME PARTIE

Été 1923 ~ Printemps 1929

CHAPITRE 9

À Québec, au Petit Séminaire, en septembre 1923

Julien n'y avait pas échappé !

Il avait eu beau protester, tempêter, bouder et même pleurer, rien n'y avait fait. En septembre 1921, comme décrété par ses parents, il avait fait son entrée à titre de pensionnaire dans un collège d'enseignement classique, en l'occurrence le Petit Séminaire de Québec.

Adieu veaux, vaches, cochons, couvées, malgré l'évidence d'un renouveau rentable à la forge du village, deux étés de profits, ce n'était pas rien, Lionel et Victoire s'étaient montrés inflexibles.

— Tu iras travailler à la forge quand tu auras fini tes études, avait précisé Victoire.

— Sûrement pas avant, avait renchéri Lionel, sérieux et tranchant comme rarement Julien l'avait vu.

Et d'une seule voix, ses parents avaient ajouté :

— Et la forge, c'est uniquement si ça te tente toujours, bien entendu. Parce que le collège va sûrement t'ouvrir des tas d'horizons !

Nul doute que les parents de Julien espéraient qu'il

changerait d'idée en cours d'études et, à mots couverts, ils lui avaient fait comprendre qu'ils souhaitaient que son ambition s'élève un peu plus haut pour déborder des murs d'une forge de village. À leurs yeux, ce n'était pas une vie de vouloir travailler le fer jusqu'à la fin de ses jours, et ce, même si Victoire n'avait jamais désavoué le métier de son premier mari et ne le ferait jamais.

— Il fut un temps où on y gagnait bien sa vie, je l'admets, et si les choses n'avaient pas changé, on pourrait en discuter. Mais aujourd'hui…

— Tu pourrais être médecin comme moi, avait suggéré Lionel dans la foulée des propos de son épouse, le regard brillant d'un espoir fort justifié, lui qui n'avait qu'un fils unique. Pourquoi ne prendrais-tu pas ma relève, fiston ? Une clientèle déjà montée, ça ne se refuse pas !

— Et me faire réveiller en pleine nuit pour un accouchement ou un mourant ? avait alors argumenté Julien. Non merci ! Pas pour moi.

— Peut-être pourrais-tu songer à être notaire, alors ? avait proposé Victoire. Justement, maître Labonté me disait l'autre jour qu'il espérait que…

— Et passer ma vie le nez dans de vieux documents poussiéreux ? avait riposté le jeune garçon avec une célérité qui frôlait la précipitation. Pas question.

— Bien tu feras ce que tu veux quand tu auras l'âge de décider par toi-même, avait conclu Victoire, exaspérée par tant de mauvaise foi. En attendant, jeune homme, tu vas au collège. Point à la ligne.

C'est donc la mort dans l'âme que Julien avait fait ses adieux à John O'Connor, qui avait le vent dans les voiles, au grand soulagement de son père.

— Crains pas, Julien. Tu auras toujours ta place ici avec moi. Surtout qu'avec l'été qu'on vient de passer, on dirait bien que la situation va en s'améliorant. Les touristes ont tout acheté ce que j'ai produit l'hiver dernier ! Tout, jusqu'au dernier morceau ! Si ça continue comme ça, avec mon père qui vieillit, c'est sûr que d'ici quelques années, on va avoir besoin d'un associé ! En attendant, j'espère que tu pourras venir à mon mariage.

— Pourvu que tu fasses ça juste l'été prochain ou peut-être durant le temps des Fêtes…

L'amertume et le désespoir de Julien s'entendaient nettement jusque dans le silence entre les mots !

— Sinon, oublie-moi ! Pour les prochaines années, je suis condamné à vivre en ville parce que l'école est beaucoup trop loin pour revenir régulièrement. Une vraie prison, oui !

Le pauvre Julien qui n'avait jamais aimé les études en eut pour son rhume ! Latin, grec, mathématiques et chimie se succédaient sans répit, avec leur lot de leçons et de devoirs. Sans compter l'algèbre, l'anglais et la géographie.

— De quoi devenir complètement fou ! grommela-t-il, envieux, le regard fixé sur tous les passants qui traversaient la Place de la Cathédrale, car ils avaient droit, eux, à une liberté totale et inconditionnelle.

Profitant d'un des rares moments de liberté accordée aux étudiants, Julien était assis sur le large rebord d'une des lucarnes du dortoir et il regardait les passants qui déambulaient sur la Côte de la Fabrique et sur la Place, devant lui.

L'automne était splendide de douceur et d'arbres colorés, les vitrines des boutiques rivalisaient d'audace pour attirer les curieux et l'envie de s'évader se faisait chaque jour un peu plus violente dans le cœur de Julien.

Ce dernier détourna la tête pour regarder autour de lui. L'enfilade des lits en vis-à-vis, tous identiques, aux couvertures militairement tendues, lui arracha un soupir à faire frémir les murs. Et dire qu'il lui restait encore un minimum de trois ans, dans le meilleur des cas, à survivre dans cet endroit qu'il détestait.

— Dans cet enfer, murmura-t-il, fermant les yeux.

Exaspéré par la longueur de cette ligne du temps qu'en imagination il voyait clairement s'allonger à l'infini devant lui, Julien revint précipitamment à la fenêtre. Au moins, durant quelques minutes chaque jour, pouvait-il s'évader en pensée et rejoindre les promeneurs partis à la découverte de la ville.

En effet, sa curiosité n'avait que l'imagination pour bien le servir, car, malheureusement, à l'exception de quelques visites à la librairie Garneau qui avait pignon sur rue de l'autre côté de la Place de la Basilique, sur la rue De Buade, bien rares étaient les sorties.

Et encore!

Le temps leur était rigoureusement compté quand les élèves avaient l'ultime permission d'aller à la librairie pour chiner en groupe, en troupeau comme disait Julien, à la recherche de quelques bonnes occasions, tant pour les objets du culte que pour les livres pieux, les seuls autorisés à l'intérieur des murs du Séminaire. Ajoutées à cela de misérables promenades, toujours en troupeau, à l'intérieur des murs de la ville fortifiée pour illustrer un cours d'histoire, ou l'obligation d'assister à la messe à la basilique tous les dimanches matin, et le compte était bon pour les escapades à l'extérieur des murs du Séminaire.

La pratique des sports, dans la cour intérieure de ce même Séminaire, faisait office de loisirs. Par contre, jouer au hockey sur glace ou au ballon contre des séminaristes empêtrés dans leurs robes longues, ce n'était pas du tout ce que Julien appelait du sport !

Et quand le temps se faisait capricieux ?

C'est alors que le grand buffet de la salle de récréation ouvrait tout grand ses portes sur un assemblage disparate de casse-tête aux images pieuses, d'échiquiers balafrés par trop d'usage et autres jeux de société plutôt calmes et silencieux.

Voilà, en cas de pluie, ce qui prenait ennuyeusement la relève pour occuper les garçons. Rien de bien attirant pour un jeune homme tel Julien, habitué de vivre au grand air et grand amateur de travaux manuels et d'efforts physiques.

Un autre soupir ponctua l'observation de Julien.

Si au moins, à l'occasion, ils avaient pu aller au Théâtre Empire pour se changer les idées, un théâtre dont Julien pouvait contempler la marquise, d'où il était assis.

Mais non !

Le théâtre, le cinéma et les différentes présentations sportives n'étaient pas conçus pour des jeunes gens de bonne famille, comme ceux qui fréquentaient le Séminaire !

— Vous ne voudriez pas que l'on vous compare à quelques personnes aux mœurs douteuses, ou, pire encore, que l'on vous y associe ! Priez le Seigneur de vous garder à l'abri de toutes ces tentations et remerciez-Le de vous avoir donné de si bons parents !

Même assister aux tournois de curling organisés parfois sur les glaces du fleuve n'était pas autorisé par la direction du Séminaire !

— Ce ne serait pas digne de vous, chers élèves !

Que du blabla aux oreilles de Julien qui avait l'impression de faire son temps comme un prisonnier doit purger sa peine.

En un mot, Julien se morfondait depuis le tout premier jour de son internat et cet ennui allait toujours croissant. Il s'ennuyait de son village, de sa maison, de ses amis, de John O'Connor et de James.

Et pourquoi pas, malgré tout, de ses parents.

Alors, pour leur prouver qu'ils pouvaient lui faire confiance, tout au long de sa première année au Séminaire, Julien avait travaillé d'arrache-pied et il avait terminé ses Éléments latins avec une mention plus qu'honorable.

Après cela, dans le train qui le ramenait jusqu'à Baie-Saint-Paul, où son père devait venir le chercher en fin de journée afin de le ramener enfin à la maison pour les vacances d'été, le jeune garçon avait échafaudé plans et projets. Avec de telles notes, peut-être bien que Lionel et Victoire se montreraient magnanimes. Peut-être bien qu'ils se laisseraient fléchir et consentiraient enfin à ce que leur fils travaille à la forge sans devoir passer par la Syntaxe, la Méthode, la Versification et tout le reste, un reste qui pouvait s'avérer fort long s'ils exigeaient qu'il poursuive ses études jusqu'en Philosophie II ! N'ayant à ce moment-là terminé qu'une toute petite année d'études sur huit, Julien en avait grincé littéralement des dents !

D'où l'idée d'épater ses parents par ses notes pour les amadouer.

En effet, en terminant sa première année de collège dans les tout premiers de la classe, Julien osait espérer que ses parents verraient dans ce geste une preuve de maturité. Peut-être bien que ça suffirait pour gagner leur confiance et que, par la suite, ils le jugeraient suffisamment sérieux pour prendre ses propres décisions.

Rejoindre John à la forge étant celle qui lui faisait battre le cœur d'espoir !

De toute façon, de quoi avait l'air leur famille, maintenant qu'il vivait au bout du monde une large partie de l'année, ne revenant chez lui qu'à Noël, à Pâques et pour les vacances estivales ? N'avaient-ils pas, tout comme lui, l'envie de revenir à quelque chose de plus convivial, de profiter du plaisir quotidien de se rencontrer et de discuter ensemble ?

Les quelques heures de transport entre Québec et

Baie-Saint-Paul furent trop courtes pour songer à tous les projets que Julien avait à cœur de réaliser.

Mal lui en prit, car la déception n'en fut que plus grande quand il comprit que ses notes, de toute évidence, ne suffiraient pas pour changer la donne !

Bien au contraire !

Le premier repas à trois était à peine terminé que Victoire et Lionel lui faisaient miroiter mille et une professions libérales !

Vétérinaire, médecin, sait-on jamais, Julien pourrait changer d'idée, avocat, architecte, ingénieur…

C'est tout juste s'ils ne le voyaient pas premier ministre du Canada !

— Profites-en, Julien ! Si tu savais comme j'aurais voulu être à ta place quand j'étais jeune. J'aurais tellement préféré aller au couvent plutôt que d'aider ma mère à élever une bande de frères plus ou moins reconnaissants !

— Et moi, donc ! Si j'ai fait des études avancées, laisse-moi te dire que c'était dans des conditions nettement plus difficiles que les tiennes, malgré toute l'aide que James m'a apportée.

— Et tu as de si bons résultats ! Preuve, s'il en fallait une, que tu es plus que doué pour les études. Qui l'aurait cru, du temps où tu étais encore à l'école du village ?

Devant la mine découragée et sinistre de Julien, Lionel avait même ajouté en haussant le ton :

— Ces jeunes d'aujourd'hui ! Ils ont tout cuit dans le bec et ne savent pas l'apprécier. Fais-nous confiance,

Julien. Nous sommes tes parents et nous savons ce qui est bon pour toi. Un jour, tu sauras nous remercier.

Ces quelques mots de son père, livrés sur ce ton docte et sévère qui ne laissait place à aucune riposte, avaient clos une discussion qui autrement aurait risqué de s'enliser.

Les notes de la deuxième année passée au Séminaire avaient été à l'avenant de la déception de Julien. Si elles n'étaient pas mauvaises en soi, elles ne flirtaient plus du tout avec la perfection.

Qu'à cela ne tienne, l'entêtement de Victoire et Lionel persista.

— Tu feras mieux l'an prochain ! avaient-ils affirmé au mois de juin précédent, quand Julien était retourné chez lui.

Le temps d'aider occasionnellement John avec son commerce rattaché à la forge ; de renouer avec quelques amis ; d'aller à la pêche deux ou trois fois avec les jumeaux de Béatrice qui étaient ses cousins et un autre été était déjà chose du passé.

Quelques jours auparavant, Julien avait donc repris le chemin de l'école à reculons et, en ce moment, après le temps obligatoire consacré à l'étude et avant le tintement désagréable de la cloche annonçant le souper, il était assis sur le rebord d'une fenêtre à soupirer après une liberté qui n'était pas pour demain.

Si au moins, comme plusieurs de ses camarades, il avait pu retourner chez lui tous les soirs, la vie lui aurait semblé moins pénible.

Même sans la forge !

Julien en soupira d'envie.

Externe !

Voilà où ses nombreuses heures de réflexion l'avaient finalement conduit. Être externe lui paraissait comme étant la solution possible à tous ses maux, et le peu de liberté qu'il y gagnerait suffirait, probablement, à faire accepter de bonne grâce les nombreuses charges d'étude et de devoirs qui s'annonçaient en cette troisième année au Séminaire.

Mais où aller ? Chez qui habiter ?

Julien ne voyait pas.

Il avait beau passer en revue tous les gens qu'il connaissait, il ne voyait toujours pas. Il avait l'impression de tourner en rond sur la place centrale de son village, devant le magasin général, car actuellement, tous les visages de ceux qu'il côtoyait depuis la naissance tourbillonnaient sans relâche dans son esprit.

Qui donc, originaire de la Pointe et ayant la confiance de ses parents, habitait maintenant à la ville ou y connaissait quelqu'un qui aurait pu l'héberger ?

Ce fut au moment de se glisser sous les draps que les noms de Clovis et Léopold se frayèrent un chemin jusqu'à son esprit.

Comment se faisait-il qu'il n'y ait pas pensé avant ?

Bien sûr que les Tremblay, père et fils, sauraient l'aider, car eux venaient à Québec régulièrement, et ce, depuis de nombreuses années.

De plus, et ce n'était surtout pas négligeable, leur aide serait reconnue comme valable, puisque Clovis était un bon ami de son père et qu'entre Alexandrine et sa mère, Victoire, il existait depuis toujours une relation quasi fraternelle.

Voilà à qui Julien devait s'adresser.

S'il y avait quelqu'un susceptible de l'aider, c'était Clovis, puis si les Tremblay pouvaient trouver quelqu'un pour l'accueillir, il était pratiquement certain que ses parents accepteraient leur proposition. Du moins, Julien arriva-t-il à s'en convaincre sans trop de difficultés.

La lettre fut écrite dès le lendemain et confiée à un ami qui verrait à la poster pour lui. En effet, passer par le directeur pour envoyer sa lettre, comme stipulé dans le règlement, risquait de faire des vagues puisque le courrier en partance était scruté à la loupe.

— Pour corriger les fautes, alléguait-on.

Jérôme, un des rares camarades de Julien, accepta la corvée sans hésitation.

— Compte sur moi, c'est comme si c'était déjà fait!

La réponse se fit attendre trois bonnes semaines et, contrairement à ce que Julien avait prévu, elle arriva sous la forme d'une visite qui surprit et inquiéta le jeune homme quand il comprit que le recteur qui venait d'apparaître de l'autre côté de la porte de sa classe était là pour lui. En effet, le père Delisle, que tous craignaient au même titre que les flammes de l'enfer, venait le chercher, lui, Julien Bouchard, pour le mener au parloir.

— Votre père vous y attend.

En plein milieu de semaine, cela pouvait effectivement inquiéter n'importe qui! Tous les garçons de la classe regardèrent Julien disparaître au bout du long corridor avec une interrogation au fond du regard.

Que se passait-il donc dans la vie de Julien Bouchard ?

L'interpellé n'était pas moins inquiet.

Ou un malheur était arrivé chez lui, un malheur suffisamment grand pour qu'on veuille le lui annoncer de vive voix, ou alors la teneur de la lettre envoyée chez Clovis Tremblay s'était faufilée jusqu'à ses parents, suscitant leur courroux, et lui, pauvre garçon, s'apprêtait à essuyer les foudres paternelles.

Quoi d'autre puisque ce dernier, tout occupé soit-il, s'était donné la peine de se déplacer jusqu'à Québec ?

Julien entra dans le parloir sur le bout des pieds. Il fut légèrement soulagé quand il constata que son père ne semblait pas en colère ou particulièrement triste. Par contre, il était visible que cet homme-là était fatigué. Assis à une table, il semblait contempler un tableau sur le mur devant lui. Quand il entendit des pas, il tourna la tête vers Julien et il esquissa un sourire un peu las.

— Clovis nous a parlé, fit-il en guise de préambule tandis que son fils prenait place devant lui en retenant son souffle.

C'était donc ça !

Julien n'osa répondre. Il avait la gorge serrée et le cœur gros. S'il était prêt à essuyer une bonne remontrance – parfois il le méritait bien – la fatigue ou la déception de ses parents, par contre, l'avaient toujours décontenancé. En ce moment, il constatait que Lionel avait les traits tirés et les yeux cernés, et ça le peinait.

— Et ? arriva-t-il enfin à articuler péniblement.

— Et on en a discuté, ta mère et moi. Peut-être avons-nous une solution…

— Ah oui ?

Le cœur de Julien se mit à battre la chamade dès que son père prononça le mot « solution ».

Auquel mot il avait ajouté un « peut-être », lourd de conséquences mais riche de promesses aussi.

— Et c'est pour me dire ça que tu as fait toute cette route ?

— Oui. C'est pour toi que je suis ici. Je crois que nous avons à parler entre hommes, fiston.

Quand son père l'appelait « fiston », c'est que l'instant était à l'émotion ou, à tout le moins, de grande importance.

Malgré la tension qu'il sentait battre au rythme de son cœur affolé, balançant entre l'espoir, la crainte et la curiosité, Julien se fit attentif.

— Voilà…

Lionel était tout autant ému et les mots se faisaient capricieux, comme souvent quand venait le temps de parler de ses sentiments. Lionel était conscient de cette lacune. Si Victoire trouvait toujours le mot juste et la bonne attitude, lui se sentait balourd et il s'en voulait d'être aussi maladroit. Que son fils qu'il aimait plus que tout au monde ait pu être à ce point malheureux dépassait tout entendement. Lionel n'inventait rien, n'exagérait même pas. Cette désillusion suintait de toutes les phrases, de chacun des mots de cette lettre que Clovis lui avait remise, ne sachant trop ce qu'il aurait pu en faire d'autre.

Lionel ne comprenait pas.

Pourquoi Julien n'avait-il rien dit, rien montré de plus qu'une certaine lassitude devant les études ? Pourquoi avoir agi ainsi ? Julien avait-il peur d'eux ? Pourtant Victoire et lui n'étaient pas obtus et ils auraient compris. Mais s'en tenir au simple déplaisir ressenti devant l'école et ses charges était tellement récurrent dans le vocabulaire de Julien que Victoire et lui n'en tenaient plus compte depuis longtemps. À leurs yeux, ça ne justifiait pas un laisser-aller total.

Alors, que Julien n'aime pas l'école était une chose, un fait admis qui ne les influençait guère. Mais qu'il y soit malheureux comme les pierres, ce n'était plus du tout pareil. C'est pour cela que Lionel s'était déplacé. Julien devait comprendre que chez lui, il était aimé sans condition et qu'à l'avenir, il devrait avoir suffisamment confiance en eux tout comme en lui pour oser dire la vérité, toute la vérité.

N'empêche que par lui-même, Julien avait cherché à trouver une solution, et c'est de cela aussi que Lionel voulait parler. À cet égard, Victoire et lui étaient fiers de leur garçon.

— Tu aurais dû être clair et précis quand tu nous laissais entendre que les études et toi, ça faisait deux, commença-t-il. Ça, vois-tu, ça fait tellement longtemps qu'on le sait, ta mère et moi, que ça nous laisse un peu indifférents, j'en conviens. Par contre, cette fois-ci, il y a plus… Oui, tellement plus…

Lionel observa un court silence, le temps de rassembler ses idées et de les accorder avec les émotions qu'il sentait battre dans sa poitrine, lui aussi.

— Voilà, répéta-t-il comme un tic nécessaire à tout dialogue émotif.

Conscient de ce travers, Lionel glissa un sourire contrit vers son fils.

— J'aimerais mieux que tu sois malade, expliqua-t-il à la blague, espérant ainsi détendre l'atmosphère. Il me semble que les mots pour te parler me viendraient plus facilement… Bon… Sache que nous t'aimons plus que tout, Julien. Tu as été la plus formidable surprise de ma vie et de celle de ta mère aussi, et nous t'aimons sans condition. J'espère que tu n'en as jamais douté.

— Bien sûr que non.

— À la bonne heure ! J'espère aussi que tu saisis que ça ne veut pas dire que nous devons nous plier à tous tes caprices. Ça aussi, j'espère que tu le comprends.

— Bien sûr, papa.

— Tant mieux !

Lionel avait l'air sincèrement soulagé. À la lumière de la lettre que son fils avait envoyée, il avait entretenu la crainte de se retrouver devant un jeune buté et colérique, incapable de comprendre le bon sens. Si Julien avait voulu faire saisir à ses parents l'urgence de ses sentiments à l'égard de la situation qu'il vivait, il n'aurait pu mieux choisir ses mots que ceux employés dans cette lettre qu'il avait d'abord adressée à Clovis. Une lettre qui ressemblait en quelque sorte à un appel au secours.

— Dorénavant, essaie d'être un peu plus limpide quand tu veux faire passer un message, précisa alors Lionel. Comme tu l'as fait dans ta lettre. Là, c'était très clair ! Si tu nous avais parlé sur ce ton pour expliquer réellement ce que tu ressentais, je ne serais pas ici. Tu peux tout nous dire, tout nous confier, Julien. Jamais, tu m'entends, jamais nous te ferons le reproche de quoi que ce soit tant que tu auras l'honnêteté de nous parler franchement... Pas besoin d'intermédiaire, nous t'aimons suffisamment pour prendre le temps de t'écouter et de regarder lucidement une situation avec toi.

Le message de son père avait le mérite d'être clair. Penaud, Julien baissa la tête.

— D'accord, papa.

— Maintenant, la solution possible...

Quand Julien releva la tête, son regard brillait de plaisir anticipé, et quand il retourna dans sa classe, une quinzaine de minutes plus tard, il n'arriva pas à camoufler son contentement: un large sourire illuminait son visage habituellement plutôt morose.

Ne restait plus, pour Lionel, qu'à voir par lui-même l'endroit où son fils habiterait et à s'entendre avec les gens qu'il côtoierait, des gens qu'il connaissait peu puisque leur vie respective au village ne leur avait donné l'occasion que de se croiser.

Bien entendu, Lionel n'avait pas parlé à tort et à travers, et une première entente avait déjà été conclue.

Quelle merveilleuse invention que le téléphone, n'est-ce pas ?

L'appareil, récemment installé chez lui dans la petite

pièce du rez-de-chaussée qui servait de salle de consultation à Lionel, avait permis à celui-ci de joindre directement Paul Tremblay, un des fils de Clovis, son bon ami. Selon les dires de Clovis, il s'avérait que ce Paul, architecte établi à Québec, avait justement une chambre à louer.

— La maison était parfaite pour y installer son bureau, avait expliqué Clovis, et c'est pour ça que Paul l'a achetée. Mais le logement à l'étage est beaucoup trop grand pour une personne seule ! C'est comme ça que notre fils a eu l'idée d'offrir quelques chambres en location puisqu'il n'est toujours pas marié. « Pas le temps », nous dit-il chaque fois que sa mère sonde le terrain... Tout ça pour dire qu'un certain Réginald, charmant garçon et célibataire lui aussi, occupe une de ces chambres depuis quelques années déjà. L'autre est vacante. Si ça t'intéresse, je peux te donner son numéro de téléphone !

Comme garantie de moralité, Lionel ne pouvait trouver mieux, et c'est ainsi qu'à cette heure précise, Paul l'attendait pour lui faire visiter la chambre qu'il comptait lui louer pour son fils Julien.

— Te rends-tu compte, Paul ?

Planté au beau milieu de la pièce, les poings sur les hanches, Réginald examinait scrupuleusement la pièce qui serait bientôt occupée.

— On va avoir un p'tit gars avec nous autres ! ajouta-t-il dans une expiration extatique, les deux mains pressées contre sa poitrine. J'en reviens juste pas !

Pirouettant sur lui-même, Réginald jeta un dernier

coup d'œil critique sur la chambre qu'il venait de réaménager au grand complet, puis il se tourna vers Paul qui souriait comme s'il se moquait de lui.

— Tu peux bien rire, Paul Tremblay. Avoue que c'est moi qui avais raison. Tu voulais toujours ben pas qu'un enfant se contente de tes vieux meubles poussiéreux, tout sombres, pis de tes tentures à fleurs ! lança-t-il sur le même ton de reproche qu'il avait utilisé le jour où il avait appris que le fils du médecin de la Pointe s'installerait chez Paul. Voyons donc ! C'était pas un décor pour un enfant.

— L'enfant, comme tu dis, a quand même quinze ans. C'est plus tout à fait un gamin ! Faudrait pas l'oublier.

— Pis ça ? Quinze ans, c'est pas ben vieux. Pis c'est pas une raison suffisante pour l'enfermer dans une chambre qui ressemblait à un vieux débarras.

— Tu penses pas que tu exagères un peu ?

— À peine, mon pauvre Paul, à peine. Avoue que c'est mieux. Non ? Tu m'as laissé aller pis regarde ce que ça donne !

Paul se souvenait que le jour où Réginald avait pris la décision de modifier la chambre, lui-même était sorti de la pièce en levant les bras au ciel, pour la forme. Uniquement pour la forme, parce qu'il savait pertinemment que Réginald saurait y faire pour aménager une chambre susceptible de plaire à un jeune homme de l'âge de Julien.

Le résultat était spectaculaire. La pièce, d'un esprit typiquement anglais, avait tout pour plaire. Avec ses boiseries sombres et son papier peint clair, à carreaux, cette chambre était masculine sans être austère.

En fait, depuis qu'il habitait ici avec lui, au fil du temps Réginald avait complètement transformé le logement vieillot et trop sombre en un agréable logis clair et confortable.

Exactement comme celui que Paul avait si souvent imaginé dans ses rêveries les plus folles. Même la cuisine avait eu droit à une transformation majeure quand Réginald avait compris que cuisiner faisait partie des plaisirs de la vie pour son nouveau propriétaire. Ainsi, désormais, celui-ci pouvait concocter mille et un petits plats avec plaisir et aisance, petits plats qu'ils dévoraient à deux par la suite et que Paul partageait également avec ses sœurs, installées, comme prévu, sur la Troisième Avenue, dans Limoilou.

— J'en fais toujours trop, expliquait-il invariablement quand il débarquait sans préavis dans le quatre et demi flanqué d'un minuscule jardin, les bras chargés de victuailles. Tant qu'à tout perdre, j'aime mieux partager !

— Tu pourrais tout simplement le manger, répliquait alors malicieusement Justine.

— Je déteste manger deux fois la même chose dans une semaine et tu le sais. Allons ! Faites-vous pas tirer l'oreille. C'est pour vous deux.

Une belle façon d'aider Marguerite et Justine sans blesser leur amour-propre. Tout le monde le savait, personne n'en parlait et les relations étaient à leur meilleur entre eux, ceci incluant Réginald, cela va de soi. Car Paul était régulièrement accompagné de son pensionnaire, Réginald, et pas un autre, quand il venait voir ses sœurs ou qu'il les invitait au cinéma ou au théâtre. Justine et Marguerite avaient fort bien deviné ce qui unissait leur frère à Réginald, certains regards étaient trop éloquents pour les ignorer, mais elles n'en parlaient pas. Ni entre elles ni avec eux.

Qu'auraient-elles eu à dire, de toute façon ?

On ne parle pas d'un sujet comme celui-là sans bafouiller et sans se mettre à rougir comme une tomate. Par contre, ils aimaient se retrouver les uns les autres, et c'est pour cela qu'on pouvait les voir régulièrement ensemble, puisque chacun y trouvait son profit. Le joyeux quatuor ne suscitait ni remarques déplaisantes, ni regards déplacés, ce qui arrangeait tout le monde, à commencer par Paul.

Jamais la vie n'avait été plus belle pour lui.

Finis les cauchemars et la culpabilité ! Réginald était à la fois l'ami, le frère et l'amant.

À quarante-trois ans, Paul était enfin heureux et il ne se gênait surtout pas pour le répéter à Réginald, quand ils se retrouvaient dans l'intimité, loin des oreilles indiscrètes.

— Te rends-tu compte de la chance qu'on a, toi et moi ? faisait-il parfois remarquer à Réginald.

— Oh oui, j'en suis conscient… Pis en plus, on s'aime. C'est pas juste une question d'accommodement.

— Oui… En plus, on a le droit de s'aimer, t'as bien raison. Finalement, personne n'a trouvé quoi que ce soit à redire au fait que tu habites ici, avec moi.

— C'est ben certain ! Je suis juste ton pensionnaire, Paul. Faudrait pas l'oublier.

Quand il prononçait ces mots-là, Réginald parlait toujours d'une voix précieuse, un peu moqueuse. Le fait de vivre avec Paul n'avait pas changé sa façon d'être, exubérante et extravertie. C'est ce qui faisait sa réputation, en plus de la rigueur de ses choix et de son goût sûr. Les clients se bousculaient pour l'avoir comme vendeur et conseiller à la compagnie Paquet qui, depuis quelques années, l'employait au rayon de la mercerie pour hommes. Réginald, c'était la bonne humeur incarnée. C'était surtout l'exagération en tout et, curieusement, ce trait de caractère plaisait autour de lui. C'est pourquoi, en conclusion aux dialogues concernant leurs voisins, Réginald ajoutait toujours, les deux bras lancés au ciel :

— De quel droit les voisins pourraient-ils critiquer ta décision de prendre des pensionnaires, je me le demande un peu ? C'est pas de leurs affaires.

Un regard empreint de complicité accompagnait souvent ce genre de conversation, un peu comme celui que Paul et Réginald venaient d'échanger alors qu'ils attendaient la venue imminente de Lionel.

— En effet. Ma petite ruse a fonctionné comme je l'espérais. On vit ensemble et personne n'y trouve à redire !

— Pis en plus, il va falloir qu'on s'occupe d'un jeune !

— Je te le répète, Réginald, ce n'est plus un enfant. C'est un garçon de quinze ans qui doit bien ressembler à tous les jeunes de son âge. Faut surtout pas lui donner l'impression de le surveiller, même si c'est ce que j'ai promis à son père.

— Ben d'accord avec toi. N'empêche...

Songeur, Réginald replaça le plaid écossais qui garnissait le pied du lit, le lissa de la main pour effacer un pli qu'il était probablement le seul à voir.

— N'empêche quoi ?

Réginald se tourna vers Paul, le dévisagea un moment avant d'ajouter sur un ton mi-badin, mi-sérieux:

— N'empêche que j'aurais aimé ça, avoir des enfants. Je... Mon doux Jésus ! M'entends-tu parler, moi là ? Jamais j'aurais dit ça à quelqu'un d'autre que toi, mais astheure que c'est dit, je le répète: j'aurais vraiment aimé ça, avoir des enfants. Ça fait que, viens pas gâcher mon plaisir, icitte, toi ! Le jeune Julien qui nous tombe du ciel, c'est un peu comme un cadeau dans ma vie. C'est ça que je veux dire. Juste ça.

— Confidence pour confidence, moi aussi j'aurais aimé avoir une famille.

— Bon, tu vois !

Au moment où Paul serrait la main de Réginald dans un geste affectueux alors que celui-ci lui renvoyait un regard qui n'avait plus rien de factice, on entendit la sonnette d'entrée émettre un drelin impérieux.

Paul sursauta, Réginald porta une main à son cœur et battit des paupières avant de s'éventer vigoureusement des deux mains.

— Mon doux Jésus ! Ça y est, v'là le père ! Je suis

tout énervé, moi là, ça n'a pas de bon sens. Qu'est-ce qu'il va penser de nous autres, hein ? J'espère qu'on va y plaire… Va répondre, Paul, vas-y, parce que moi j'ai les jambes en guenilles…

Néanmoins, Réginald emboîta le pas à Paul, curieux de rencontrer ce Lionel Bouchard, mais inquiet de l'opinion qu'il pourrait se faire de lui. Une fois arrivé sur le seuil de la porte, Réginald se retourna, admira la pièce une dernière fois, visiblement fier de son œuvre, puis, dans un sursaut d'incertitude, il lança par-dessus son épaule et d'une voix assez forte pour rejoindre Paul qui était déjà à l'autre bout du couloir :

— Penses-tu qu'il va au moins aimer la chambre, le père de Julien ? Un docteur, on rit plus ! Ça doit être ben exigeant, un homme comme ça.

Pourtant, Lionel n'avait rien d'un capricieux.

Il apprécia la chambre en disant que celui qui ne l'aimerait pas serait un fameux difficile. À ces mots, Réginald ne put se retenir et il se mit à battre des paupières en rougissant.

Plus tard, quand Lionel compara favorablement le morceau de gâteau que Paul tenait à lui offrir à ceux de sa Victoire, une cuisinière chevronnée dont les talents débordaient largement des limites du village de la Pointe, ce fut au tour de Paul de rougir de plaisir, tout confus.

L'entente fut donc conclue dans l'heure, un chèque faisant foi du sérieux de la chose, puisqu'il couvrait les frais de toute une année.

Quelques minutes plus tard, Lionel quittait

l'appartement pour rejoindre le taxi qui l'attendait devant la porte.

Ce jour-là, comme souvent d'ailleurs, ce fut à Réginald d'avoir le dernier mot tandis qu'à la fenêtre, Paul et lui regardaient le taxi qui s'éloignait en descendant vers le Chemin Sainte-Foy.

— Je pensais jamais qu'un jour je serais heureux autant que ça, souligna-t-il un peu évasivement.

Paul aussi était heureux. Moins expansif que son compagnon, il manifesta son bonheur en glissant sa main dans celle de Réginald au moment où celui-ci ajoutait, d'une voix sobre, presque sévère:

— Sais-tu à quoi je pense, des fois ?

— Non.

— Je pense que j'aimerais ça inviter mon père à venir ici.

Paul tourna un regard intrigué vers Réginald. Il savait fort bien que son ami ne portait pas particulièrement son père dans son cœur.

— Ton père ? demanda-t-il sur un ton surpris.

— Oui, mon père. Pas pour le plaisir de le voir, parce que j'aurais aucun plaisir à revoir cet homme-là.

— Pourquoi d'abord ?

— Ça serait juste pour lui montrer que finalement, il s'en est pas trop mal sorti, son tata de fils.

Sur ces mots, Réginald prit une profonde inspiration avant de lancer:

— Ouais, grâce à toi, Paul, je m'en sors pas mal bien. Comme quoi, quand on le veut vraiment, le bonheur peut être à la portée de tout le monde.

CHAPITRE 10

Sur le fleuve, en direction de la rive nord, en octobre 1923

Malgré un thermomètre qui chutait de plus en plus rapidement et un vent du nordet pas très agréable, Célestin avait tenu bon : il voulait aller à la Pointe et personne ne se mettrait en travers de son chemin.

— Non monsieur ! Ça fait trop longtemps que j'attends. Je passerai pas un autre hiver sans voir Gilberte.

C'est ce qu'il avait déclaré à Prudence, ce matin avant de quitter la maison.

— Je l'ai vue juste une fois, ma sœur, depuis qu'elle vit dans son hôpital. C'est pas assez, je pense. Ça fait déjà quatre étés que je l'ai pas vue, pis je trouve ça long, avait-il précisé en repliant le pouce pour montrer ses autres doigts. Oui monsieur ! Je trouve ça pas mal trop long. Ça fait que j'y vas parce qu'à cause du p'tit Germain, Gilberte, elle, peut pas venir jusqu'ici pour me voir.

Sans la moindre hésitation, Prudence lui avait donné sa bénédiction. Tant pis pour le temps frais et venteux, avec Lionel, Victoire et Gilberte sur l'autre rive, Célestin ne courait aucun danger.

— Ça a plein de bon sens, ce que tu dis là, avait-elle approuvé en hochant la tête.

D'un simple regard, Prudence avait compris que, malgré son air un peu fanfaron, la réponse qu'elle venait de faire soulageait Célestin. Néanmoins, il avait demandé:

— Vous serez pas inquiète ?

— Pourquoi ? T'es déjà allé voir Gilberte, pis tu nous es revenu d'un seul morceau. Je vois pas pourquoi je m'inquiéterais cette fois-ci.

L'image de lui-même en plusieurs morceaux avait bien fait rire Célestin, et c'est donc le cœur léger qu'il était parti à l'aventure, comme il l'avait souligné lui-même.

— J'aime ça, des fois, faire une aventure, avait-il expliqué fort sérieusement. Ouais, c'est plein d'adon en autant que ça revient pas trop souvent... Ça fait que je vous dis bonjour, Prudence. On se revoit un autre tantôt. Si Clovis est là, comme de raison.

Clovis n'était pas là mais Léopold y était, lui, en compagnie de quelques marins qu'il engageait au besoin. Une heure plus tard, Célestin se retrouvait au beau milieu du fleuve, bien à l'abri dans la cabine de pilotage, parce qu'il avait les pieds toujours aussi ronds et que le tangage l'incommodait tout autant que lors de sa première traversée.

— Ça va moins tanguer, tu vas voir, avait expliqué Léopold d'une voix rassurante. Maintenant, on a un bon moteur qui fonctionne au pétrole. C'est plus stable qu'avec les voiles pis moins malcommode que le charbon.

N'empêche que Célestin avait jugé plus prudent de ne pas s'aventurer hors de la cabine.

La traversée se fit sans encombre et, comme Célestin se souvenait fort bien de la maison jaune, il retrouva facilement son chemin.

Victoire s'exclama de plaisir quand elle ouvrit la porte et qu'elle découvrit le grand gaillard un peu gêné, triturant sa casquette comme la première fois qu'il était venu.

— Quelle belle surprise!

Lionel aussi fut de toute évidence très heureux de revoir son frère même si malheureusement, cette fois-ci, il ne pourrait le conduire lui-même à Baie-Saint-Paul.

— Mais on va trouver quelqu'un, crains pas!

Quant à Célestin, une fois rassuré sur le fait qu'il pourrait rencontrer Gilberte, il fut bien surpris de constater que le jeune Julien n'était pas là.

— Parti étudier en ville? demanda-t-il les yeux tout écarquillés. Je comprends pas, Lionel. Pourquoi il a besoin d'étudier comme ça, Julien? Ça existe, une école pour apprendre la forge?

L'explication fut succincte, un peu obscure, mais au ton employé par Lionel pour la donner, Célestin n'insista pas. La voix de Lionel ressemblait trop à celle de son père Matthieu quand il s'impatientait. De quoi ôter toute envie de poursuivre cette discussion. De toute façon, Célestin n'avait pas tellement bien compris pourquoi Lionel accordait autant d'importance à faire de longues études et il trouvait le sujet passablement assommant.

— Pis toi, Lionel, tu la vois encore souvent, ma sœur Gilberte ?

On parla donc de Gilberte et du petit Germain qui s'était quand même décidé à grandir un peu, selon les dires de Victoire.

— Il ne sera jamais grand et costaud comme toi, c'est évident, mais quand même… C'est que ça lui fait déjà neuf ans, tu sais !

Célestin regarda ses deux mains posées à plat sur la table, essayant de compter mentalement et de se figurer à quoi Germain pouvait bien ressembler aujourd'hui, alors qu'il avait en âge presque tous les doigts de ses deux mains. Malheureusement, Célestin ne gardait aucun souvenir précis d'Antonin et lui au même âge.

— C'est grand comment, Victoire, avoir neuf ans ? demanda-t-il, perplexe, en levant les yeux. Parce que moi, je vois rien dans ma tête.

En fait, la seule image qui lui venait à l'esprit, qu'il ait les yeux ouverts ou fermés, d'ailleurs, c'était celle d'un bambin tout souriant agrippé à son pantalon.

Finalement, le lendemain matin au déjeuner, Victoire annonça que ce serait elle qui accompagnerait Célestin jusqu'à Baie-Saint-Paul.

— Avec Gonzague Gendron. Tout est réglé.

Célestin fronça les sourcils.

— C'est qui, lui ? Parce que moi, j'aime pas ça les étrangers, non monsieur !

— Si je te réponds que c'est un ami à moi et Lionel, est-ce que ça suffit pour te rassurer ?

— Un ami ? Quelle sorte d'ami ?

La méfiance de Célestin était palpable.

— Un ami qui a l'âge de ton frère Lionel, expliqua patiemment Victoire. Il vient souvent nous voir avec sa femme Louisa. C'est lui qui s'occupe du bureau de poste et du comptoir de la banque. Même que c'est lui qui conduit parfois ton frère pour aller voir un malade quand celui-ci habite trop loin.

— Pourquoi Lionel y va pas tout seul, voir ses malades ?

Célestin se grattait la tête en fixant Victoire.

— Je comprends pas. Il a un cheval, Lionel, pis une calèche. C'est pas assez pour aller voir un malade ?

— Parfois, oui. Mais parfois, Gonzague conduit Lionel parce que lui, il a une voiture automobile et que c'est plus rapide.

Aux mots « automobile et rapide », Célestin se mit à secouer vigoureusement la tête avec contrariété, comme si Victoire venait de prononcer une énormité.

— Plus rapide ? Ça se peut pas, décréta-t-il avec l'aplomb d'un expert en la matière.

Célestin était catégorique. Il picochait la table avec son index pour donner plus de poids et d'importance à ses propos, comme il avait vu son père le faire tant et tant de fois quand il cherchait à imposer son point de vue.

— Non, ça se peut pas, Victoire, répéta Célestin. Je connais ça, moi, les voitures automobiles, pis je dis que ça se peut pas. J'en ai vu une au village chez nous, une voiture automobile, pis ça a pris pas mal de temps pour que le moteur se décide à partir. Ouais monsieur, pas mal de temps. Même que tout le monde riait dans la rue, tellement c'était long. Ça fait que, une voiture automobile, ça peut pas aller plus vite qu'un cheval. Non monsieur ! Avec un cheval, on a juste à faire claquer les rênes sur son dos pis il se met à galoper. Ouais, je sais ça, moi. Pis il y a personne qui va venir changer mon idée.

Cette réponse était tellement simple et logique que même une Victoire plutôt bavarde en resta bouche bée.

— Ben là, tu m'en bouches un coin, mon Célestin, avoua-t-elle finalement avec un sourire amusé sur les lèvres. Alors, on va dire que même si ce n'est pas plus rapide en automobile, c'est plus confortable. Disons aussi que pour une femme comme moi, faire une longue route avec un cheval, toute seule, ça pourrait être dangereux. Je n'ai pas la force d'un homme pour tout bien contrôler et je suis moins jeune que je l'ai déjà été. Tout ça pour dire que j'aime bien le confort d'une automobile, et comme notre ami Gonzague allait à Baie-Saint-Paul, il a accepté de nous y conduire.

— Pas sûr, moi là, d'avoir compris.

L'assurance de Célestin avait fondu, diluée dans une bonne dose de scepticisme, parce que ce qu'il avait compris semblait trop énorme.

— Tu peux-tu répéter, Victoire ?

— Je dis tout simplement que demain, toi et moi, on va voir Gilberte à Baie-Saint-Paul dans l'automobile de Gonzague Gendron.

Célestin avait donc bien compris. Il prit une longue inspiration pour calmer son cœur en émoi.

— Moi ? Moi, Célestin Bouchard, je vas faire un tour dans une voiture automobile ?

— Oui. C'est exactement ce que j'ai dit. Toi, Célestin Bouchard, tu vas faire un tour dans une automobile.

— Ben là, Victoire, c'est pas pareil.

Célestin était tout excité. Une bonne rougeur lui était montée au visage et il tapait la table à petits coups rapides.

— C'est ben certain que c'est un vrai ami, le Gonzague, pour nous amener dans sa voiture automobile, comme ça. T'aurais dû le dire avant ! C'est mon frère Antonin qui va être surpris quand il va apprendre ça ! Oui monsieur ! Pour une fois, c'est moi, Célestin, qui vas être le premier pour quelque chose !

Célestin était non seulement excité mais tout à fait ravi par la bonne occasion qui se présentait à lui.

Il leva les yeux vers la fenêtre de la cuisine pour tenter d'apercevoir l'autre rive qu'il devina, cette fois, au clocher qui se démarquait contre le bleu du ciel.

Là-bas, c'était chez lui. C'était le village où habitait son frère Antonin qui n'avait jamais voyagé dans une voiture automobile. Jamais. Célestin le savait parce qu'Antonin n'avait jamais parlé de ça.

Le grand gaillard poussa un profond soupir de

contentement avant d'esquisser un très large sourire de fierté à la pensée qu'il aurait des tas de choses à raconter quand il serait de retour à l'Anse.

Décidément, venir à la Pointe était toujours aussi plaisant. Plus encore, peut-être, que lors de son premier voyage !

Il fit la route entre la Pointe et Baie-Saint-Paul le nez à la fenêtre. Comme le vent était vraiment froid, ce matin-là, Célestin fut très content d'être à l'intérieur, protégé des intempéries.

— C'est pas mal plus pratique qu'une calèche ou une charrette, je pense. Même si ça va pas vraiment plus vite. Ouais… Va falloir que je parle de ça à mon père pis Marius. Ouais monsieur !

La vue de l'hospice le déprima tout autant que la première fois, et quand Gilberte se précipita vers lui pour le serrer contre elle avec affection, Célestin la trouva amaigrie, presque fragile.

— T'es rendue ben p'tite, Gilberte ! constata-t-il sur un ton contrarié. T'es comme mon ancien chandail qui me faisait pus pantoute quand Prudence l'a lavé à l'eau chaude ! Pis toi, en plus, j'ai peur de te casser ! avoua Célestin en reculant d'un pas. T'es-tu malade, Gilberte ?

— Mais non, gros bêta ! Inquiète-toi pas pour moi. Je suis un peu fatiguée, c'est vrai, mais pas malade. Attendez-moi ici, je vais aller chercher Germain. Tu vas voir, Célestin, il a grandi pis il a pas mal vieilli. En plus, maintenant, malgré ce que tout le monde pensait, il a commencé à parler ! Je suis vraiment fière de lui !

Quelques instants plus tard, Germain entra seul dans la cuisine, sans tenir la main de Gilberte.

Effectivement, il avait grandi, un peu, et il avait beaucoup changé, même s'il avait gardé ses jambes tordues et son visage aplati. Célestin remarqua aussitôt qu'il marchait toujours en se dandinant comme un canard. Mais ce qui l'épata le plus fut de voir que Germain semblait le reconnaître.

En effet, dès qu'il aperçut le grand gaillard, Germain afficha un large sourire et le pointa du doigt en disant :

— Le géant ! C'est le géant, maman.

Maman...

Célestin fronça les sourcils. Cela faisait curieux à entendre, mais Germain semblait penser que Gilberte était sa mère. Mais alors que Célestin allait le faire remarquer, Germain marcha jusqu'à lui avec une assurance qu'il aurait pu lui envier, et d'autorité, il prit le grand gaillard par la main.

— Ami le géant, répéta-t-il, toujours aussi souriant et regardant à tour de rôle Victoire et Gilberte.

Cette dernière éclata de rire.

— Je comprends maintenant !

Tout en parlant, Gilberte avait tourné les yeux vers Célestin.

— Écoute ça, Célestin, c'est une belle histoire que je viens juste de comprendre... Quand Germain a commencé à parler, le premier mot qu'il a dit c'était « géant ». Si je me rappelle bien, c'était pas très longtemps après ta première visite. Pourtant, jamais j'ai pensé que c'était toi, le géant. C'est sûr que t'es grand, pis fort, mais je pensais plutôt que Germain voulait l'histoire du géant d'un des livres que je lui lisais, le soir, quand il était petit. Mais chaque fois que je sortais le livre en disant qu'on allait lire le livre du géant, il secouait la tête comme pour dire non. Maintenant, je comprends que c'est à toi qu'il pensait.

— Ben voyons donc… Il pense, lui ? Comme moi ?

— Oui, Germain pense. Il a une bonne mémoire aussi et il sait réfléchir.

— Ah ouais… Il réfléchit ? Moi aussi, des fois, je réfléchis même si je trouve ça pas mal difficile.

— Germain aussi trouve ça difficile, tu sais. Je le vois dans sa face pis dans ses yeux. Mais je sais qu'il réfléchit souvent, un peu comme tout le monde.

— Eh ben… Comme ça, Lionel s'est trompé.

— Pourquoi tu dis ça ?

— Parce que chez nous à L'Anse, le monde dit souvent que les idiots, ça sait pas réfléchir ! « Arrête de faire l'idiot pis réfléchis, un peu ! » Ouais, c'est de même que le monde me dit ça, des fois. Ça fait que Germain est pas un vrai idiot, comme Lionel avait dit… Pis s'il se rappelle de moi, comme tu dis, Gilberte, ça veut-tu dire qu'il m'aime encore ?

— Ça, c'est certain.

La réponse de Gilberte était on ne peut plus catégorique et une lueur de soulagement éclaira le regard de Célestin.

— Ben tant mieux, parce que moi aussi je pense souvent à lui, annonça-t-il en bombant le torse, une main posée sur la tête de Germain, dans un geste à la fois possessif et affectueux. Ouais, pas mal pas mal souvent à part de ça. Pis j'en parle aussi. Avec Prudence, pis avec les autres comme Antonin, Marius pis Hortense. Tout le monde chez nous à l'Anse le sait, astheure, que je connais Germain. Même Romuald le sait, pis je pense que ça lui fait plaisir. Ouais, c'est ce que je pense, moi, parce que Romuald vient les yeux toutes brillants quand je parle de Germain.

La mention du nom de son beau-frère Romuald, le père de Germain, troubla Gilberte. Ainsi donc, on parlait de Germain même devant lui ?

Le cœur de Gilberte se mit à battre à tout rompre.

Est-ce que ça voulait dire qu'elle pourrait retourner chez elle ?

Gilberte osait à peine respirer, de crainte de voir ses beaux espoirs s'envoler.

Combien de fois avait-elle imaginé son retour à l'Anse ? Elle n'aurait su le dire, tellement il y avait eu de soirs où, seule dans sa chambre avec Germain qui dormait profondément dans un petit lit à côté du sien, elle revoyait en pensée le sourire de Prudence et sentait la poignée de main ferme de son père. Elle entendait les cris de joie d'Antonin et de Célestin et s'imaginait être assise autour de la table familiale avec eux.

Puis, invariablement, la tête cachée sous l'oreiller, Gilberte se mettait à pleurer, sachant son retour impossible.

Parce qu'à l'Anse, il y avait aussi Marie et Romuald, et qu'au jour de la naissance de Germain, Romuald avait décidé qu'il valait mieux, pour Marie, éloigner le bébé.

Par contre, l'an dernier, Marie était morte, laissant son mari anéanti.

Gilberte s'en était tellement voulu d'avoir osé penser qu'ainsi, elle aurait peut-être la chance de retourner chez elle. Peut-être même pourrait-elle aider Romuald ? Mais chaque fois qu'une telle pensée traversait son esprit, Gilberte se sentait coupable.

Quelle sorte de cœur avait-elle donc pour vouloir profiter d'un malheur pareil pour améliorer son sort ?

Puis Prudence avait envoyé une lettre.

« Je ne sais pas si Romuald va s'en remettre, lui avait-elle écrit, peu après le décès de Marie. C'est une pitié de le voir au magasin, les yeux pleins d'eau pour un oui comme pour un non. Si Romuald travaille, c'est juste parce qu'il a pas le choix, avec toutes les bouches qu'il a à nourrir. Pis le magasin peut pas fermer comme ça, pas dans un village aussi gros que l'Anse. Avec Baptiste qui en mène pas large à cause de son asthme, Romuald doit continuer. Mais c'est ben difficile pour lui. Même qu'Antonin a laissé son travail ici, à la ferme, pour donner un coup de main à Romuald parce que le pauvre homme y arrive pas tout seul. »

Gilberte avait alors oublié ses rêves de retour. Romuald n'avait surtout pas besoin de revoir son fils dans de telles circonstances.

Les mois avaient passé et voilà que, maintenant, Célestin laissait entendre que…

Mais alors que Gilberte allait poser quelques

questions sur la vie au village, sur la vie de Romuald depuis le décès de Marie, Célestin baissa les yeux sur le petit garçon qui lui serrait le bout des doigts et ajouta :

— Pis Germain aussi, je pense qu'il me connaît. C'est pas mal correct de même. Ouais monsieur ! Pas mal correct.

Ces quelques mots eurent l'heur de permettre à Gilberte de se ressaisir. Valait mieux ne pas entretenir de rêves inutiles ni poser trop de questions qui pourraient la laisser encore plus meurtrie. Germain serait toujours Germain et leur vie à tous les deux était ici, à Baie-Saint-Paul.

Qu'avait-elle osé croire ?

Gilberte inspira profondément tandis que Célestin regardait autour de lui, l'air navré. La cuisine de l'hospice était aussi sombre et laide que le souvenir qu'il en avait gardé.

Oui, en ce moment, Célestin se tenait dans une grande pièce grise et blanche, pas vraiment jolie ni très chaleureuse, et ça le rendait mal à l'aise.

Non, en fait, ça le rendait triste.

Comment Gilberte pouvait-elle être heureuse ici ?

Célestin en soupirait de découragement quand son regard buta sur quelques religieuses en train de préparer des plateaux de repas.

Bien qu'affairées, les femmes en robes noires le reluquaient sans vergogne. Bien sûr, Célestin Bouchard était grand et gros et sa voix portait bien. Ce n'était pas la première fois qu'on le lorgnait ainsi, il avait l'habitude.

Mais ce matin, allez dire pourquoi, le geste l'incommodait.

Agacé, Célestin revint alors à Gilberte.

— Y a-tu ça, un salon, dans ton hôpital ? demanda-t-il sur un ton rempli d'impatience et d'espoir entremêlés. Parce qu'ici, dans ta cuisine, c'est pas tellement fait pour de la visite. Non monsieur ! C'est Prudence qui dit ça : ça prend un salon pour la visite, pis Victoire pis moi, on est de la visite.

À cette question, Gilberte répondit en ouvrant tout grand les bras pour embrasser le vide autour d'elle.

— Ben non, mon Célestin. C'est un peu plate à dire, mais j'ai pas ça, moi, un salon pour la visite.

— Ben ça marche pas d'abord !

Célestin jeta un regard furieux vers les religieuses qui continuaient de le fixer. De toute évidence, sourire en coin, elles suivaient la conversation avec beaucoup d'attention et, subitement, Célestin eut l'impression qu'on se moquait de lui.

— Comment tu penses qu'on peut parler tranquille avec du monde qui surveille tout ce qu'on dit ? lança-t-il à haute voix et reportant les yeux sur sa sœur.

— Célestin ! Voyons donc, sois poli ! On dit pas des choses comme ça !

— Pourquoi ? Si c'est vrai, on peut le dire, s'entêta Célestin. C'est Prudence qui parle comme ça, pis moi je pense comme elle. C'est pas une vraie maison, ta maison, Gilberte. C'est juste un hôpital, pis les hôpitals, c'est pas fait pour demeurer dedans tout le temps. C'est ça que je pense, moi.

À son tour, Gilberte promena les yeux sur la vaste cuisine.

— C'est un peu vrai. T'as ben raison, Célestin, concéda-t-elle à mi-voix, comme si elle avait peur que ses mots tombent dans des oreilles indiscrètes. Ici, c'est pas une vraie maison.

La pauvre Gilberte avait l'air sincèrement désolé. Tant pour elle, obligée de vivre dans cet hôpital jour après jour, que pour les quelques visiteurs qu'elle recevait à l'occasion de bien piètre façon.

— Malheureusement, expliqua-t-elle enfin, j'ai pas trouvé quelque chose d'autre pour pouvoir rester avec Germain. Y avait juste ici que je pouvais m'installer pour être tout le temps avec lui pis m'en occuper comme je le voulais. T'aurais pas voulu que je le laisse tout seul, hein ?

— Ben non. Pis c'est pas ça pantoute que j'ai dit. Ce que je dis, c'est que pour astheure, tu pourrais t'en aller.

Pour la seconde fois, Célestin jeta un long regard critique tout autour de la pièce.

— Ouais, c'est ça que je dis, moi : tu pourrais partir. Germain, même s'il est pas très grand, il a vieilli. C'est toi qui l'as dit t'à l'heure, Gilberte. Ça fait qu'il pourrait vivre dans une vraie maison, maintenant.

— Il pourrait, oui. T'as ben raison, Célestin. Mais j'ai pas ça, moi, une autre maison.

— T'as juste à en acheter une, Gilberte, proposa Célestin en haussant négligemment les épaules devant ce qui lui apparaissait comme d'une telle évidence…

— Minute, toi là ! Pour acheter une maison, ça prendrait des sous, objecta Gilberte. Beaucoup de sous. Pis j'ai pas ça… Pis quand ben même j'aurais assez d'argent pour acheter une maison, faudrait que je travaille pour gagner notre vie, à Germain pis moi. Qu'est-ce que je ferais de Germain quand je serais au travail ? Même s'il a vieilli et qu'il parle, Germain a tout le temps besoin de quelqu'un pour le surveiller. Non, non, ça marche pas, ton affaire.

— Je comprends pas, Gilberte. Ici aussi, tu travailles, non ? Pis beaucoup, à part ça, parce que t'as dit que t'étais fatiguée. T'aurais juste à faire pareil ailleurs.

— Mais ailleurs, j'aurais pas des religieuses autour de moi pour voir à Germain quand j'en aurais besoin.

— Ben je serai là, moi.

Était-ce la chaleur de la main de Germain contre la sienne qui avait dicté ces quelques mots à Célestin ? Il n'aurait su le dire et encore moins l'analyser, mais c'était là, en lui, comme un besoin irrépressible qu'il n'avait pas envie de comprendre.

Soudainement, ce petit garçon, ce petit Germain qui levait les yeux vers lui, Célestin n'avait plus envie de le quitter.

Alors, il expliqua à l'intention de Gilberte qui le dévorait des yeux, visiblement en attente de quelque chose :

— Des fois, quand tu irais travailler, je pourrais m'occuper de Germain. Pis des fois, c'est moi qui irais travailler pour gagner les sous pendant que toi, tu t'occuperais de Germain. Ça se peut-tu, ça ? Je suis capable de travailler pour gagner des sous. Je le sais parce que je le fais, des fois, pour les voisins. Je suis grand pis fort, moi. Des fois, ça rend service au monde, être grand pis fort. Pis les sous, je pourrais te les donner à toi au lieu de les donner à papa. Les sous, moi, je comprends pas trop comment ça marche. Mais toi, Gilberte, tu dois bien le savoir, non ?

Durant toute cette conversation, Victoire s'était tenue à l'écart. Après tout, ce qui se disait depuis quelques minutes, entre le frère et la sœur, ne la regardait pas vraiment. Sauf que par ses dernières questions et sa prise de position assez catégorique, Célestin rejoignait si bien ce qu'elle pensait de la situation de Gilberte que ce fut plus fort qu'elle.

Victoire fit un pas en avant et, sans hésiter, à la suite de la dernière proposition de Célestin, elle enchaîna :

— Quelle bonne idée !

Gilberte et Célestin se tournèrent en bloc vers elle. Si Célestin était tout sourire de voir qu'on l'approuvait, Gilberte, elle, semblait désemparée.

— Ben voyons donc, Victoire. Vous pensez pas vraiment ce que vous venez de dire ?

— Et comment ! Non seulement je pense que c'est une bonne idée, je l'endosse à cent pour cent ! Il est temps de regarder devant, Gilberte. Pour toi, bien sûr, parce qu'il serait grand temps de revenir vivre dans le monde ! Mais pour Germain aussi. Je pense que pour lui, il serait plus que temps de connaître autre chose que ce vieil hospice tout gris.

— Vous avez raison, Victoire, je le sais ben. Mais

comment c'est que je vais pouvoir réussir à...

— On verra au comment plus tard, trancha Victoire, enthousiaste. Pourvu qu'on soit d'accord sur le pourquoi, le reste viendra bien tout seul en temps et lieu.

— Ben voyons donc, n'arrêtait pas de répéter Gilberte, en se tordant les mains, tandis que Germain restait accroché à celle de Célestin. Je peux pas m'en aller comme ça, juste sur un coup de tête.

— Tu es bien entrée ici sur un coup de tête, je ne vois pas pourquoi tu ne partirais pas de la même façon.

— Pour aller où ?

— Chez nous pour commencer.

Victoire était tout feu tout flamme.

— La maison est grande. On peut bien accommoder quelques personnes de plus, le temps que tu...

— Mais vous savez que je veux pas être une charge pour personne, interrompit la pauvre Gilberte, visiblement dépassée par la tournure que prenait cette banale visite. Me semble qu'on en a déjà parlé, non ?

— On en a parlé, oui, tu as raison. Mais en attendant de trouver autre chose, tu peux bien accepter mon offre, maintenant que Célestin, lui, t'offre son aide... Dis oui, Gilberte ! Pour une fois, juste pour une fois, pense à toi. De toute façon, Germain ne serait pas malheureux lui non plus. Et comme je viens de le dire : on verra au reste plus tard.

Quand Gilberte reparlerait de cette journée, elle dirait qu'elle avait été emportée dans un tourbillon sans aucune possibilité de retour en arrière. L'envie de partir existait en elle depuis beaucoup trop longtemps pour ne pas s'accrocher au moindre espoir et y croire de toutes ses forces.

Même si cet espoir était ténu, parce qu'il s'appelait Célestin et, comme Gilberte le savait depuis très longtemps, qu'il avait le raisonnement d'un petit garçon.

La supérieure, mise au fait de la proposition, eut un regard de connivence rempli de gratitude à l'intention de Victoire.

— Finalement, je pense que c'est une bonne décision, approuva-t-elle.

Quelques mots d'encouragement qui sonnèrent comme une sorte de reproche aux oreilles de Gilberte.

— Ah oui ? Vous trouvez que c'est une bonne idée ? On dirait que vous êtes contente de me voir partir…

— Ne me prêtez pas d'intentions malveillantes, Gilberte, interrompit la religieuse d'une voix douce. Je vous aime et vous le savez. Tout comme vous savez que j'ai fort apprécié le travail que vous avez fait chez nous. Cependant, tout comme Victoire, je crois que Germain est prêt à prendre son envol. Allez, Gilberte, regardez-le ! Il n'a rien à voir avec les autres patients !

Parler positivement de Germain, c'était le baume sur toutes les blessures. Gilberte esquissa un sourire de fierté.

— C'est vrai que Germain semble plus intelligent que certains autres.

— Alors ? Qu'est-ce que vous attendez ?

On trouva une vieille valise où Gilberte empila ses maigres effets aux côtés de ceux de Germain. Puis elle fit ses adieux, toute surprise de sentir son cœur battre de plaisir aussi fort et aussi facilement.

Gilberte Bouchard quittait presque dix ans de sa vie sans le moindre regret. Plus, elle était heureuse comme elle ne se souvenait pas l'avoir été!

Au bout du compte, malgré les objections et les tergiversations, la décision avait été prise tellement rapidement que non seulement Célestin en semblait tout étourdi mais Gilberte aussi.

— T'es ben certain que tu regretteras pas ta décision, mon Célestin?

Assise dans l'automobile de Gonzague Gendron, Gilberte parlait tout en regardant par la vitre de la portière, émerveillée de voir le paysage défiler à ses côtés. À l'autre portière, Célestin en faisait tout autant, se contentant de détourner la tête pour fixer la nuque de monsieur Gonzague quand il avait besoin de réfléchir. Entre Gilberte et lui, le petit Germain dormait profondément.

— Parce que tu penses que je pourrais regretter?

Subitement, Célestin semblait ébranlé. Et si Gilberte avait raison? Le temps de s'imaginer retourner chez lui où il ne voyait plus son frère tous les jours, le temps d'entendre la voix impatiente de son père, parce qu'il trouvait que son fils Célestin ne travaillait pas toujours assez vite, le temps de se répéter les quelques derniers mots de Gilberte, et Célestin se mit à secouer la tête.

— Non, je regretterai pas, Gilberte, fit-il avec conviction. Je me suis trop ennuyé de toi pour regretter d'être avec toi. Oui monsieur! Maintenant, c'est fini, m'ennuyer de toi, pis c'est une bonne affaire, ça. Une vraie bonne affaire.

— Oui, mais Prudence, elle ? Et papa ? Et Antonin ?

Un dernier soubresaut de réflexion. Une seconde mise au point sur ce qu'était devenue sa vie puis Célestin tourna la tête vers sa sœur.

— Antonin, je le vois pas mal moins souvent, expliqua-t-il. Je me suis habitué de pas voir mon frère tous les jours. Oui, je me suis habitué.

Célestin prononça ce dernier mot en détachant bien les syllabes.

— C'est Prudence qui dit ça comme ça, pis je pense comme elle. Ça m'a fait peur de savoir qu'Antonin avait une amoureuse, pis je me suis habitué... Ouais, monsieur ! Il a deux garçons, maintenant, Antonin. Il a plus ben ben le temps de venir me voir.

Sur ce, Célestin pencha la tête vers Germain.

— Astheure, moi aussi, m'en vas être occupé avec Germain.

Tout en parlant, Célestin opinait vigoureusement de la tête.

— Ouais monsieur ! M'en vas être occupé comme Antonin avec ses garçons. Pis Prudence, elle, j'irai la voir dans le bateau de Léopold. Ouais. C'est pratique un bateau pour aller à l'Anse... Astheure, c'est à mon tour de faire ma vie, Gilberte. Ouais... C'est comme ça que je vas le dire à Prudence, à papa pis à Antonin : Célestin Bouchard a décidé de rester ici à la Pointe pour faire sa vie avec Gilberte pis Germain.

Gilberte comprit alors qu'il n'y avait rien à ajouter. Un vertige à l'estomac lui fit fermer les yeux et elle poussa un très léger soupir en se disant, comme le répétait souvent la supérieure de l'hospice: « À la grâce de Dieu ! »

De son côté, toute inquiétude disparue, Célestin était ravi, heureux comme pas un de savoir que Gilberte et Germain revenaient avec eux, émerveillé encore une fois par le confort et la vitesse de l'automobile de monsieur Gonzague.

— Oui, oui, la vitesse, murmura-t-il pour lui-même. C'est Victoire qui avait raison… Pis demain, m'en vas toute raconter ça à Prudence pis à Antonin. Oui monsieur !

À moins de cent milles de là, dans la ville de Québec, dès le lundi suivant, Julien passait par les mêmes émotions ou presque.

Lui aussi, il allait faire sa vie !

Tout avait commencé par une demande sibylline de la part de Paul. En effet, avant que Julien parte pour l'école, ce matin-là, Paul avait annoncé qu'il aurait besoin de lui et de Réginald en fin de journée.

— Pour quoi faire ?

— Pour m'aider à faire un choix.

— Un choix ? Quelle sorte de choix ?

— Quelque chose d'important, c'est bien certain. Sinon, vois-tu, je n'aurais pas besoin de vous deux.

Constatant qu'il était impossible de faire parler Paul qui semblait s'amuser à ses dépens, Julien quitta la maison pour prendre le tramway en direction de l'école, tourmenté par la curiosité.

Inutile de dire que, ce jour-là, l'attention prêtée aux cours fut de piètre qualité. Le tintement de la cloche signifiant la fin des classes n'avait pas encore fini de sonner que Julien était déjà dans l'escalier menant à la cour de récréation.

Il entra en trombe dans le logement, surpris de voir que Paul était déjà là à l'attendre, alors qu'habituellement, à cette heure-ci, il était encore en bas devant ses plans.

— Et maintenant, jeune homme, on descend chercher Réginald à la compagnie Paquet, annonça Paul dès que ce dernier eut mis un pied dans le corridor.

Une demi-heure de marche d'un bon pas et ils rejoignaient Réginald sur la rue Saint-Joseph, en face du grand magasin. Pas plus que Julien, le vendeur d'habits pour hommes ne savait ce que Paul tramait.

— Et maintenant, suivez-moi ! lança ce dernier qui semblait s'amuser comme un enfant.

— Ben là, soupira Réginald d'un ton geignard tout en emboîtant le pas à Paul. Veux-tu ben me dire, Paul Tremblay, ce que tu manigances ?

— Donne-moi encore quelques minutes et tu vas tout comprendre. Tu devrais être content. Oui, vraiment content. Depuis le temps…

Ils remontèrent la rue de La Couronne, tournèrent sur la rue Dorchester et, après un court moment, Paul s'arrêta si brusquement que Réginald buta contre lui.

— Ben voyons donc, toi ! Qu'est-ce qui te prend, d'arrêter comme ça sans prévenir ?

— C'est ici !

Réginald et Julien scrutèrent aussitôt les environs avec beaucoup d'attention, tout aussi curieux l'un que l'autre. Après tout, c'était plutôt inhabituel pour ne pas dire inusité que Paul s'amuse à leur faire des cachotteries.

Il y avait des commerces, bien sûr, c'était la rue pour cela. Saint-Joseph et Dorchester étaient les artères commerciales de la ville. Le commerce de détail. Il y avait aussi quelques hôtels, habituellement fréquentés par les vendeurs itinérants, puis, un peu plus loin, on apercevait la marquise ou l'enseigne d'un bar, de deux ou trois restaurants...

— Tu veux nous emmener manger au restaurant? demanda alors Julien, avec une pointe d'agacement dans la voix parce qu'il ne comprenait pas qu'on puisse recourir à autant de simagrées pour un simple repas.

— Pas du tout...

Plus le temps passait, plus Paul avait l'air de beaucoup s'amuser, ce qui n'était rien en soi pour calmer l'exaspération de Julien.

— Regardez comme il faut!

Pour la seconde fois, Réginald et Julien scrutèrent à la loupe les abords de la rue fréquentée.

Ce fut Réginald qui, le premier, eut l'intuition de ce que Paul tramait depuis le matin.

— Pas Chez Joseph de Varennes, toujours ben? demanda-t-il à mi-voix tout en se tournant vers Paul.

— Hé!

— Ben voyons donc, toi...

Jamais Réginald n'avait battu des paupières avec autant de conviction lorsqu'il reporta les yeux sur la bâtisse qui leur faisait face.

— Ben voyons donc, répéta-t-il en se ventilant maintenant avec les deux mains.

— Pourquoi pas ?

Réginald poussa un bruyant soupir comme il aurait pu le faire devant un enfant particulièrement obstiné.

— Parce que c'est ben que trop cher, Paul Tremblay. Combien de fois on en a parlé ? Faut-tu que je te fasse un dessin pour que tu comprennes ?

— Et si je dis qu'on a les moyens.

— Ben là...

Réginald était à court de mots tandis que Julien, passant de l'un à l'autre, de Paul à Réginald, tentait de suivre une conversation qui lui semblait plutôt mystérieuse. En fait, il ne comprenait pas du tout de quoi parlaient les deux hommes.

Et comme à quinze ans la patience n'est pas la vertu dominante...

— Allez-vous finir par me dire ce qui se passe ?

C'est alors que Paul tendit le bras.

— Regarde, Julien ! Juste de l'autre côté de la rue.

Ce dernier leva les yeux.

Sur un panneau, comme dit par Réginald quelques instants auparavant, un certain Joseph de Varennes annonçait les services et les biens vendus chez lui. C'est à ce moment-là que tout devint limpide pour Julien.

« Joseph de Varennes, bicyclettes, bijoux et automobiles »

Par acquit de conscience, Julien relut l'affiche, son incrédulité n'ayant d'égal que la surexcitation qui le gagnait.

Paul ne pouvait avoir envie d'une bicyclette ou d'un bijou, n'est-ce pas ? Ne restait donc que l'automobile.

Peut-être...

Oui seulement peut-être, parce qu'aux yeux de Julien, cela semblait trop gros, trop invraisemblable.

Il n'y avait que les riches pour avoir les moyens de s'acheter une automobile. Tout le monde savait ça ! Bien que... Paul semblait à l'aise, non ?

Julien se tourna aussitôt vers celui qui avait littéralement changé sa vie en acceptant de l'héberger chez lui et il demanda :

— Vous êtes pas sérieux, Paul ? Pas une automobile...

— Je suis on ne peut plus sérieux. J'ai un commerce florissant, de nombreux clients, des sœurs qui ont eu l'idée saugrenue de s'installer à l'autre bout de la ville dans Limoilou et j'ai aussi des parents qui habitent un peu loin. Pourquoi, alors, me priver de ce petit luxe que j'ai les moyens de m'offrir ? De nous offrir ?

— Ben ça alors...

Julien, tout comme Réginald, n'en revenait tout simplement pas.

— Une automobile ? Vous, Paul, vous voulez acheter une automobile ? demanda-t-il encore, question d'être bien certain qu'il ne fabulait pas.

— En plein ça !

— Ben qu'est-ce que vous attendez, d'abord ?

Julien en trépignait d'impatience.

— Dépêchez-vous, vous deux ! J'ai hâte de voir ça ! On rit plus ! Une automobile ! On va avoir une automobile !

Quelques jours plus tard, tout excités, les trois compères se présentaient à nouveau chez Joseph de Varennes pour chercher l'auto. Paul eut droit à un bref cours de conduite et on lui enseigna les rudiments de l'entretien que nécessiterait son nouvel achat.

Les mains crispées sur son volant, Paul arriva à ramener son monde à la maison. Réginald poussa plus de cris de peur qu'il n'en avait poussé de toute sa vie et Julien, cantonné à l'arrière, n'avait pas assez de ses deux yeux pour observer les passants envieux qui les regardaient rouler bien lentement le long des rues.

En moins d'un mois, Julien savait ce qu'il voulait faire de son existence.

Il n'y avait plus aucun doute pour lui. En quelques semaines à peine, ce qui pouvait passer aux yeux de certains comme une lubie qu'il abandonnerait rapidement était devenu pour lui une véritable passion, tout comme la forge l'avait déjà été et aurait continué de l'être si les choses n'avaient pas tant évolué au fil des années !

Les doutes et les questionnements suscités par ses parents étaient maintenant très loin derrière lui. Cette fois, personne, pas plus son père et sa mère que qui que ce soit d'autre ne se mettrait en travers de sa route.

Julien en était convaincu : il serait mécanicien, envers et contre tous.

Cela faisait deux nuits maintenant qu'il passait à aligner des projets et des perspectives sur papier.

Et dans l'ébauche de son avenir, la forge de John O'Connor avait une place de choix, car désormais, dans l'esprit de Julien, le grand bâtiment aurait deux vocations.

En effet, en plus du fer forgé de John et de James qui se vendait fort bien quand venait la saison touristique, il y aurait un garage à Pointe-à-la-Truite !

— Ouais monsieur, comme le dirait un jour Célestin, impressionné et très fier de voir que son neveu pouvait tout réparer ou presque.

Mais en attendant ce jour béni, passant une partie de ses soirées le nez sous le capot de la Ford de Paul à tenter de comprendre les mécanismes de ce moteur, Julien accumulait les arguments pour convaincre John et James de la faisabilité de son projet. Rentabiliser tout l'espace de la forge en était le fer de lance.

À la place des calèches et autres fers à cheval, on réparerait des autos.

Quoi de mieux pour regarder l'avenir avec assurance ? À moins d'être complètement borné ou aveugle, il n'y avait aucun doute que les autos étaient là pour rester.

En pensée, Julien voyait une belle affiche qui, curieusement, ressemblait comme une jumelle à celle de Joseph De Varennes.

« O'Connor et Bouchard, fer d'ornement et garage »

Et plus bas, en petites lettres, Julien ajouterait : essence et mécanique.

Julien la voyait tellement bien, cette affiche, que la veille, il s'était amusé à la dessiner. Le résultat, en blanc, noir et rouge, avait fière allure. Il l'imaginait déjà battre mollement au vent sur la devanture de la forge, tenue par une hampe comme un drapeau, entre la pompe à essence et la porte d'entrée...

Oui, cette fois, et Julien en était persuadé, ça devrait suffire pour convaincre ses parents et James O'Connor que la vocation de la forge allait bientôt changer.

Et si on lui reparlait d'école ?

Julien esquissa une moue avant de refaire un large sourire.

Eh bien, si on lui parlait d'études, il répondrait « cours de mécanique » et tout le monde serait content !

CHAPITRE 11

Six ans plus tard, mardi 22 octobre 1929, sur la Côte-du-Sud

À cinquante-quatre ans, Marius en avait plus qu'assez de toujours devoir s'en remettre à son père pour la moindre décision. D'autant plus qu'en vieillissant, Matthieu Bouchard était de plus en plus taciturne, inquiet pour l'avenir, alors que selon ses dires tout coûtait de plus en plus cher sans nécessairement apporter des résultats convaincants.

C'est pourquoi, depuis quelques années déjà, il prenait un temps infini à se faire à l'idée du moindre changement, au grand désespoir de Marius qui avait accepté de seconder son père quand il était tout jeune encore et qu'il avait des projets plein la tête.

À la défense de Matthieu, comme l'avait déjà fait remarquer Prudence, au moment où Hortense lui faisait part de certaines doléances, il fallait cependant ajouter qu'il n'avait pas eu une vie facile.

— C'est comme si tu t'étais retrouvée toute seule quand tes enfants avaient à peine l'âge d'aller à l'école, avait-elle souligné, faisant ainsi référence au décès d'Emma, la première épouse de Matthieu. Pas sûre, moi, que tu serais pas restée marquée par un aussi gros malheur que celui-là. Pis en plus, il a même pas pu connaître sa fille Béatrice.

— Ouais, vu de même...

— Plus tard, avait enchaîné Prudence sans permettre à Hortense de poursuivre sur sa lancée, c'est trois de ses enfants qui sont partis durant la même année. Te rends-tu compte ? Pas un, pas deux, trois ! Tu serais-tu prête, toi, à voir s'en aller trois de tes enfants quasiment en même temps, même si aujourd'hui, ils sont rendus presque des adultes ?

— Ben non... Vous le savez ben que je pourrais pas passer au travers de ça sans y laisser des plumes !

— C'est en plein ce que je dis... À cause de tout ça, en plus du travail dur dans les champs pis celui pas plus facile avec les bêtes, Matthieu a perdu une couple de plumes en cours de route, comme tu le dis si ben. Ça l'empêche pas de toutes vous aimer à sa manière. C'est ça que je pense, moi, pis je le connais ben. Gêne-toi surtout pas pour le répéter à ton mari... Me semble que je le trouve un brin à pic, depuis quelque temps, le beau Marius !

Prudence n'avait pas tort en disant cela ! Mais si Hortense comprenait fort bien le point de vue de sa belle-mère, Marius, lui, l'entendait d'une tout autre oreille.

— Pis ça te suffit à toi, Hortense, de te dire que le pauvre vieux a eu la vie dure pour toute lui pardonner ?

— Ben là...

— Ben pas moi ! avait tranché sèchement Marius. Nous autres avec, on a une vie pas facile, entassés les uns sur les autres, comme du bétail ! Pis on se plaint-tu ? Non ! Toi comme moi, on n'a jamais levé le ton. N'empêche que j'aimerais ça des fois, avoir une maison ben à moi. On achève d'élever notre famille, calvaze, pis on reste encore chez les parents. C'est pas normal pantoute. Pas dans mon idée à moi, en tout cas.

— Celle-là, tu l'as sur le cœur, hein mon Marius ?

— Comment veux-tu que je le prenne autrement ? Chaque fois que j'essaye d'en parler avec le père, il me revire comme un malpropre… Calvaze de calvaze ! Me semble que je me suis assez esquinté sur sa ferme pour mériter au moins un peu de respect, un peu de considération. Ça fait depuis l'âge de dix ans que je travaille avec lui !

— C'est vrai que tu te donnes pas mal fort. Je t'ai jamais vu compter ton temps.

— Ouais, comme tu dis… Du temps, calvaze, j'en ai mis pour deux ! Pis je te ferais remarquer que de toutes mes frères qui ont travaillé icitte, sur la ferme, je suis le seul à être encore là. Faut dire que le caractère du père fait rien pantoute pour donner le goût de rester ! Malgré ça, moi, je suis encore là. Fidèle au poste, comme ils disent ! Me semble que juste pour ça, le père pourrait avoir un peu de reconnaissance, pis me prêter l'argent que j'aurais besoin pour construire ma maison. J'y demande pas de me la donner, sa maudite argent, je veux juste qu'il m'en prête un peu.

— Vu de même, t'as pas tort, c'est vrai. Pourtant…

Hortense semblait hésitante.

— Tu seras peut-être pas content de ce que j'vas dire, pis je veux que tu soyes sûr que je comprends ce que tu ressens, mais quand ton père dit que toute ce qui est icitte t'appartient un peu, me semble que c'est une manière de dire qu'il apprécie ce que t'as faite, non ?

— Peut-être ben... Mais moi, c'est pas ça que je veux, Hortense. La maison du père, même s'il me la donnait en héritage, ça resterait toujours ben la maison du père. Dans ma tête, en tout cas. Je serais jamais capable de la voir comme la mienne. Surtout si Prudence est icitte pour y rester, comme Mamie l'a fait durant ben des années. Dans un sens, elle aurait le droit pis à l'âge qu'elle a, la Prudence, c'est comme rien qu'elle va survivre au père. Te rends-tu compte, Hortense ? Cette femme-là, c'est tout juste si elle a dix ans de plus que moi, calvaze !

— T'exagères pas un p'tit brin, toi là ?

— À peine.

— Ouais, vu de même... Veux-tu que je te dise de quoi, Marius ? Je trouve que c'est dur de s'y retrouver dans tout ça. Ouais, ben dur ! D'un bord, y a ton père qui pourrait pas en faire plus que ce qu'il fait là, à son âge, pis qui pense ben faire en gardant l'argent qu'il a réussi à mettre de côté. Comme il dit, on connaît pas l'avenir, pis j'y donne pas tort là-dessus. Pis de l'autre bord, y a toi qui as pas tort non plus. C'est vrai qu'avoir notre maison, ça serait ben agréable, pis c'est vrai, avec, qu'on l'aurait pas volée ! Toi comme moi, on a passé notre vie à entretenir le bien d'un autre.

— Bon ! Enfin quelque chose de raisonnable !

— Pauvre Marius ! C'est pas parce que c'est raisonnable de penser de même que ça va changer la situation.

— C'est ce que tu penses ?

— Comment penser autrement, Marius ?

— Ben regarde-moi ben aller, Hortense ! Mon père, c'est comme un vieux clou rouillé ! À force de piocher dessus, il va finir par céder…

— Ou ben, il va casser, Marius ! Fais ben attention à ce que tu vas dire. Ton père est plus ben ben jeune.

— Ouais, pis ? Il est faite fort, crains pas ! De toute façon, il a passé sa vie à discutailler sur à peu près toute ce qu'on disait. Une discussion de plus ou de moins, ça devrait pas faire une grosse différence pour lui.

— Si c'est ce que tu penses… Après toute, tu le connais plus que moi.

C'est ainsi, à partir de ce beau jour de septembre, doré comme l'avoine du champ en arrière de la maison et odorant de toutes les pommes du verger où on avait fêté Mamie, que Marius commença ce qu'il appelait dans l'intimité de leur chambre « sa cabale ».

Le lendemain, à voix basse, il confiait à Hortense :

— Il a pas dit un « non » ben net, ben frette comme il fait d'habitude.

— C'est peut-être bon signe.

— Peut-être… On verra ben.

À partir de ce jour, tous les soirs, Marius faisait le point avec Hortense. Et s'il le faisait ainsi, religieusement tous les soirs, c'était qu'il en parlait obstinément à son père un peu tous les jours.

— À force de le tanner tout le temps avec mon histoire de maison, il va ben finir par céder, tu vas voir!

— J'aime pas ça, t'entendre parler de même. Ça me fait un peu peur.

— Ben voyons donc! C'est juste du placotage. Ça mange pas le monde, du placotage. Mais si ça peut hérisser le poil du père, par exemple, ça nuira pas à notre cause. Il y a toujours ben une sainte limite à ce qu'un homme peut endurer, hein? À force de l'achaler, le père va finir par céder. Il aura pas le choix. En attendant, laisse-moi aller pis contente-toi de prier, ma femme. Ça avec, ça pourrait être utile, parce que le père a la couenne dure!

Marius ne pouvait si bien dire!

En effet, Matthieu avait la couenne dure et si son fils s'imaginait qu'il céderait à ses arguments, il s'était bien trompé. Matthieu n'avait nullement l'intention de faire marche arrière, ne serait-ce que d'un pas, ne voyant aucune utilité à le faire. Ça aurait été contre ses principes, et des principes, Matthieu Bouchard en avait toute une série à servir en cas de besoin.

L'inutilité d'avoir une seconde maison sur son terrain en faisait partie.

Allons donc!

Pourquoi deux maisons, alors que la première suffisait amplement à leurs besoins? Les enfants avaient vieilli, la plupart d'entre eux étaient partis faire leur vie ailleurs, comme l'avait si bien dit Célestin, et ceux qui restaient partiraient sans doute bientôt. Seul Gédéon, le fils aîné de Marius, parlait de prendre la relève. L'ancienne maison de Mamie n'avait jamais manqué d'entretien. Elle était aussi solide et propre qu'au matin où Matthieu y avait emménagé avec sa première épouse, Emma.

Que demander de plus ?

Alors, s'il y avait une maison supplémentaire à construire, ça serait peut-être celle de Gédéon, le jour où il se marierait. Et encore ! Malgré ce que Marius semblait penser, Matthieu était loin d'avoir une fortune à sa disposition. Une seule saison catastrophique et le pécule fondrait comme du beurre dans la poêle, Matthieu en était convaincu.

C'est à cela qu'il réfléchissait encore quand Prudence l'interpella.

— Je suis contente de voir que t'as pas grimpé dans les rideaux, souligna-t-elle alors que Matthieu et elle se trouvaient seuls à la cuisine.

Parlant ainsi, Prudence faisait référence à la discussion plutôt froide et cassante que Matthieu et Marius venaient d'avoir en fin de repas. Une discussion à sens unique, finalement, où Matthieu s'était contenté de grogner en guise de réponse.

— Dis-toi ben que c'est pas l'envie de répliquer qui manque ! répondit Matthieu, visiblement exaspéré. Je sais pas trop ce que le diable lui prend, à Marius, d'insister de même, mais c'est pas en me tapant sur les nerfs qu'il va me donner envie de l'écouter. De toute façon, il sait depuis longtemps que je suis contre l'idée d'une autre maison sur le terrain de la ferme. Du moins pour astheure. On en a pas besoin. Il aura beau s'entêter, le Marius, il a pas encore trouvé une seule bonne raison qui viendrait me faire changer d'idée.

Prudence poussa un léger soupir de lassitude tout en retirant les assiettes du souper. Si ce n'était cette éternelle discussion au sujet de la maison, la vie serait belle et bonne, maintenant que leurs deux filles étaient élevées. L'aînée travaillait comme commis au bureau de poste et la cadette était gouvernante chez le notaire du village. Toutes les deux étaient courtisées par des jeunes gens de bonne famille et on parlait mariage pour l'été suivant. Quant aux garçons de Marius et Hortense, ils n'étaient plus des gamins et ils étaient bien élevés. Eux aussi devraient quitter la maison dans un avenir pas trop lointain. En un sens, Matthieu n'avait pas complètement tort de tenir tête ainsi à Marius. Prudence non plus ne voyait pas l'utilité d'une seconde maison.

— Une autre maison ? Que du tracas inutile, disait-elle parfois en écho aux impatiences de son mari.

C'est pourquoi elle suggéra :

— Pourquoi tu le dis pas clairement ? Depuis le temps que Marius en parle, me semble que tu devrais être plus clair que ça dans tes propos. Ça mettrait peut-être une fin à cette damnée discussion.

Matthieu se contenta de hausser les épaules sans rien dire. Qu'aurait-il pu ajouter que Prudence ne savait déjà ? Pourtant, devant ce silence, Prudence insista.

— J'aimerais ça que tu me répondes, Matthieu.

Pourquoi tu dis rien quand Marius te parle de la maison ? Entre piquer une colère qui ferait juste attiser le feu pis une réponse calme mais ferme, me semble qu'il y a tout un monde, non ?

— Non... Pense comme tu veux, Prudence, mais moi j'ai pas l'intention d'embarquer dans le jeu de Marius. On en a déjà trop parlé de cette maison-là. Si on compte bien comme il faut, ça fait des années que ça dure. Continuer d'en discuter, ça serait une vraie perte de temps, pis tu le sais : j'ai toujours haï ça ben gros, perdre mon temps.

— C'est vrai que le sujet a été discuté deux fois plutôt qu'une, concéda Prudence, comprenant qu'encore une fois, il ne servirait à rien d'insister.

— Comme tu dis... C'est pour ça que je laisse Marius gaspiller sa salive sans rien dire. Il va finir par se tanner que je dise rien parce que moi, je changerai pas d'idée. Astheure, Prudence, laisse-moi lire mon journal, pour qu'on ferme l'électricité pas trop tard... Une autre affaire à payer ! Quand je dis que l'argent pousse pas dans les arbres...

À ces mots, Prudence se détourna vivement pour cacher le sourire spontané qui lui montait aux lèvres.

En effet, pour elle, rien n'était plus drôle que de voir Matthieu tenir le journal à bout de bras et essayer de déchiffrer des mots qui, selon lui, étaient écrits de plus en plus petits d'une semaine à l'autre. En ce moment, même un sourire à peine esquissé de sa part risquait de jeter de l'huile sur le feu. Comme chaque fois que Marius revenait sur le sujet de la maison, Matthieu en avait pour une bonne heure à s'en remettre. Durant ce temps, il n'était pas à prendre avec des pincettes. Une heure qu'il utilisait probablement pour ravaler les mots auxquels il avait pensé sans les dire. Par contre, aujourd'hui encore, avec un peu de chance, la colère s'éteindrait d'elle-même. Mais quand Prudence entendit Matthieu se choquer après le journal, ce fut plus fort qu'elle, et elle se tourna promptement vers lui.

Secouant la feuille de papier pour la tendre bien droite devant lui, étirant ses bras au maximum, Matthieu fulminait.

— Batince ! Ils le font exprès, c'est ben certain... Comment c'est que tu peux te tenir au courant des nouvelles de la ville si t'es même pas capable de lire le journal dans le sens du monde ?

Le sujet de la typographie du journal était éculé entre eux et ce fut Prudence qui sentit sa patience mise à rude épreuve. Elle inspira longuement pour reprendre sur elle et décida que pour une fois, au lieu de répéter à Matthieu qu'il devrait demander à Clovis de lui acheter une paire de lunettes de lecture lorsqu'il irait à Québec ou encore demander à Antonin de lui en faire venir par la poste, maintenant qu'il travaillait au magasin général, elle proposerait à Matthieu quelque chose de tellement énorme qu'il choisirait par lui-même de se procurer des lunettes.

— On pourrait peut-être avoir un poste de radio ? suggéra-t-elle, mine de rien, tout en frottant la table avec son torchon. Comme ça, t'aurais plus besoin de lire le journal ou l'almanach pour te tenir au courant des nouvelles. Astheure que l'électricité est rendue ici, me semble que…

Malheureusement, Matthieu n'entendit que les mots sans tenir compte du ton plutôt calme de la voix qui les prononçait.

— T'es-tu en train de virer folle, toi là ?

Matthieu malmenait le journal qu'il tentait de replier. Quand il y parvint, il en asséna un coup sur la table qui claqua comme une gifle.

— Voir que j'ai les moyens de nous payer une machine de même ! Un poste de radio ! Pourquoi pas une auto, tant qu'à y être ?

Devant tant de mauvaise foi, Prudence se rebiffa.

— Pauvre Matthieu ! Toujours en train d'exagérer… J'ai pas dit une auto, bonté divine, j'ai parlé d'une radio. C'est pas le même prix pantoute pis ça t'éviterait de te choquer à tout bout de champ parce que tu dis que les mots sont pas lisibles.

— Je me choquerai ben si j'ai envie de me choquer, gronda Matthieu en inspirant bruyamment.

Prudence avait l'impression d'essuyer toute la rancœur que Matthieu avait gardée en lui depuis fort longtemps, au fil des discussions concernant la maison.

— C'est pas toi qui vas venir me dire quoi faire pis comment le faire, souligna-t-il avec aigreur. Pis j'en ai assez ! Quand c'est pas Marius qui me rabat les oreilles avec ses idées de fou d'avoir une maison à lui, c'est toi qui veux une radio ! M'en vas aller voir mes animaux, tiens. Eux autres, au moins, ils passent pas leur temps à me chialer dessus.

— Pis en plus, ils sont assez gros pour que tu les voyes, hein Matthieu ?

La réplique avait échappé à Prudence. Au regard que lui lança Matthieu, elle tenta de se racheter illico en changeant de ton pour poursuivre.

— Si tu voulais m'écouter aussi ! proposa-t-elle plus gentiment, espérant ainsi voir son mari se détendre. Une paire de lunettes, ça coûte pas tellement cher, mon homme, pis c'est ben efficace pour les mots qui rapetissent.

La réponse de Matthieu fut une chaise bousculée, quelques pas bruyants traversant la cuisine et une porte claquée violemment. Pourquoi répéter qu'il n'était pas notaire pour avoir besoin d'une paire de lunettes ? Il ne passait pas ses grandes journées le nez dans la paperasse, lui. Mais ça, de toute évidence, Prudence ne voulait pas l'entendre.

Attristée par la tournure qu'avait prise leur conversation, Prudence arriva à la fenêtre juste à temps pour voir le dos courbé de son mari disparaître derrière la porte de l'étable.

Elle se laissa tomber dans la chaise berçante de Mamie qui était toujours fidèlement installée devant la fenêtre, comme en attente d'une autre vieille à bercer puisque Célestin n'était plus là pour l'occuper.

— Va falloir que je parle à Marius, murmura-t-elle en donnant un coup de talon pour mettre la chaise en branle. Ça n'a pas de bon sens de voir Matthieu comme ça. Un rien le rebiffe. Comme un jeune cheval rétif…

Pourtant Matthieu n'était plus très jeune. Il avait

épaissi, ses gestes étaient plus lents, ses sautes d'humeur plus nombreuses. Cela n'empêchait pas Prudence de l'aimer comme au premier jour. Il avait été un bon mari pour elle, un bon père pour leurs deux filles et dans ses bonnes journées, il était encore d'un commerce agréable. La tendresse avait peut-être remplacé la passion au fil des années, mais Prudence ne s'en formalisait pas. Elle aussi, elle avait vieilli et par moments, elle était plus bourrue.

— Ouais, va falloir que Marius le comprenne, ajouta-t-elle en se relevant pour retourner à l'évier afin de finir la vaisselle. Matthieu est plus très jeune et il a le droit de se reposer. Ça fait des années qu'il s'échine de l'aube au crépuscule, il mérite bien qu'on lui fiche la paix… Ouais, c'est décidé : à partir de maintenant, fini les discussions à propos de la maison. Je veux plus en entendre parler ! De toute façon, tout ce qu'on a, Matthieu pis moi, ça va aller en grande partie à Marius. Sauf quelques bébelles que j'vas donner à mes filles, bien entendu. De le savoir, ça devrait suffire pour calmer les esprits de Marius. Pis si Matthieu parle pas, moi j'vas le faire.

La décision étant prise, Prudence attaqua la vaisselle. Elle oublia Matthieu et sa colère tout comme elle chassa de ses pensées Marius et sa toquade. Pour l'instant, elle ne pouvait rien faire de plus que ce qu'elle venait de décider et plutôt que de continuer à se torturer les méninges, elle se rendit en pensée jusqu'à Pointe-à-la-Truite, le village de son enfance où vivaient désormais Gilberte et Célestin. Ils habitaient depuis quelques années une toute petite maison au cœur du village, avec Germain, bien entendu, qui faisait désormais partie de leur famille.

Prudence poussa un long soupir d'émotion, attendrie par l'image qui s'imposait souvent en boucle dans son esprit, celle de Romuald rencontrant son fils pour la première fois.

— C'est ben dommage que Marie soye pas là, elle avec, avait-il souligné, un trémolo dans la voix, une main maladroite posée sur la tête du jeune garçon qui ne semblait nullement intimidé par lui, comme s'il comprenait d'instinct que cet homme-là ne lui ferait aucun mal. Ouais, c'est ben dommage parce que je pense qu'elle aurait été contente de voir que finalement, notre fils est pas vraiment un idiot comme on nous l'avait dit. Joual vert! Il parle comme toi pis moi, cet enfant-là. Pis poli, à part de ça, vraiment ben élevé! Merci Gilberte, merci ben gros d'y avoir vu.

Les visites s'étaient faites plus régulières à partir de ce jour-là, au grand plaisir de Prudence qui s'ennuyait énormément de Célestin.

— Je sais pas ce qu'il m'a fait, celui-là, mais depuis qu'il est parti, il y a pas une journée sans que je pense à lui.

— C'est sûr, ça, avait souligné Matthieu, pour une fois d'humeur taquine. Il prend de la place, le Célestin. C'est pour ça qu'on arrive pas à l'oublier!

— Vilain!

N'empêche que Prudence s'ennuyait vraiment. Heureusement, avant la fin de l'été, le grand gaillard avait traversé le fleuve trois fois pour venir les visiter et Prudence, pour sa part, était allée se promener du côté de la Pointe avec ses filles, toutes deux heureuses du voyage et de la chance qu'elles avaient de côtoyer plus régulièrement Gilberte, une inconditionnelle de leurs jeunes années.

Matthieu, de son côté, n'avait jamais rien dit, ni rien demandé à propos des voyages de Prudence. Pas plus qu'il n'avait suggéré de l'accompagner, d'ailleurs. Par contre, à sa façon un peu revêche, il avait semblé heureux de revoir Gilberte et Célestin mais sans plus.

Quant au petit Germain, comme il n'était pas son fils…

Puis l'automne était arrivé avec ses couleurs, ses pommes, ses récoltes abondantes mais aussi avec ses perspectives de contraintes et de confinement, Prudence en prenait cruellement conscience en ce moment.

— Bonyenne que l'hiver va me sembler long, soupira-t-elle en jetant un coup d'œil par la fenêtre au-dessus de l'évier.

L'horizon s'embrasait au fur et à mesure que le soleil descendait pour se retirer jusqu'au lendemain.

— On est toujours ben pas pour faire un détour par Québec à chaque fois qu'on va vouloir aller voir notre monde ! constata-t-elle, les yeux rivés sur le ciel flamboyant. Ça serait bien trop compliqué… Va juste nous rester à espérer le printemps comme jamais ! Bien que, avec le téléphone…

D'où l'agrément d'être la belle-mère de Romuald,

marchand général de l'Anse et propriétaire d'un bel appareil en bois verni, avec une manivelle toute rutilante, accroché au mur en arrière du comptoir!

Prudence esquissa un sourire malicieux.

Le temps de finir le rangement tout en savourant l'idée qu'avec le téléphone, si jamais l'ennui se faisait trop grand, elle pourrait y remédier, Prudence jeta un dernier coup d'œil par la fenêtre et réalisa que la nuit était bel et bien tombée.

Et Matthieu n'était toujours pas revenu de l'étable.

— Tu parles d'une bouderie! D'habitude, ça dure pas aussi longtemps… Faut croire qu'il commence vraiment à avoir l'histoire de la maison sur le cœur!

Cette réflexion eut l'heur de la conforter dans sa décision. Dès le lendemain, elle parlerait à Hortense et ensuite à Marius.

Mais pour l'instant…

Prudence hésita entre le plaisir de lire le journal, pour une fois que Matthieu n'était pas là à récriminer après le coût de l'électricité, et l'envie qu'elle avait de retrouver son homme pour faire la paix.

Le journal l'emporta.

— Le temps de lire les grandes lignes, annonça-t-elle aux murs, pis j'irai chercher Matthieu s'il est pas revenu.

Avec un plaisir chaque fois renouvelé, Prudence déploya les pages du journal sur la table.

Un titre, un autre, quelques lignes lues par habitude plus que par plaisir…

Prudence soupira. Il n'y avait rien de bien intéressant ou de bien nouveau aujourd'hui.

Déçue, elle leva les yeux. Dehors, il faisait nuit, une nuit d'encre sans lune. La ligne de lumière laissée par le soleil avait complètement disparu. Alors l'envie de retrouver Matthieu se transforma en inquiétude.

— Veux-tu ben me dire…

Habituellement Matthieu ne s'éternisait pas à l'étable. Surtout le soir. Depuis quelques années déjà, c'était la corvée de Gédéon de voir aux animaux avant la nuit. En cas de besoin, Marius se joignait à lui. Quant à Matthieu, il n'y retournait qu'en cas d'urgence.

Attrapant un chandail au vol, Prudence sortit de la cuisine en coup de vent et se dirigea d'un bon pas vers l'étable. Une ampoule jaunâtre avait remplacé le fanal au-dessus de la porte et cette faible clarté guida ses pas.

— Matthieu ? lança-t-elle dès qu'elle entra dans le grand bâtiment qui l'avait toujours intimidée.

Plutôt fonceuse de nature, Prudence n'avait cependant jamais aimé se retrouver dans l'étable. Les bêtes étaient trop grosses, trop massives et elles lui faisaient peur. C'est pourquoi elle se contenta de se répéter sans trop s'avancer vers les stalles qui servaient à un couple de chevaux de trait et aux vaches tachetées de noir :

— Matthieu ?

Nulle réponse, sinon un curieux bruit venant de la laiterie, laquelle, sur la ferme des Bouchard, était curieusement située sur le côté de l'étable et non en façade. Bien que détestant marcher dans l'allée entre les vaches, Prudence s'y dirigea à petits pas prudents, les yeux au sol et en colère contre Matthieu qui, par son silence, l'obligeait à traverser l'étable sur toute sa largeur.

Assis sur un tabouret de traite et penché au-dessus d'une chaudière servant habituellement à recueillir le lait, Matthieu avait de curieux borborygmes.

— Veux-tu ben me dire…

Quand il entendit la voix de sa femme, Matthieu leva enfin la tête. Il avait un teint de cendre et de grosses gouttes de sueur perlaient à son front. Prudence se précipita vers lui.

— Ben voyons donc, mon homme! Qu'est-ce qui se passe?

— Je le sais pas trop, articula Matthieu d'une voix essoufflée. On dirait ben que le souper passe pas. J'ai ben mal au cœur, comme un poing icitte, fit-il en se touchant la poitrine. Mais j'ai beau faire des efforts, j'arrive pas à vomir… Me semble que ça me ferait du bien, que ça me soulagerait…

— Ben tu vas venir te soulager dans la maison, Matthieu Bouchard.

De sa voix de supérieure, Prudence prenait la situation en main.

— Il fait trop froid ici pour quelqu'un de malade.

— Je suis pas malade… C'est juste une indigestion.

— Malade ou pas, tu t'en viens avec moi. Appuie-toi sur mon bras pis lève-toi.

Prudence avait présumé de sa force. À peine Matthieu se fut-il redressé qu'il retombait sur son banc qui se renversa. Au même instant, Gédéon paraissait dans l'embrasure de la porte. Un seul regard et lui aussi se précipitait vers son grand-père.

— Ça sert à rien, il est trop pesant pour toi ou moi, déclara Prudence. Cours, mon gars, cours vite chercher ton père. Pis après tu iras au village chez Romuald pour appeler le docteur de La Pocatière.

Gédéon avait déjà tourné les talons et quelques minutes plus tard, c'est Marius qui arrivait au pas de course, les bretelles de son pantalon lui battant les cuisses.

— Qu'est-ce qu'il a, le père ?

— Je le sais pas. Depuis qu'il est tombé, il dit plus rien… Aide-moi, Marius, aide-moi à le relever pour l'amener dans notre chambre. Pis toi, mon garçon, ajouta Prudence sans lever les yeux vers Gédéon, tu files au village chez Romuald pour appeler le docteur comme je t'ai demandé t'à l'heure.

L'hésitation de Prudence fut à peine perceptible.

— Pis tant qu'à y être, ajouta-t-elle, va voir dans le verre à cennes, dans le coin de l'armoire. Il y a un papier avec un numéro dessus. Appelle donc là avec. C'est un docteur… Il s'appelle Lionel… T'auras juste à y dire ce qui se passe ici pis, lui, ben, il prendra la décision qu'il voudra.

À suivre…

À paraître plus tard en 2014 :

Les héritiers du fleuve

Tome 4

1929~

À toi, papa, parce que je t'aime

NOTE DE L'AUTEUR

Déjà le printemps se fait sentir après un hiver assez costaud ! Le soleil est plus chaud, je sens sa caresse à travers le lainage de mon manteau, et les oiseaux ont recommencé à m'éveiller le matin.

La nature sort lentement de son hibernation et j'en suis fort aise. Vous l'ai-je déjà dit ? Je n'aime pas tellement la froidure. Alors, ce matin, j'ai des ailes !

L'écriture reprend donc sous un beau soleil de printemps. Ma fenêtre est entrouverte et je suis heureuse.

Dans le dernier tome, j'ai été surprise de voir que, jour après jour, c'était Célestin qui m'attendait dans mon bureau. Avec une patience fort surprenante, d'ailleurs. J'ai été émue aussi de voir à quel point je me suis vite attachée à ce grand gaillard, comme je l'ai surnommé.

Il y a Paul, aussi, qui m'a causé bien des surprises. Je suis surtout contente qu'il ait enfin trouvé un certain équilibre dans sa vie. Avec Réginald, il ne doit pas s'ennuyer même si à leur époque, certaines choses restaient cachées.

Puis, il y a Johnny Boy que plus personne n'appelle comme ça et qui fonce droit devant avec le jeune Julien devenu mécanicien. Ses parents ont eu beau insister, il n'a pas plié à leurs arguments. Et il a bien fait ! La forge devenue garage est désormais le point de ralliement des hommes du village et attire bien des touristes quand vient l'été.

De son côté, Victoire a vieilli et les heures passées devant ses fourneaux sont devenues plus pénibles. Le dos, les genoux… Mais comme il n'y a personne pour prendre la relève, elle persiste à se lever à l'aube pour remplir toutes les commandes venues d'un peu partout dans la région.

— Pas question que mon nom tombe dans l'oubli, m'a-t-elle souligné l'autre jour. J'ai trop travaillé pour ça ! Regarde l'auberge ! La mère Catherine n'est plus là et cette belle maison est à vendre. Quelle perte pour la Pointe !

Je n'ai pas osé lui demander de cuisiner un gâteau juste pour moi. À son âge, elle en fait déjà beaucoup. Par contre, je vous jure que je vais aller fouiner dans son gros livre de recettes françaises. Moi aussi, j'adore le gâteau éponge ! Si je trouve quelque chose d'intéressant, je vous en ferai part.

Avec tous ces personnages, jeunes et vieux, on va continuer d'avancer au fil du temps. La vie facile des années folles tire à sa fin et s'il fut un moment important dans l'histoire du monde, ce fut la grande crise de 1929. C'est pourquoi on va y retourner pour quelques pages.

D'autant plus que Matthieu semblait bien mal en point quand nous l'avons quitté à la fin du tome 3. Malgré son mauvais caractère, je suis inquiète et je veux savoir ce qu'il est devenu.

Voilà, je suis prête… Je ferme les yeux et je replonge en octobre 1929.

Il fait nuit et Gédéon, le fils de Marius, vient de partir à bicyclette pour le village. Il ne s'arrêtera que devant la maison de son oncle Romuald où il doit téléphoner au médecin de La Pocatière.

Et aussi à un certain Lionel qu'il ne connaît pas…

Le voyez-vous le long du troisième rang de l'Anse-aux-Morilles ? Il pédale comme un forcené, le cœur en émoi, parce que son grand-père ne va pas bien. La nuit est sombre car il n'y a pas de lune, mais le ciel est piqué d'étoiles.

CHEZ LE MÊME ÉDITEUR:

Annamarie Beckel:
Les voix de l'île

Christine Benoit:
L'histoire de Léa: Une vie en miettes

Andrée Casgrain, Claudette Frenette,
Dominic Garneau, Claudine Paquet:
Fragile équilibre, nouvelles

Alessandro Cassa:
Le chant des fées, tome 1: La diva
Le chant des fées, tome 2:
Un dernier opéra

Normand Cliche:
Le diable par la crinière, conte villageois
L'ange tourmenté, conte villageois
La Belle et l'orphelin, conte villageois

Luc Desilets:
Les quatre saisons: Maëva
Les quatre saisons: Laurent
Les quatre saisons: Didier
Les quatre saisons: Rafaëlle

Sergine Desjardins:
Marie Major

Roger Gariépy:
La ville oubliée

François Godue:
Ras le bol

Nadia Gosselin:
La gueule du Loup

Danielle Goyette:
Caramel mou

Georges Lafontaine:
Des cendres sur la glace
Des cendres et du feu
L'Orpheline

François Lavallée:
Dieu, c'est par où?, nouvelles
L'homme qui fuyait

Michel Legault:
Amour.com
Hochelaga, mon amour

Marais Miller:
Je le jure, nouvelles

Guillaume Morrissette:
La maison des vérités

Marc-André Moutquin:
No code

Sophie-Julie Painchaud:
Racines de faubourg, tome 1: L'envol
Racines de faubourg, tome 2: Le désordre
Racines de faubourg, tome 3: Le retour

Claudine Paquet:
Le temps d'après
Éclats de voix, nouvelles
Une toute petite vague, nouvelles
Entends-tu ce que je tais?, nouvelles

Éloi Paré:
Sonate en fou mineur

Geneviève Porter:
Les sens dessus dessous, nouvelles

Carmen Robertson:
La Fugueuse

Anne Tremblay:
Le château à Noé, tome 1:
La colère du lac
Le château à Noé, tome 2:
La chapelle du Diable
Le château à Noé, tome 3:
Les porteuses d'espoir
Le château à Noé, tome 4:
Au pied de l'oubli

Québec, Canada

Achevé d'imprimer le 26 mars 2014

Imprimé sur du papier Enviro 100% postconsommation traité sans chlore, accrédité ÉcoLogo et fait à partir de biogaz.